人気テレビ番組のあり得ないミス200

大災害で笑って大炎上し[illegible]、番組。
アナウンサーが見せたま[illegible]
出演者を死に追い込ん[illegible]
動物を虐待する酷い「[illegible]
番組スタッフの不祥事で打ち[illegible]」……。
本書は、人気テレビドラマやニュース、バ[illegible]中から、
前代未聞のハプニングや放送事故、放送禁止にな[illegible]た作品をまとめたものです。
あの人気番組の驚くべきミスやトラブルの数々を御楽しみください。

TETSUJINSYA

人気テレビ番組のあり得ないミス200

目次

第1章 大炎上

第2章 ハプニング

第3章

やらせ

第4章 放送事故

第6章 大人の事情

第8章 放送禁止

第1章

大炎上

スタッフが「ビンタしたらいいじゃん」と指示!?

「テラハ」にも出演 スターダム看板選手
まだ22歳 木村花 急死
愛してる、楽しく長生きしてね
傷ついたのは否定できない
愛されたかった人生
弱い私でごめんなさい
人生が、変わります。
sagami original

▲木村花さんの死は大きなニュースになった（日刊スポーツより）

２０２０年５月、プロレスラーの木村花さん（当時21歳）が、直前まで出演していた恋愛リアリティ番組「テラスハウス」での言動をめぐってＳＮＳで誹謗・中傷にさらされたことを苦に自ら命を絶った。この件で警察は２０２１年４月までに悪質な書き込みを繰り返した２人の男性を侮辱罪で書類送検している。

そもそもは、台本は一切ないとうたいながら、スタッフの作ったストーリー通りに出演者を動かし、キスをしたらボーナスを出すなどしていた番組の制作方法に問題があるとの声も上がった。

木村さんがネットで激しい非難を受ける原因となった第38話「コスチューム事件」でも、木村さんはスタッフの演出によって暴力的な女性のように描かれ、「ビンタしたらいいじゃん」と指示を受けていたという。木村さんの遺族が週刊文春の取材を受け、スタッフの指示を裏付けるＬＩＮＥメッセージを公表。また、共演者、スタッフも番組のやらせを認めているという。

アイヌ民族への不適切「謎かけ」で日テレ会長が謝罪

2021年3月21日に放送の日本テレビの朝ワイド「スッキリ」で、アイヌ民族に対する不適切な表現があったと番組の存続が危ぶまれるような騒ぎが起きた。番組内コーナーで芸人の脳みそ夫が、動画配信サービス「Hulu」で放送されるアイヌ女性のドキュメンタリー番組を紹介した際に、「この作品とかけまして、動物を見つけたときと解く。その心は…あ、犬」と発言。同時に番組ではテロップで「あ、犬(アイヌ)」とも出ており、これに批判が殺到した。

そもそも「犬」は過去にアイヌ差別に用いられてきたとして、国会議員がその被害を報告したこともある言葉。番組や芸人にアイヌを差別する意図はなかったと思われるが、官房長官が記者会見で抗議するなど騒ぎは局外へ発展している。

▲問題となった謎かけ

▶騒ぎを受け、15日の番組冒頭でMCの水卜アナが「制作に関わった者にこの表現が差別にあたるという認識が不足していた」「日本テレビとしてアイヌの皆様、並びに関係者の皆様に深くお詫びを申し上げるとともに再発防止につとめてまいります」と謝罪

2018年の番組「ダウンタウンDX」より

ゆきぽよの「元カレは刑務所」はシャレで済まない？

ジャーが売り込み
事ください!
アメリカで大人気のギャル ゆきぽよ
元カレ5人中4人が務所暮らし!

▲彼女の自宅はヤンチャな元カレたちの溜まり場だったとか

恋愛リアリティ番組「バチェラー・ジャパン」に出演して名を上げたギャルモデルのゆきぽよは、２０１８年９月放送の「ダウンタウンＤＸ」に初出演した際に、元カレ５人中４人が刑務所にいたとの衝撃エピソードをぶっ込みブレイク。ぶっちゃけトークができるギャルとしてバラエティ番組に欠かせない存在となった。

が、２０２１年１月発売の週刊文春のスクープにより、彼女の話が遠い過去の出来事ではないことが判明する。２０１９年に友人男性が彼女の自宅でコカインを使用して緊急搬送の末に逮捕。彼女の自宅は家宅捜索され、彼女自身も尿検査を受けていたという（結果は陰性）。こうした事実が明らかになるとネットは大炎上。活動自粛は報じられていないが、２０２１年４月現在、テレビで彼女の姿を見る機会はほとんどなくなった。

2020年の番組

「サザエさん」より

たった11人の批判ツイートを「炎上」と報道

▲東京都世田谷区桜新町の長谷川町子記念館・美術館に建つサザエさん一家の像

国民的アニメとして幅広い年代から人気の「サザエさん」に、まさかの炎上騒ぎが持ち上がった。

2020年4月26日の放送で、磯野家がゴールデンウィークにレジャーに行く計画を立てたり、動物園を訪れたりするエピソードがオンエアされると、スポーツ紙やネットニュースなどが、「コロナ禍で皆が自粛している中、レジャーに出かける話が不謹慎過ぎると炎上」と報道。さらに、これらの記事に対して「フィクションまで自粛しろというのか」「世の中息苦しい」などの批判の声が集中して騒ぎが広まることに。

しかしこの騒動、ツイートを分析した東京大学准教授によると、サザエさんを不謹慎と書き込んでいたのはたった11人しかおらず、メディアの不謹慎報道で記事が拡散。読者が賛否を書き込み、炎上が既成事実化したことが判明した。

水爆実験が行われた島と福島はまったく無関係

2017年の番組「ビキニ事件63年目の真実」より

テレビ朝日が2017年8月6日放送した「ビキニ事件63年目の真実」には、予告の段階で「〜フクシマの未来予想図〜」なるサブキャッチが付いていた。

内容は、1954年にマーシャル諸島で行われた水爆実験と、その被害を受けた島住民の健康被害や、ビキニ環礁から別の島へ強制移住させられた住民たちが、海水面の上昇で再度島を追われる事態になっていることを取材したドキュメンタリーだ。

HPには「中心部以外の放射線量はいまだに高く、ここで生活して魚介類や動植物を食べても安全なのか誰にも分からない」などの記述もあり、なぜ福島が関係するのかといえば「63年経った今も帰れないマーシャル諸島の故郷の島。それは、フクシマの未来予想図なのか?」らしい。

これに大勢から批判の声が上がる。今後、健康被害が福島県でも発生するかのように思わせ、差別や偏見を助長させるというのが主な主張で、番組はこれらの意見を尊重。8月1日夜、番組タイトルからサブキャッチを外すことを決定した。

2017年8月6日(日) 午後1時55分〜3時20放送(一部地域を除く)

「ザ・スクープスペシャル」

マーシャル諸島・アメリカ徹底取材!

ビキニ事件63年目の真実

〜フクシマの未来予想図〜

放送日の8月6日は広島市の原爆記念日。今から72年前の午前8時15分、B29爆撃機エノラ・ゲイ号から投下された原爆は、一瞬にして約14万人の命を奪った。そして、投下直後に降った「黒い雨」により多くの人たちが内部被ばくし、今もがんなどで苦しんでいる。広島・長崎に続く第三のヒバクシャは南太平洋の楽園の住民たちと、近海で操業中だったのマグロ漁船「第五福竜丸」の乗組員たち23人だった。

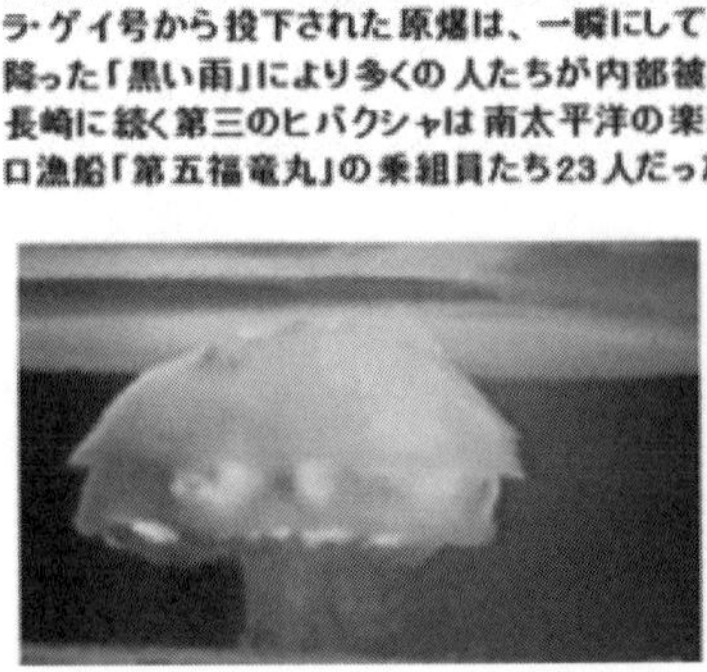

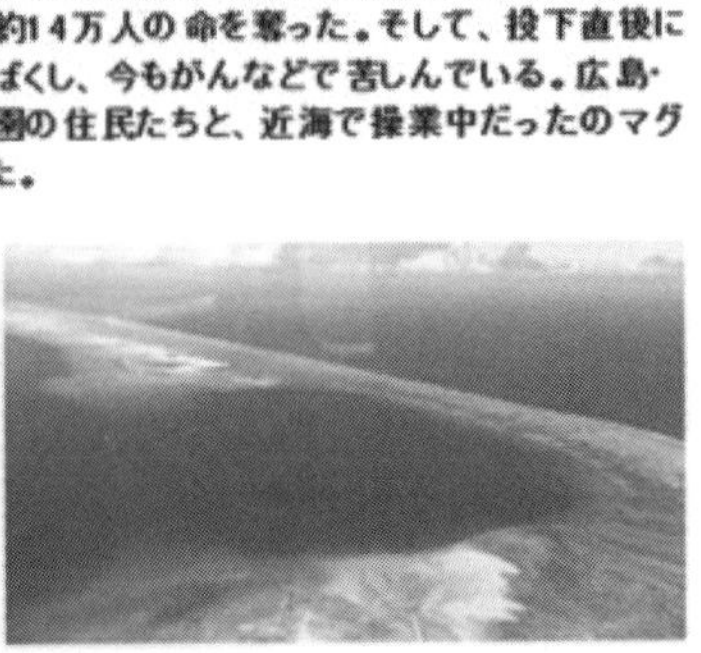

▲予告のHPより。放送後、「科学的根拠がなく煽情的内容」と批判する視聴者も

胸を触っての性別確認→問題コーナー休止

2019年の番組「かんさい情報ネット ten.」より

▲長髪の常連客に性別を質問

▶コメンテーターの若一光司さんが声を荒げるもスタジオはポカン

読売テレビの夕方ワイド「かんさい情報ネットten.」のロケ企画で、一般人に対して性的なプライバシーの暴露を強要するような放送があったと問題になった。

2019年5月10日、「迷ってナンボ!」というコーナーで、お笑いコンビの藤崎マーケットが阪急十三駅の近くの飲み屋の常連客に、性別がわからないと「下の名前は?　胸はある?」と本人が男だと明言するまで尋問。さらには保険証を提示させたり、胸の膨らみを手で触って確かめるなどした。

VTRが終わると番組に出演していたコメンテーターの作家・若一光司さんがスタジオで激怒。「許しがたい人権感覚の欠如。よう平気で放送できるね」と叱りつけた。さらに視聴者から読売テレビに批判が殺到。週明けの13日、同番組の冒頭で報道局長らが頭を下げ、件のコーナーは休止となった。

「西成には行かないほうがいい」→謝罪

▲アウトローから陰キャまで幅広い芸人が集結した「高校中退芸人」

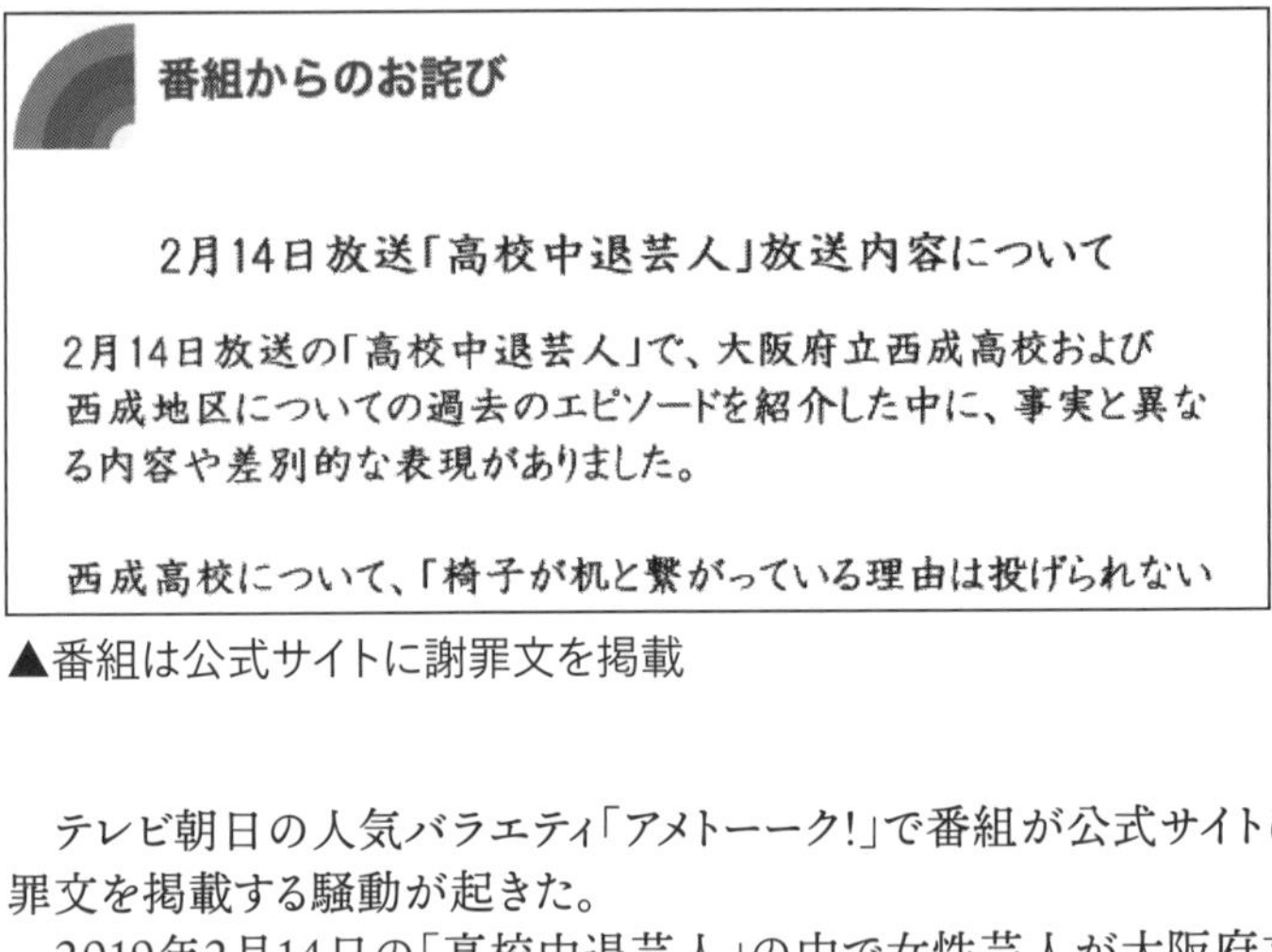

番組からのお詫び

2月14日放送「高校中退芸人」放送内容について

2月14日放送の「高校中退芸人」で、大阪府立西成高校および西成地区についての過去のエピソードを紹介した中に、事実と異なる内容や差別的な表現がありました。

西成高校について、「椅子が机と繋がっている理由は投げられない

▲番組は公式サイトに謝罪文を掲載

テレビ朝日の人気バラエティ「アメトーーク!」で番組が公式サイトに謝罪文を掲載する騒動が起きた。

2019年2月14日の「高校中退芸人」の中で女性芸人が大阪府立西成高校について「いすが机とつながっている理由は投げられないようにするため」「当初9クラスあった学年が卒業時には5クラスになった」などのエピソードを披露。さらにスタジオの出演者も西成での体験話を加え、その中には「西成には行かないほうがいい」などの発言もあった。

これに大阪府立西成高校と大阪府教育委員会、部落解放大阪府民共闘会議から西成区に対するネガティブなイメージが印象付けられたと抗議文が届き、テレビ朝日が謝罪することに。特に西成高校の校長は、番組での発言内容には真実とな異なるものも含まれており、「アメトーーク!」に限らず、同校の生徒たちは日常的に差別を受けていると訴えた。

大ヒットアニメの監督が降板して大炎上

2019年の番組「けものフレンズ2」より

2017年1月より放送されたアニメ「けものフレンズ」は、フレンズと呼ばれる少女の姿をした動物たちが暮らす動物園を舞台にした冒険物語だ。

これが大ヒット。第2シーズンの制作が決定したものの、監督・構成・脚本を務めていた「たつき」が所属する制作会社とカドカワを中心とした製作委員会が版権問題で対立し、別の制作会社がかかわることに。これにファンが反応し、「たつき監督辞めないで」という署名は5万人を超える数を記録した。

2019年1月から「けものフレンズ2」（全12話）と題した新シリーズが始まると、放送が進むにつれ作品への批判的な声が上がり出した。

▼現在も署名サイトでは更新が続いている

たつき監督辞めないで！

発信者：辞めないで たつき監督　宛先：カドカワのみなさん

なんで角川はたつき監督を辞めさせるの？

みんなでたつき監督を取り戻そう！

キャンペーンの進捗

『けものフレンズ』たつき監督降板騒動で製作委員会がコメント　二次利用めぐり対立か

人気テレビアニメ『けものフレンズ』で監督・シリーズ構成などを務めた

鳥取県をイジりすぎて大炎上騒ぎに

▲トリンドル玲奈が鳥取県人を演じる

▲鳥取県民が糸電話を使うシーンが炎上

2012年にソフトバンクが制作したCMが炎上し、放送中止になった。CMには、モデルのトリンドル玲奈が鳥取県出身のキャラとして登場。ほかの登場人物に対して、「鳥取県ではいまも電話は糸電話が当たり前」というギャグを飛ばすのだが、この発言に一部の鳥取県民が激怒。「バカにしすぎだ」との苦情が相次いだため、早々に放送が終わってしまった。

2002年の番組「24時間テレビ」より

西村知美が20キロワープした疑惑

▲マラソンの途中で、西村知美が一気に20kmワープした

2002年、日本テレビの人気番組「24時間テレビ」で、インチキ疑惑が起きた。チャリティーマラソン企画に参加した西村知美が、24時間で100㎞を走るコースに挑戦したのだが、2日目の午後6時の時点では残り30㎞だったはずなのに、その1時間後には表示が「10㎞」になっていたのだ。

1時間で20㎞も走るのは、もはやオリンピックのランナーと変わらないレベル。そのため、視聴者のあいだでは「西村知美がワープした!」などと大騒ぎになった。

竜巻災害ニュースに笑顔を見せて大炎上

(雨が)降られたら全部が
ぬれちゃうもんだから

２０１２年、フジテレビの報道番組「ＦＮＮスーパーニュース」が大炎上した。

茨城県で起きた竜巻の被害を報じていた場面で、カメラが切り替わる瞬間、同局の安藤優子アナがニッコリと笑っている姿が映りこんでしまったのだ。

この映像に対し、視聴者からは「事故映像の前で笑った」「不謹慎だ」などと怒りの声が続出。大バッシングが起きた。

が、決して安藤アナは竜巻を笑ったわけではなかったため、「過剰反応」や「これはスタッフが悪い」といった声も少なくなく、ネットなどでは批判派と擁護派のあいだで激しいバトルに発展した。

スタッフ事故死↓責任逃れ発言↓猛炎上

2010年の番組「真相報道バンキシャ!」より

“装備が不十分
最初から不安”
日本テレビ
“現状では
不適切な装備とは思っていない”

▲テレビ局は責任を完全に否定

5:02
日テレ記者ら２人
ヘリ墜落取材中遭難
同行したガイド
水野隆信さん
前日夜、記者の装備が
かなり不十分だった

▲しかし、ガイドに発言を瞬殺されてしまった

2010年、日本テレビの報道番組「バンキシャ!」で、取材のために秩父山中を訪れた日本テレビの記者とカメラマンが遭難死する事故が起きた。遺体の発見時、スタッフはTシャツにジャージーのズボンの軽装だった。

これに対し、日本テレビは、「不適切な装備ではない」と釈明。しかし、その直後、事故現場に同行したガイドが「装備がかなり不十分だった」と発言したため、一気に「責任逃れだ!」との批判が殺到することとなった。

さらに、「バンキシャ!」内では、この事故の詳細にほぼ触れなかったため批判が加速。テレビ史に残る炎上となった。

和田アキ子、オタクを敵に回す

▲序盤で少しだけ
「初音ミク」の紹介があったが…

▲「ボクの嫁」発言で
顔をしかめるアッコさん

▲あとはほとんどオタクいじり

▲結局、オタク叩きがメインだった

2007年にTBSで放送された「アッコにおまかせ」で、炎上騒動が起きた。

番組では、歌声制作ソフト「初音ミク」を紹介したのだが、ソフト自体の解説は1分ちょっとで終わってしまい、あとはユーザーの発言を意図的にチョイス。「3次元には興味がないんで」や「(ポスターの女性キャラは)ボクの嫁」といった発言ばかりを取り上げていく流れに終始した。こうした内容に放送直後から「オタク叩きの魂胆が見え見え」「オタク叩きに利用された」との批判が相次ぐ事態となった。

2006年の番組
「たまひよ」より

「まるで前戯のキス」濃厚キスに苦情殺到

▲最初は、母親が赤ちゃんにキスをする微笑ましいCMでしたが…

▲急に濃厚なキスシーンが展開

2006年、出産や育児の雑誌を刊行する「たまひよ」ブランドのテレビCMに苦情が殺到し、まさかの放送禁止に追い込まれる事件が起きた。

問題になったのは、CMの終盤に映し出される夫婦の濃厚なキスシーン。制作者は「家族の幸せ」を描いたつもりだったが、視聴者からは「まるで前戯のキス」「子どもと一緒に見ていて困った」などの苦情が殺到し、放送から3日で中止が決まった。

2005年の番組
「ザ！ 情報ツウ」より

伝説の台風中継

▲鹿児島に風速45メートルの台風が

▲阿部リポーターが現場中継を担当

▲立っているのも
難しい状況だったが…

▲中継が終わると同時に、
スタスタと歩き出した

2005年、日本テレビの「ザ！情報ツウ」で、いまも伝説と呼ばれる台風中継が放送された。

阿部祐二リポーターが、鹿児島を襲った暴風雨を中継していたときのこと。最初のうちは、あまりの風速に立っていられない様子を見せた阿部リポーターだったが、中継が終わると同時に、なにごともないようにスタスタと歩き出した。この珍事に対し、視聴からは「やらせだ！」との批判が殺到した。

もっとも、台風は瞬時に風速が変わるケースが多いため、やらせとは断定できないが。

2005年の番組

「静岡広報CM」より

大阪のおばちゃんをイジって問題に

▲大阪のおばちゃんがサギ撲滅を叫ぶ

▲迫力バツグン

2005年、静岡県が振り込め詐欺への注意を呼びかけるCMを制作したところ、大きな騒ぎになった。

CMの内容は、ハデな衣装を着た「大阪のおばちゃん」が、道頓堀川の橋の上から「大阪はオレオレ詐欺の被害がめっちゃ少ないんやで」などと叫ぶというもの。ところが、このCMに対し、大阪府へ「イメージダウンだ」「あんなしゃべり方はしない」といった苦情があったらしい。そのため、大阪府の広報報課長らが静岡県広報室を訪れ、抗議を申し入れる事態になった。

2010年の番組「真相報道バンキシャ!」より

キム・ヨナ選手の訓練を盗撮して猛炎上

▲キム・ヨナ選手の地上訓練の様子を報道

▲どう見ても盗撮です

2010年、日本テレビの報道番組「バンキシャ!」が、当時のフィギュアスケート女王キム・ヨナ選手の練習を無断で隠し撮りしたため、ヨナ選手の個人事務所オール・ザットスポーツが、同局に対して抗議を行う事件が起きた。

番組では、「女王キム・ヨナ㊙練習」とのタイトルで、アメリカで行われたキム・ヨナ選手のトレーニングを報じたもの。当初、日本テレビは「パブリックスペースでの撮影なので問題はない」と突っぱねていたが、スポーツファンからの猛抗議が殺到したせいか、2011年になって急に盗撮の事実を認めてキム・ヨナ選手に謝罪した。

2012年の番組
「いきなり! 黄金伝説」より

アイドルが収録から逃亡してロケ中止に

▲いったん自宅に帰り、そのまま逃亡

▲そのまま企画をリタイアしてしまった

2012年、テレビ朝日の人気バラエティ「いきなり! 黄金伝説。」で、前代未聞の事件が起きた。アイドルの河西智美が、1万円だけで1ヶ月暮らすという企画にチャレンジしていたのだが、5日目でいったん自宅へもどり、そのまま撮影現場に帰ってこなくなったのだ。

慌てたスタッフは11日目にアイドルの事務所と話し合いを行ったが、その場にも本人は姿を現さないまま。そのまま正式なリタイアが決まった。

この事態に、本人のツイッターやブログは大炎上し、その後、河西智美はバラエティへの出演が極端に減ってしまった。

2011年の番組
「芸能★BANG+」より

オセロ中島騒動の占い師登場！↓ウソでした

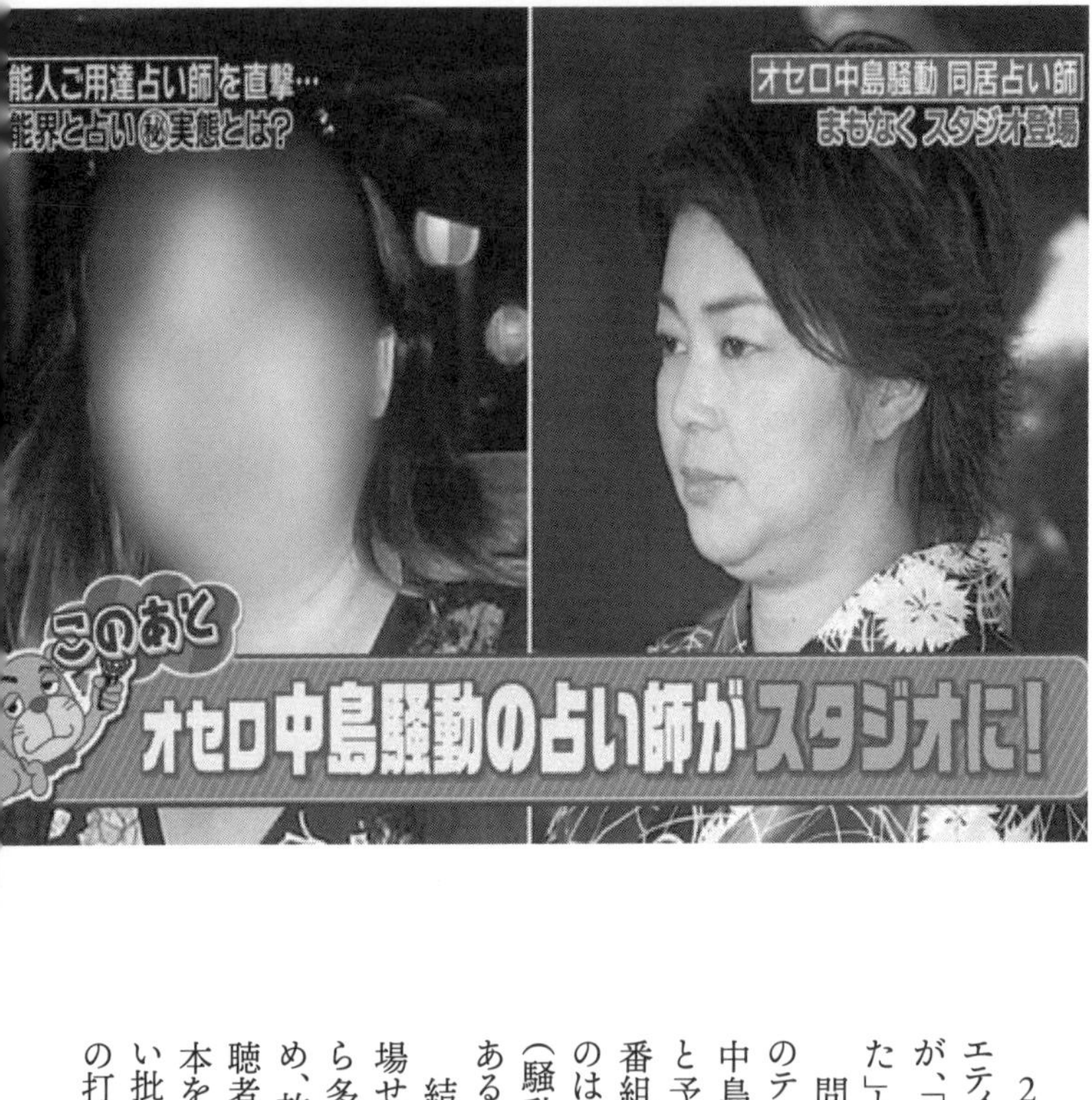

能人ご用達占い師を直撃…
能界と占い㊙実態とは？
オセロ中島騒動 同居占い師
まもなく スタジオ登場
このあと
オセロ中島騒動の占い師がスタジオに！

2012年、日本テレビのバラエティ番組「芸能★BANG+」が、「放送倫理の根本を裏切った」として打ち切りになった。

問題となった放送では、新聞のテレビ欄などで事前に「オセロ中島騒動のあの占い師が登場」と予告していたにも関わらず、番組開始から45分後に出演したのは、まったく別の占い師だった（騒動の占い師との同居経験はある）。

結局、問題の占い師本人は登場せずに番組は終了。視聴者から多数の抗議が寄せられたため、放送倫理検証委員会が「視聴者の信頼という放送倫理の根本を裏切った放送だった」と激しい批判を行い、日本テレビも番組の打ち切りを決めた。

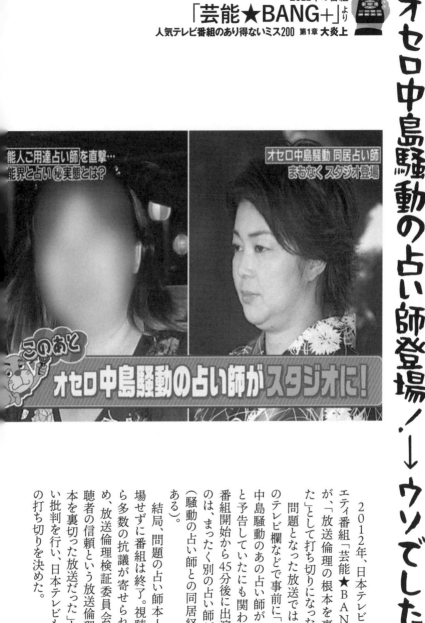

女性実業家の豪邸がウソだった問題

▲ニューヨークの豪邸は、実は別人の持ち物だった

2011年、TBSのバラエティ「イチハチ」で、情報のねつ造問題が起きた。

「お坊ちゃまお嬢様芸能人No.1 決定戦」と題して女性実業家を紹介したところ、本人が自宅として使用中だと放送したニューヨークの高層マンションに、実は別の所有者がいたことがわかったのだ。

制作局の毎日放送は、「事実と異なる放送をした」と認めて公式サイトで謝罪声明を発表した。

2011年の番組
「ぴーかんテレビ」より

怪しいお米セシウムさんに抗議1万件

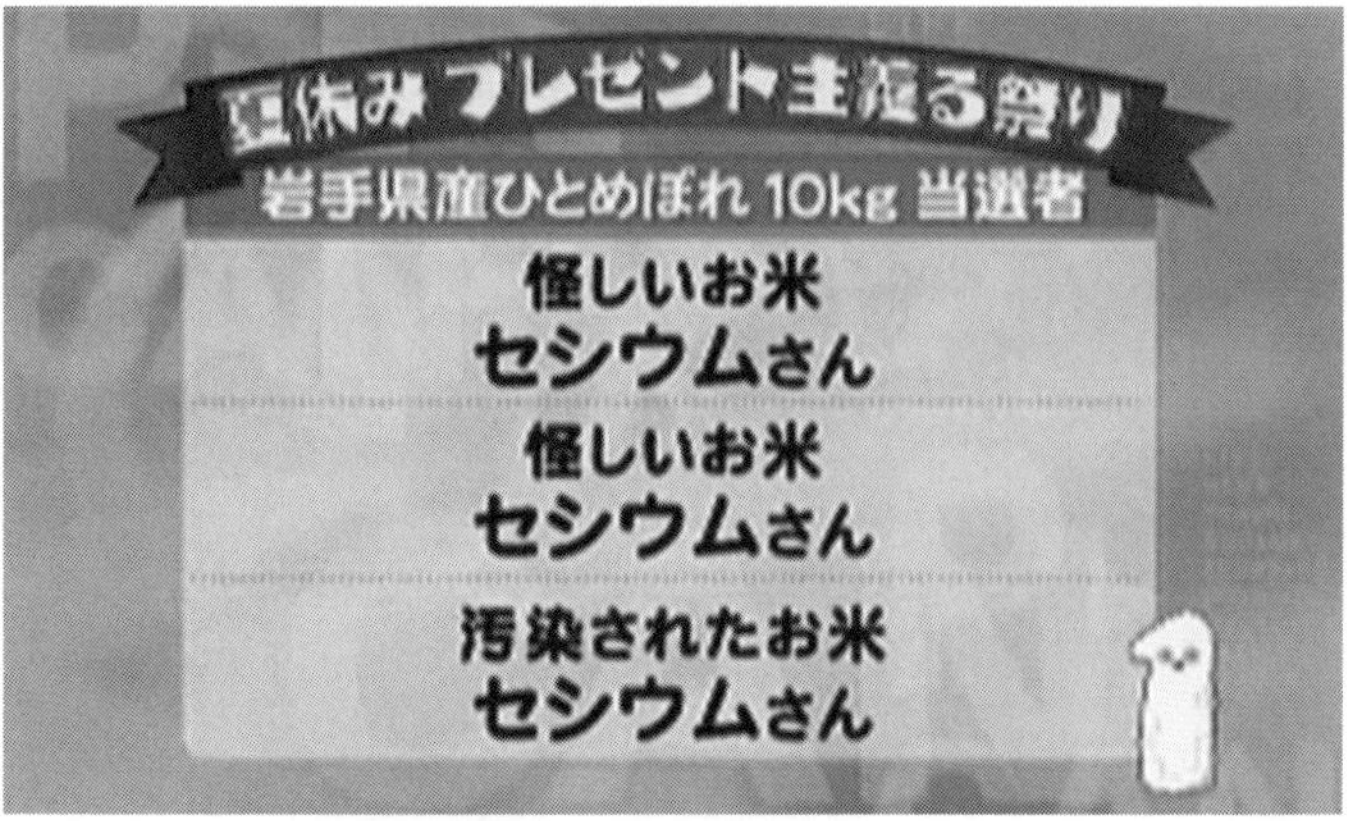

▲プレゼント発表で不謹慎すぎる表示が…

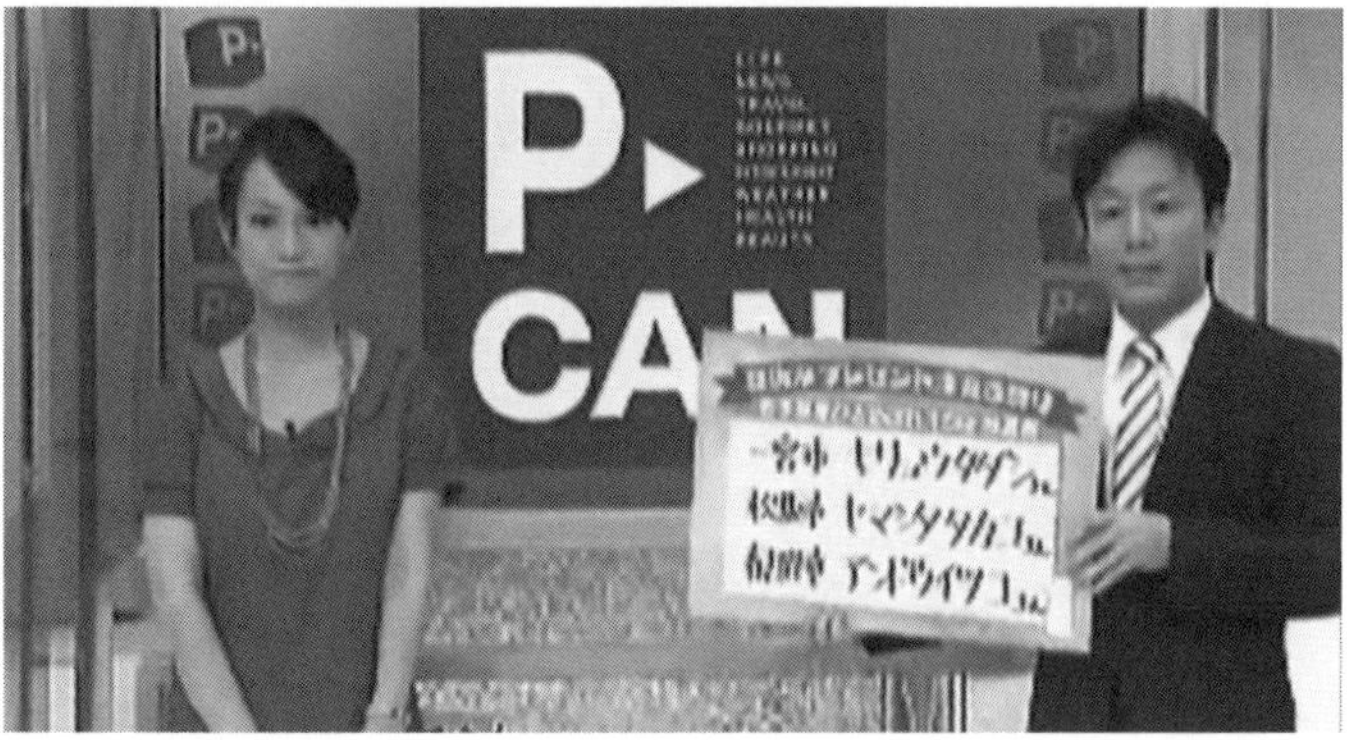

▲あわてて番組の最後に訂正したが、時すでに遅かった

2011年の東海テレビで放送された情報番組「ぴーかんテレビ」で、プレゼントの当選者を知らせるためのフリップに「怪しいお米 セシウムさん」「汚染されたお米 セシウムさん」といった不謹慎すぎる記述が登場。そのまま20秒ほど流れ続けたため、テレビ局には1万件を超す抗議が殺到した。

あとでわかったところでは、これはスタッフが事前に用意していたダミーのフリップを、間違ってそのまま使ってしまったらしい。あくまで悪意はなかったようだが、その後、番組は打ち切りになる事態となった。

2016年の番組
「バイキング」より

梅沢富美男の激怒話でネットが大炎上

0:30
Viking
賛否
坂上が斬る!許せない
ご近所トラブルSP
引越しの挨拶
子連れで居酒屋
子供の騒音を注意
マニュアルってダメだな!

▲マニュアル接客を罵倒して炎上

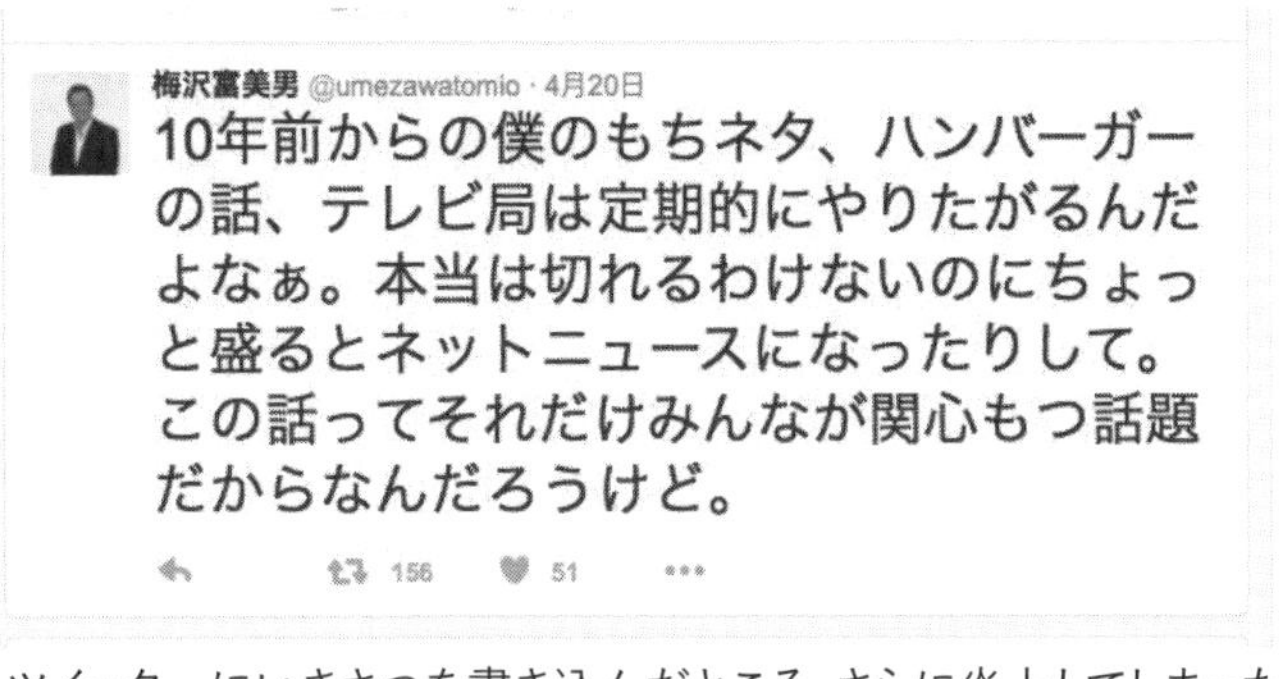
梅沢富美男 @umezawatomio · 4月20日
10年前からの僕のもちネタ、ハンバーガーの話、テレビ局は定期的にやりたがるんだよなぁ。本当は切れるわけないのにちょっと盛るとネットニュースになったりして。この話ってそれだけみんなが関心もつ話題だからなんだろうけど。
156
51

▲ツイッターにいきさつを書き込んだところ、さらに炎上してしまった

2016年に放送された昼の番組「バイキング」で、ちょっとした炎上騒動が起きた。俳優の梅沢富美男氏が「ファーストフードの店員はマニュアルばかりで融通が効かない」と批判したところ、ネットに「ただのクレーマー」といった批判の書き込みが殺到したのだ。

この反応に対し、梅沢氏は、自身のツイッターで「あれは10年前からのもちネタ」と反論。すると、今度は「ネタの使い回し!」「テレビ局の手抜き!」といった批判があがり、火に油を注ぐ形になってしまった。

2016年の番組

「ピラミッド・ダービー」より

クイズの出演者をCGでまるごと消去

▲番組の途中から池袋氏は完全に姿を見せなくなったが…

▲実は収録中は普通に参加し続けていたらしい

2016年7月に放送されたバラエティ「ピラミッド・ダービー」で、ねつ造騒動が起きた。同番組に主演していた顔相鑑定士の池袋絵意氏が、収録中はクイズに正解していたにもかかわらず、放送では出演シーンをCG処理でまるごとカット。オンエアでは不正解あつかいにされ、番組の途中から完全に姿を消されてしまったのだ。

バラエティで出演者をCGで完全に消してしまうことは珍しく、多くの視聴者に衝撃をあたえた一件だった。

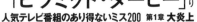

取材陣の横暴に被災者が激怒↓中継中止

▲番組の途中で、怒った被災者が怒鳴りこみ

▲避難所は「取材禁止」を告知していた

2016年4月の熊本震災で起きた放送事故だ。TBSの取材陣が被災者の様子を報じたが、「取材禁止」の避難所にもかかわらずインタビューを決行。さらに避難所の近くに報道車両を止めたために、怒った被災者が放送中に怒鳴り声をあげて乱入する事態になった。

そのため、インタビューは途中で打ち切りになったうえに、現場からの中継もすぐに中止に。放送局にはクレームが殺到したという。

2014年の番組
「NHKニュース」より

地震速報でモデルが暴言↓事務所解雇

▲地震速報で、モデルの女性が「地震なんてない!」と連呼

▲のちにニコニコ動画で謝罪するも、事務所を解雇になった

2014年5月5日早朝、都内に震度5の地震が発生。NHKがすぐさま都内の様子を報じはじめたところ、中継画面に妙な映像が映しだされた。モデルの東森美和氏が画面に映り込み、いきなり「地震なんかないよ! 地震なんてない!」と連呼し始めたのだ。なんとも異常な様子に、ネットでは「売名行為だ!」などの批判が殺到した。

あとでわかったところでは、東森氏はたまたまカメラに映っただけ。当時は酒で酩酊状態だったため、自分でも謎の行動にでてしまったらしい。

この事件がもとで、東森氏は事務所を解雇され、1年ほど芸能活動を自粛することとなった。

第2章

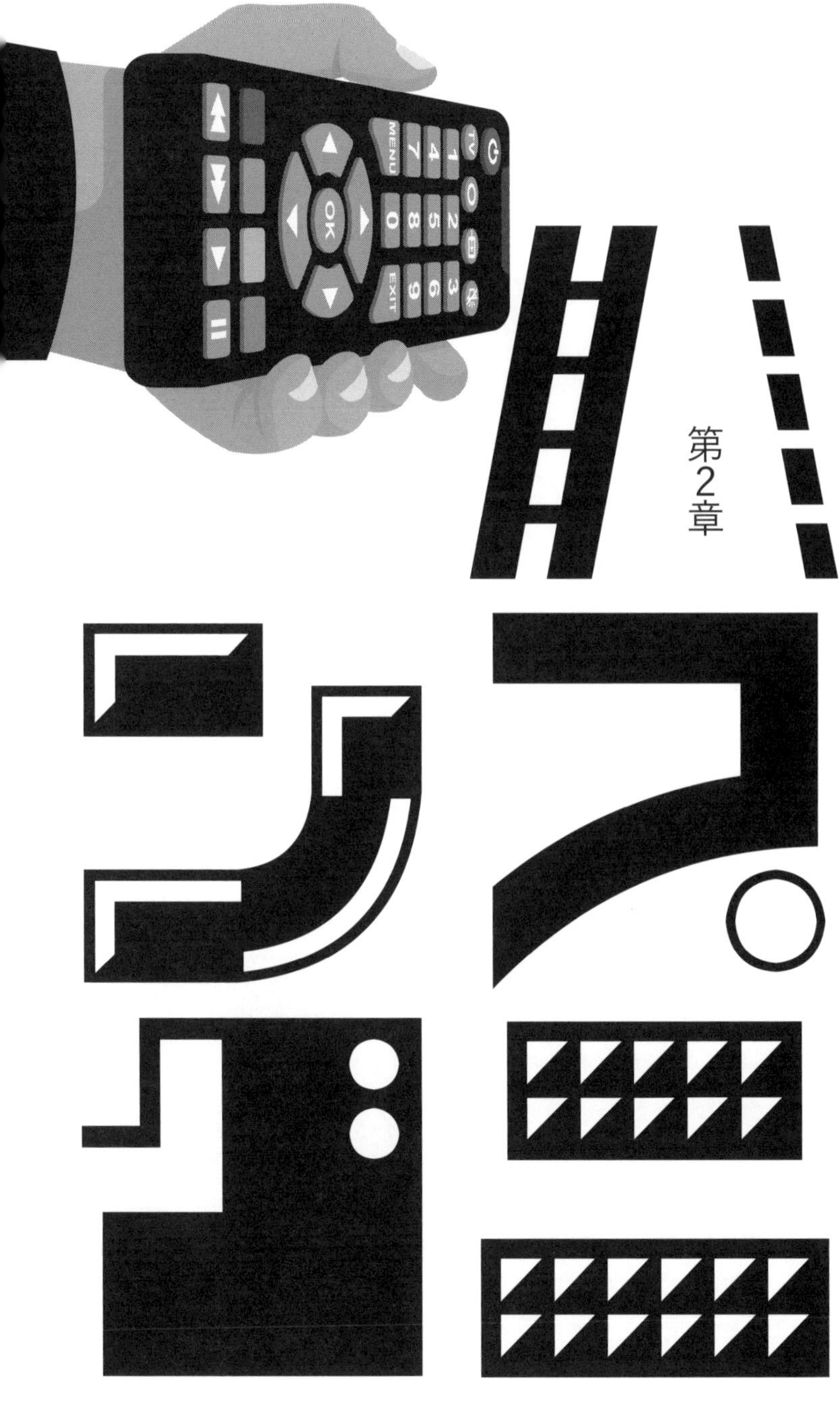

パンツ丸見え

2020年の番組

「火曜サプライズ」より

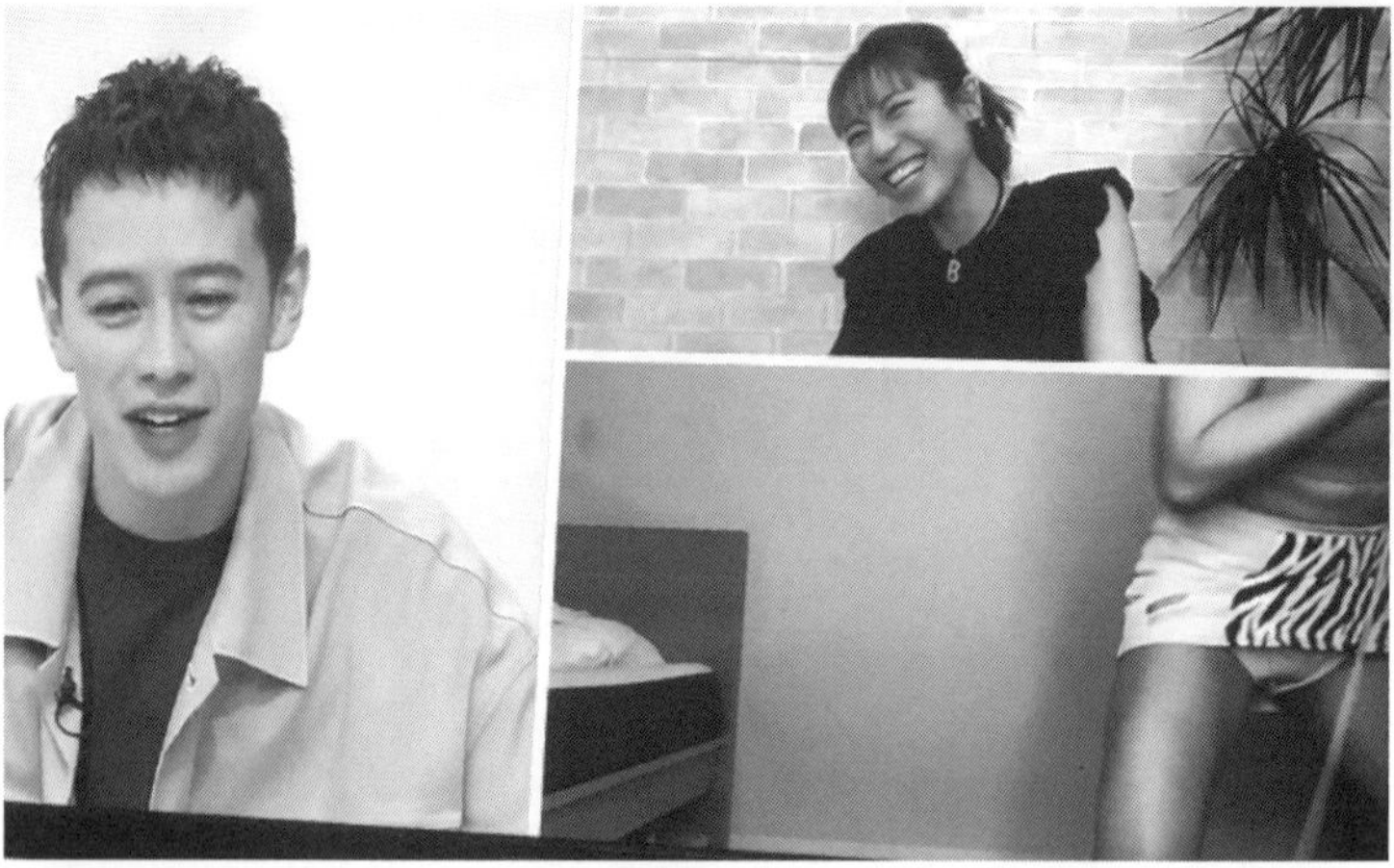

▲2020年5月26日に放送された「火曜サプライズ」にリモート生出演したフワちゃん。と、宅配便が到着。名前を確認したい業者が何度もインターフォンを鳴らしたためフワちゃんが応対しようと立ち上がったら……

盗撮水着ギャル

2019年の番組

「緊急SOS！超巨大怪物が出た！出た！池の水ぜんぶ抜く大作戦4」より

人気テレビ番組のあり得ないミス200 第2章 ハプニング

▲東京都千代田区日比谷公園の「雲形池」で114年ぶりに水を抜いてみると、歴史的お宝とともに出てきたのがヤバいビデオ。誰かが処分に困って池に放り投げたのか

2016年の番組
「※AKB調べ」より

ドッキリ企画なのにカメラマン丸見え

AKBで一番怒らなくて優しい女は誰!?
▲AKBメンバーにドッキリをしかけたが…

▲よく見るとカメラマンが丸見え

2015年3月にフジテレビで放送された「※AKB調べ」で、やらせ疑惑が持ち上がった。

AKB48メンバーにドッキリをしかける企画だったが、VTRをよく見ると、パーテーションの影に隠れているカメラマンが丸見え。ドッキリをかけられるメンバーの目の前で、スタッフがカメラを構えている姿が映り込んでいたのだ。

この映像を見た視聴者からは「どう見てもやらせ」との声が続出。すっかり番組の信頼がゆらいでしまった。

2015年の番組

「情報ライブ ミヤネ屋」より

人気テレビ番組のあり得ないミス200 第2章 ハプニング

やる気だったのか

▲番組冒頭、「12月24日木曜日、報道ステーションです」と思いっきりタイトルコールを間違えたMCの宮根アナ。テレビ朝日「報道ステーション」の古舘伊知郎キャスターが翌年3月で降板と伝えられた直後で後任は誰かが取り沙汰されていた。それを受けたギャグだったのか、心の声が漏れたのか

2015年の番組

「あさイチ」より

人気テレビ番組のあり得ないミス200 第2章 ハプニング

つけまつげ取れちゃった

▲NHK朝の生放送でMCの有働由美子アナが、直前の朝ドラの展開に興奮。突然、「……つけまつげが取れちゃった」と言い出し、パートナーの井ノ原快彦が「メイクさん、メイクさん」とフォロー

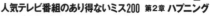

ぐるぐるバットで森三中の黒沢ダウン

その職業ならではの日常あるあるをクイズで紹介
フィギュア選手が普段ついついやってしまう事
70人にアンケート 鈴木明子さんが生

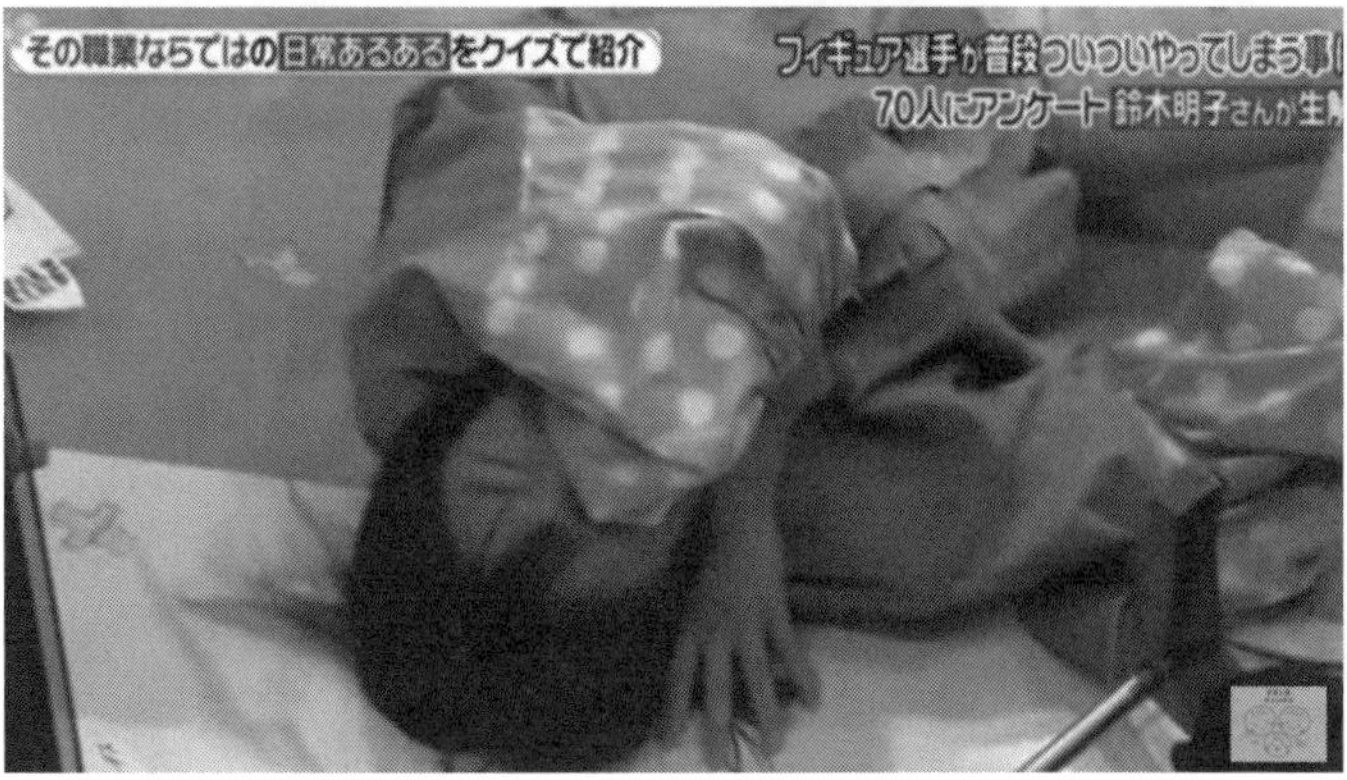
その職業ならではの日常あるあるをクイズで紹介
フィギュア選手が普段ついついやってしまう事
70人にアンケート 鈴木明子さんが生

▲黒沢が番組に出続けたことに「なぜ休ませない」とネットは騒ぎに

2019年3月11日放送の「ヒルナンデス！」で、ちょっとしたハプニングが起きた。

「フィギュアスケート選手はなぜ目が回らないのか」を検証する企画で、プロフィギュアスケーターの鈴木明子と黒沢が、バットを額に当てて〝ぐるぐるバット〟を実施。と、順調に回る鈴木に対し、黒沢は10回目でバランスを崩して床に倒れ込み、画面からフェードアウトした。

最初は「演出」ではないかと笑っていた共演者たちだが、なかなか起き上がらない黒沢に緊張。スタジオの空気がピリつく。結局、黒沢が立ち上がったのは倒れてから約40秒後のこと。「大丈夫？」と駆けつけたメインＭＣの南原清隆に支えられる形で起き上がった黒沢は、その後は通常通り番組に参加していた。

2018年の番組
「ZIP!」より

交差点で立しょん

▲2018年3月20日に放送された日テレ朝の情報番組「ZIP!」の6時59分の天気予報コーナー。渋谷のスクランブル交差点を映したカメラに放尿をする男性の姿が映り込み、「放送事故だ!」と大騒ぎに

2008年の番組
「テレビ東京のニュース」より

人気テレビ番組のあり得ないミス200 第2章 ハプニング

え、あんた誰?

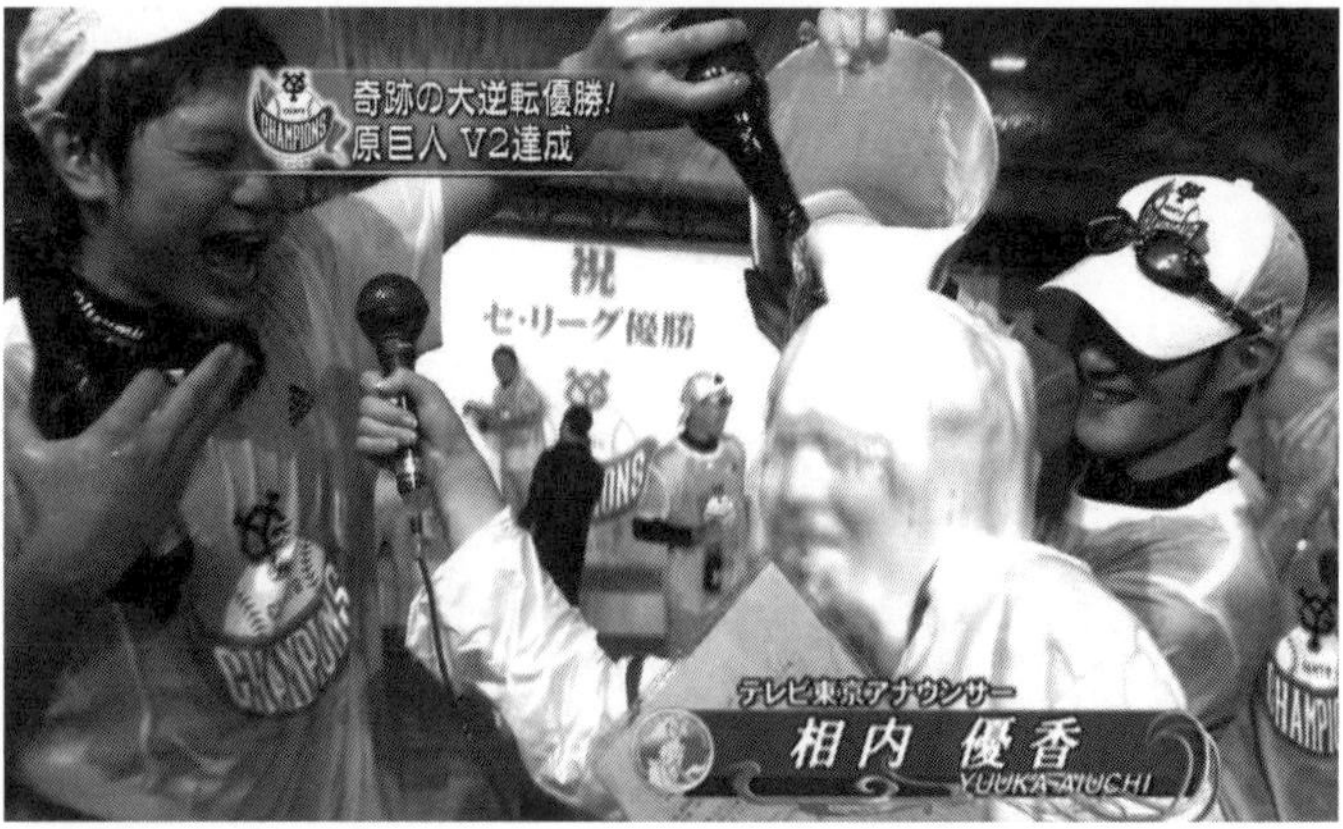

▲奇跡の逆転劇でV2を果たした原巨人の優勝ビールかけに突入取材したのは、当時入社したばかりのテレ東・相内優香アナ。真っ白でまるで彫刻のよう

昨日とまったく同じ内容ですが

◀人気の「紙兎ロペ」でハプニング
▼番組の最後に出演者がお詫び

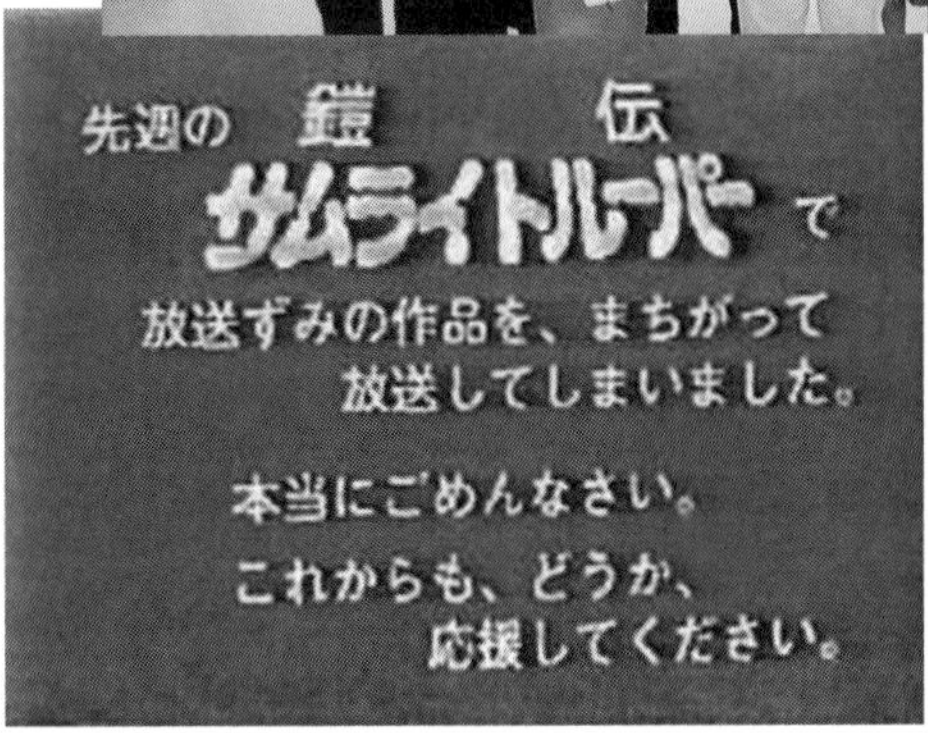

▶「鎧伝サムライトルーパー」の伝説のお詫びテロップ

2019年2月20日、フジテレビ朝の報道番組「めざましテレビ」内のアニメ『紙兎ロペ』コーナーで、前日とまったく同じ内容のエピソードが放送されるトラブルが発生した。『紙兎ロペ』は2012年から番組内で連日放送されている人気のアニメで、なぜこんな事態が起きたのか原因は不明。番組側もすぐにミスに気づいたようで、司会の三宅正治アナが「今日放送する予定だった紙兎ロペは、明日、改めて放送いたします。申し訳ございませんでした」と謝罪し、翌日は無事に新たなエピソードが放送され、ファンはホッと胸を撫でおろした。

今回のハプニングを受け、ネットでは伝説とも称される「鎧伝サムライトルーパー」の放送事故を思い出す人が多かった。1988年テレビ朝日系（製作は名古屋テレビ）で「鎧伝サムライトルーパー」の第17話が2週続けて放送されたのである。翌週、第18話の放映後にお詫びテロップが流れ、一件落着した。

ガチャピンが消えた!

▲ガチャピンがゲストだった

▲合成を止めると
再びガチャピンが出現

▲天気予報コーナーになったら
ガチャピンが消えた!

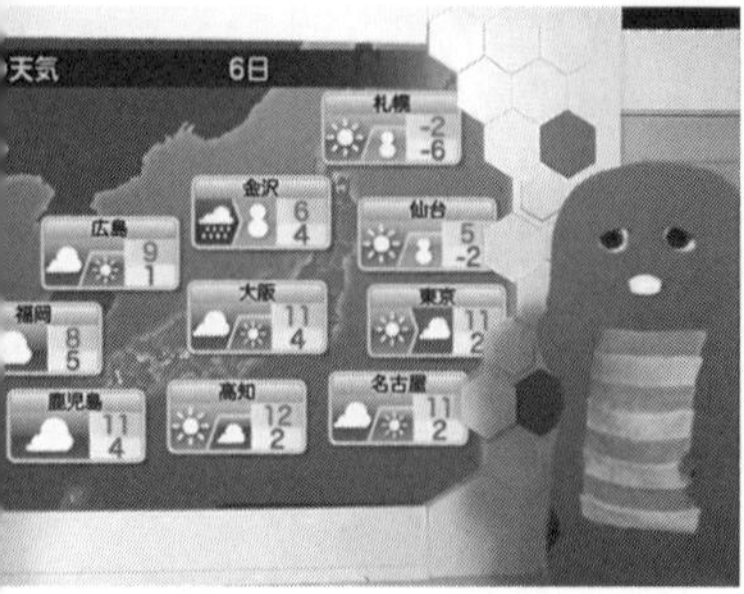

▲結局、ガチャピンが消えたまま
番組は続けられた

2016年2月、ウェザーニューズが運営するお天気番組のなかで、前代未聞の珍事が起きた。

この日の番組のゲストはフジテレビ系子供番組で人気のキャラクター・ガチャピン。女子アナと楽しく番組を進行していたが、天気予報のコーナーに入ったところで、思わぬ事態になった。お天気を表示するために使うクロマキーにガチャピンの緑色が溶け込んでしまい、そのまま姿が見えなくなったのだ。

慌ててスタッフが合成を切ったが、そうなると今度は天気が伝えられない。最終的には、ガチャピンが消えたまま番組が進んでいくことになった。

2012年の番組

「NEWS ZERO」より

櫻井翔がすさまじいイカリ肩に

▲完全にイスと同化してます

2014年に日本テレビで放送されたニュース番組「NEWS ZERO」で、キャスターを務める櫻井翔がすさまじいイカリ肩になったと話題を呼んだ。

要するに、スーツの色とイスの色がまったく同じだっただけなのだが、確かにイカリ肩にしか見えず、ファンの間では「スタイリストのチョイスミス」との指摘が相次いだ。なんともめずらしいハプニングだ。

2014年の番組

「news every.」より

荒川静香、商品タグを付けたまま出演

▲荒川静香の腰あたりに妙なものが…

▲拡大してみると完全にタグです

2014年に開催されたソチオリンピックの報道番組にて、スケートの女子プログラムを解説する荒川静香の腰あたりに、服の商品タグが残ったままになっていた。

おそらく、スポンサーから提供されたジャケットを、タグを切るのを忘れてそのまま着てしまったものと思われる。

さんまのスーツは29400円事件

2015年の番組
「踊る！さんま御殿!!」より

▲さんまのソデにタグらしきものが…

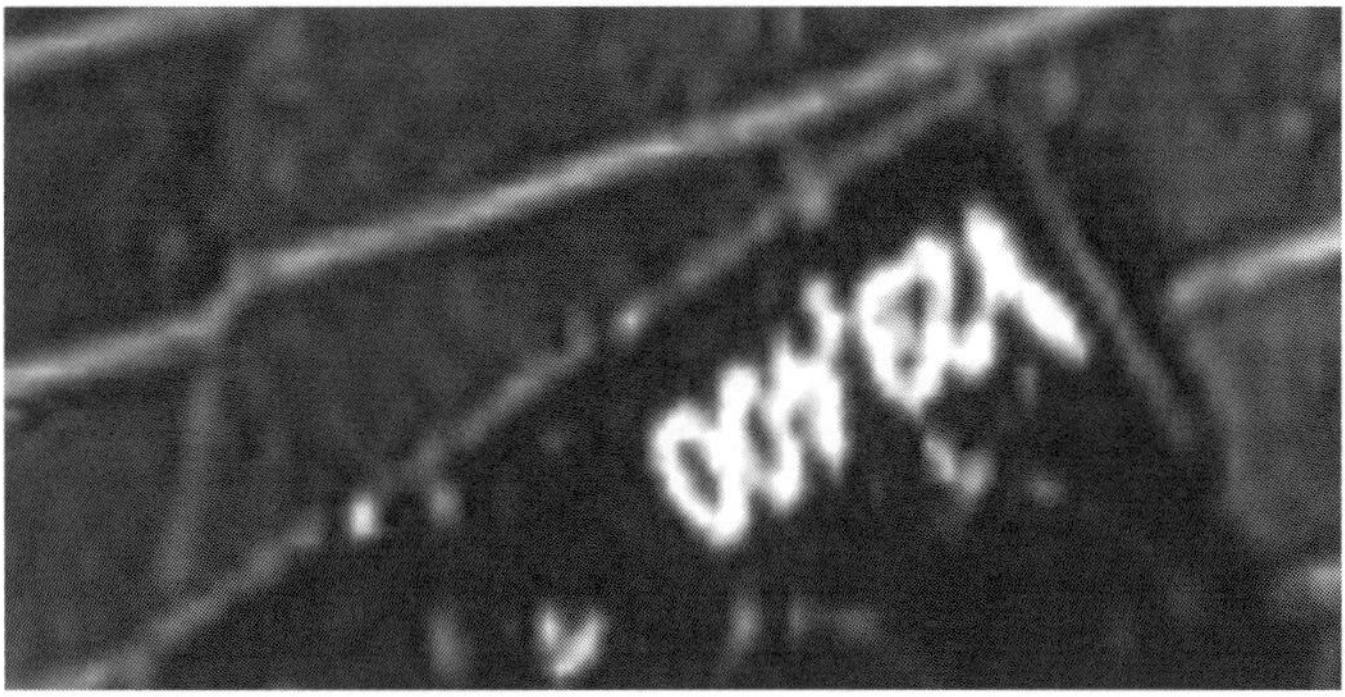

▲タグを拡大したら29,400円でした

2015年1月に放送された日本テレビのバラエティ番組「踊る！さんま御殿!!」で、めずらしいミスがあった。司会の明石家さんまがゲストにツッコミを入れた瞬間、そのスーツのソデについた値札のタグが画面に映しだされたのだ。

タグを拡大したところでは、さんまのスーツは29,400円らしい。もちろんスタイリストが用意したものだろうが、意外に安いジャケットを使っているようだ。

スタッフが映り込んだ!↓目を閉じてごまかす

▲ニュースが終了

▲急にスタッフが画面に映り込んだ!

▲慌てて目を閉じるスタッフ

▲そのまま番組終了

２０１６年４月に、福岡ローカルで放送された「ＮＨＫニュース」で、ほほえましい事件が起きた。番組が終わってアナウンサーが頭を下げた瞬間、その隣にいたスタッフが画面に映り込んでしまったのだ。

すぐにスタッフも異変に気づいたが、時すでに遅し。どうにもならないと悟ったスタッフは、ここで思いもよらぬ行動に出る。

慌ててその場を立ち去るでもなく、ただギュッと目を閉じたのだ。そのまま番組は終わったが、直後からネットで大評判になった。

針にフライドチキン

2005年の番組

「めざましテレビ」より

人気テレビ番組のあり得ないミス200 第2章 ハプニング

▲埼玉で起きた異物混入事件のニュースだが、「フライドチキンに針が混入」を「針にフライドチキンが混入」になってしまった

化粧直し

2009年の番組

「NNNニュース」より

人気テレビ番組のあり得ないミス200 第2章 ハプニング

▲NNNニュースで起きたスイッチングのミス。CMに入るタイミングを間違えたせいで、アナウンサーの化粧直しシーンが放送されてしまった

2012年の番組
「週刊AKB」より
人気テレビ番組のあり得ないミス200 第2章 ハプニング

正直者

▲AKB48の握手会を報じたシーンで、
島崎遥香の正直な表情が写りこむハプニングが

2001年の番組
「ズームインSUPER」より
人気テレビ番組のあり得ないミス200 第2章 ハプニング

男逮捕

▲小泉元総理の会見映像に、なぜか「男逮捕」のテロップが。
総理が犯人のような印象をあたえる画面になってしまった

1984年の番組
「笑っていいとも」より

いいとものゲストに一般人が出演事件

WA!

▲泰葉が次のゲストへ
電話をかけたところ…

WA!
あれ?もしもし?
しばたさんのお宅ですか

▲間違って違う番号に
かけてしまった

WA!
間違えちゃった あたし
はい?

▲間違い電話に大慌て

WA!
しばたさんのお宅ですか

▲しかし、タモリさんが
電話に出て…

WA!

じゃ～明日来てくれるかな?

▲出演を依頼したところ、
まさかの快諾

一般人コース
1日め

▲翌日は、本当に一般人が
出演した

1984年、お昼の人気バラエティ「笑っていいとも」で、珍事が起きた。テレフォンショッキングのゲストに出演した泰葉が、次のゲストに電話をかけたところ、なんと番号を間違えて一般人の自宅につながってしまったのだ。

本来なら慌ててかけ直すところだが、ここで司会のタモリが悪ふざけで一般人へ出演を依頼。これを相手が快諾したため、翌日は本当に一般人がテレフォンショッキングのゲストとして出演することとなった。

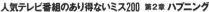

女子アナ換気扇破壊事件

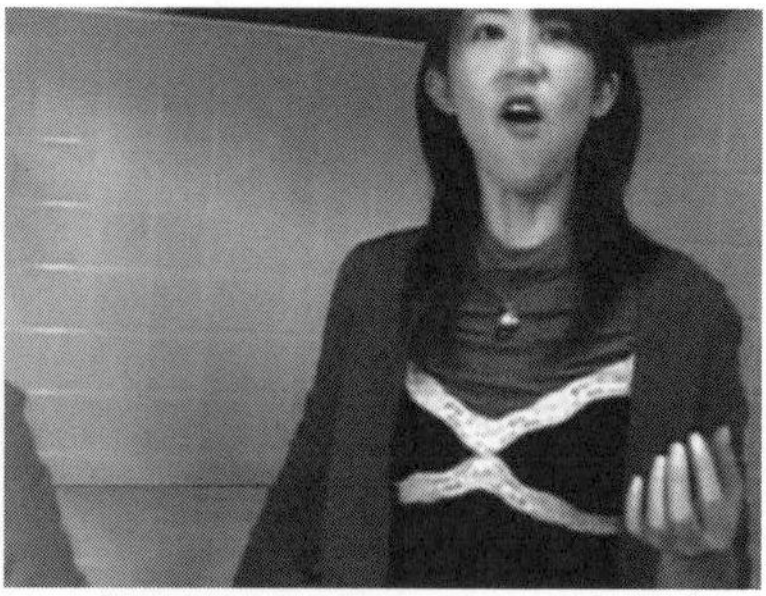

▲一般家庭で
アナウンサーが味見

▲料理の美味さにテンションが
あがって、オーバーリアクション

▲換気扇を破壊してしまった

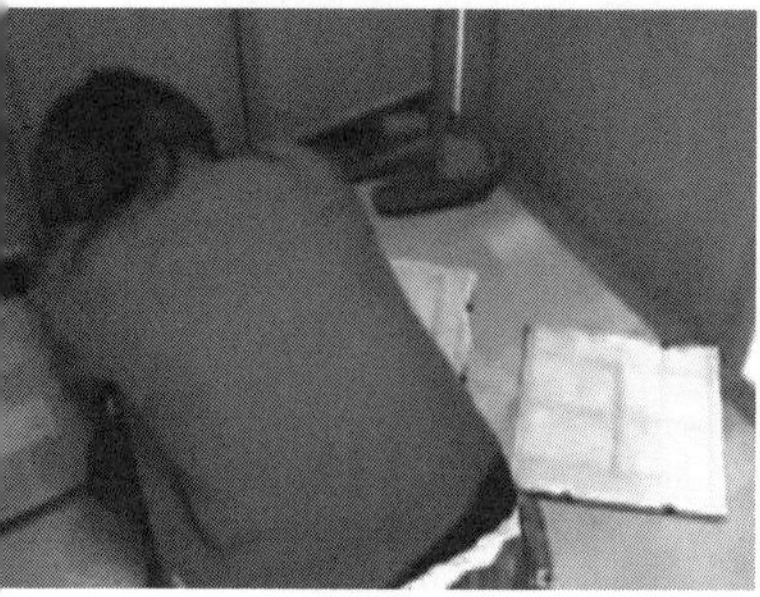

▲指を痛めてうずくまる
アナウンサー

2011年、SBC信越放送のローカルニュース番組で珍事が起きた。

レポーターの中澤佳子アナウンサーが、一般人のお宅で家庭料理を味見したところ、テンションがあがってガッツポーズ。その勢いで、上にあった換気扇のフィルターを破壊してしまったのだ。

思い切り指をついたらしく、そのまま中澤アナは床にうずくまった状態に。結局、料理の味はよくわからないまま、コーナーは終わった。

いまも女子アナ好きのあいだでは「伝説」として語り継がれる事件だ。

薬師丸ひろ子が…

2005年の番組
「紅白歌合戦」より
人気テレビ番組のあり得ないミス200 第2章 ハプニング

▲紅白歌合戦で起きた珍しいテロップミス。薬師丸ひろ子に、なぜかスターウォーズのR2-D2の名前がかぶった

メルケル怖すぎ

2016年の番組
「NHKニュース」より
人気テレビ番組のあり得ないミス200 第2章 ハプニング

▲パリテロ未遂事件に、ドイツのメルケル首相が声明を発表。そのニュースに対し、なぜか大河ドラマ「真田丸」の字幕が表示されたため、メルケルがとんでもないことを言い出したかのような印象に

2005年の番組

「FNNニュース」より

人気テレビ番組のあり得ないミス200 第2章 ハプニング

空気バネ

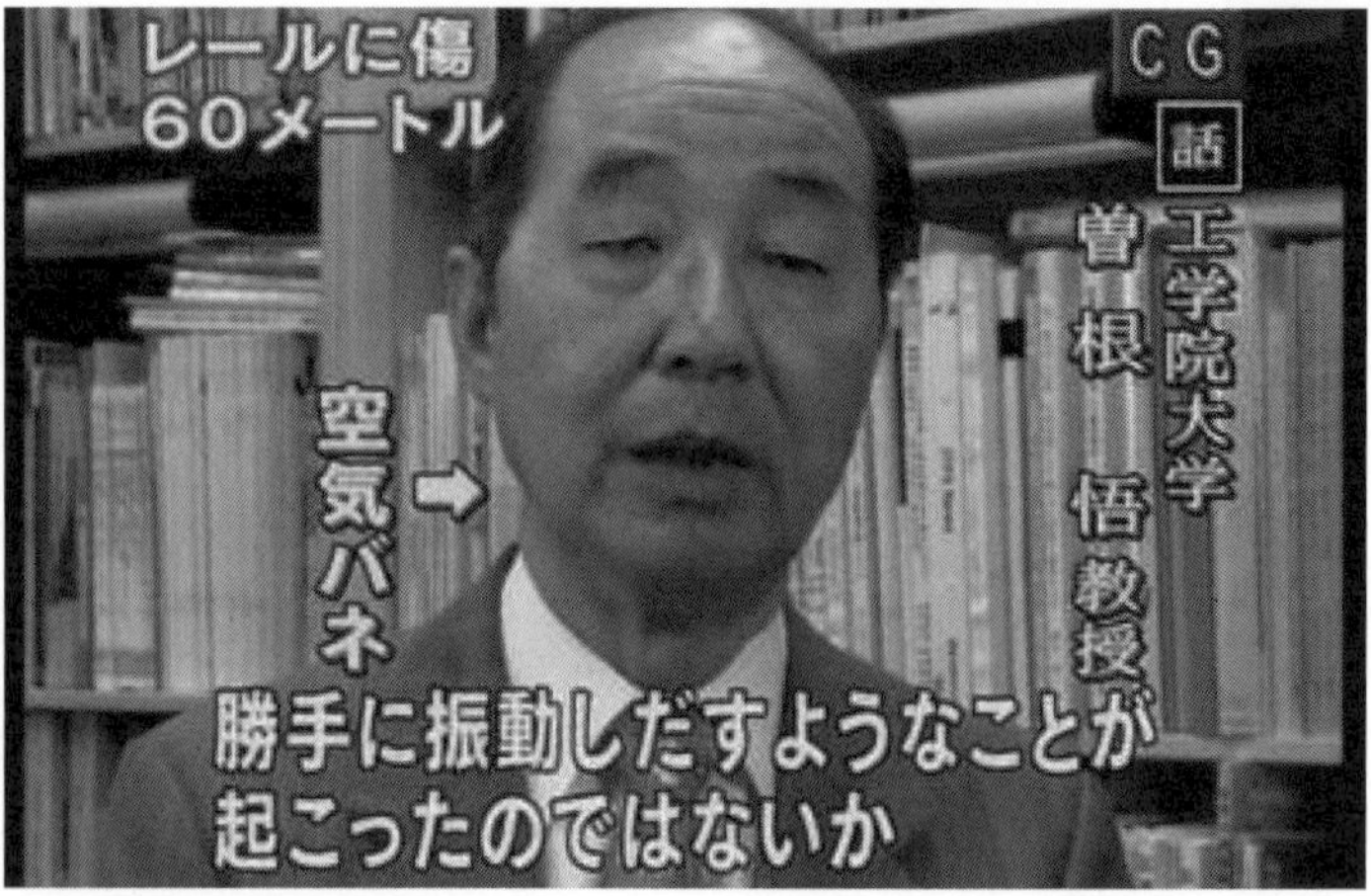

▲列車の脱線事故を報じるニュースで起きたテロップミス。まるで、曽根教授が「空気バネ」であるかのような画面になってしまった

2014年の番組

「スッキリ」より

人気テレビ番組のあり得ないミス200 第2章 ハプニング

ブフォア

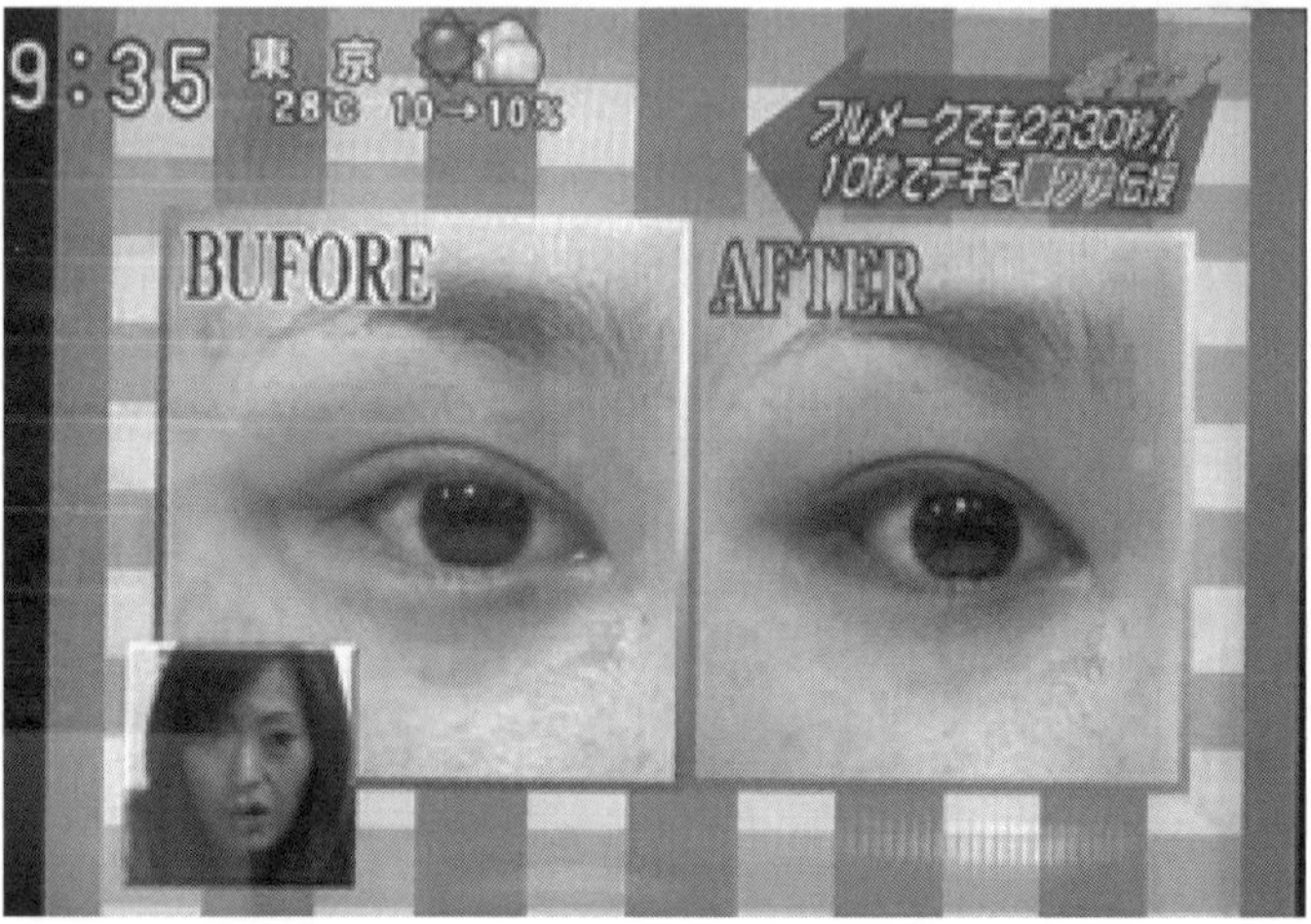

▲メイクの特集コーナーで、本来は「BEFORE」と表記すべきところが「BUFORE」になっていた。ブフォア

清原が岡田代表に

2016年の番組
「NHKニュース7」より

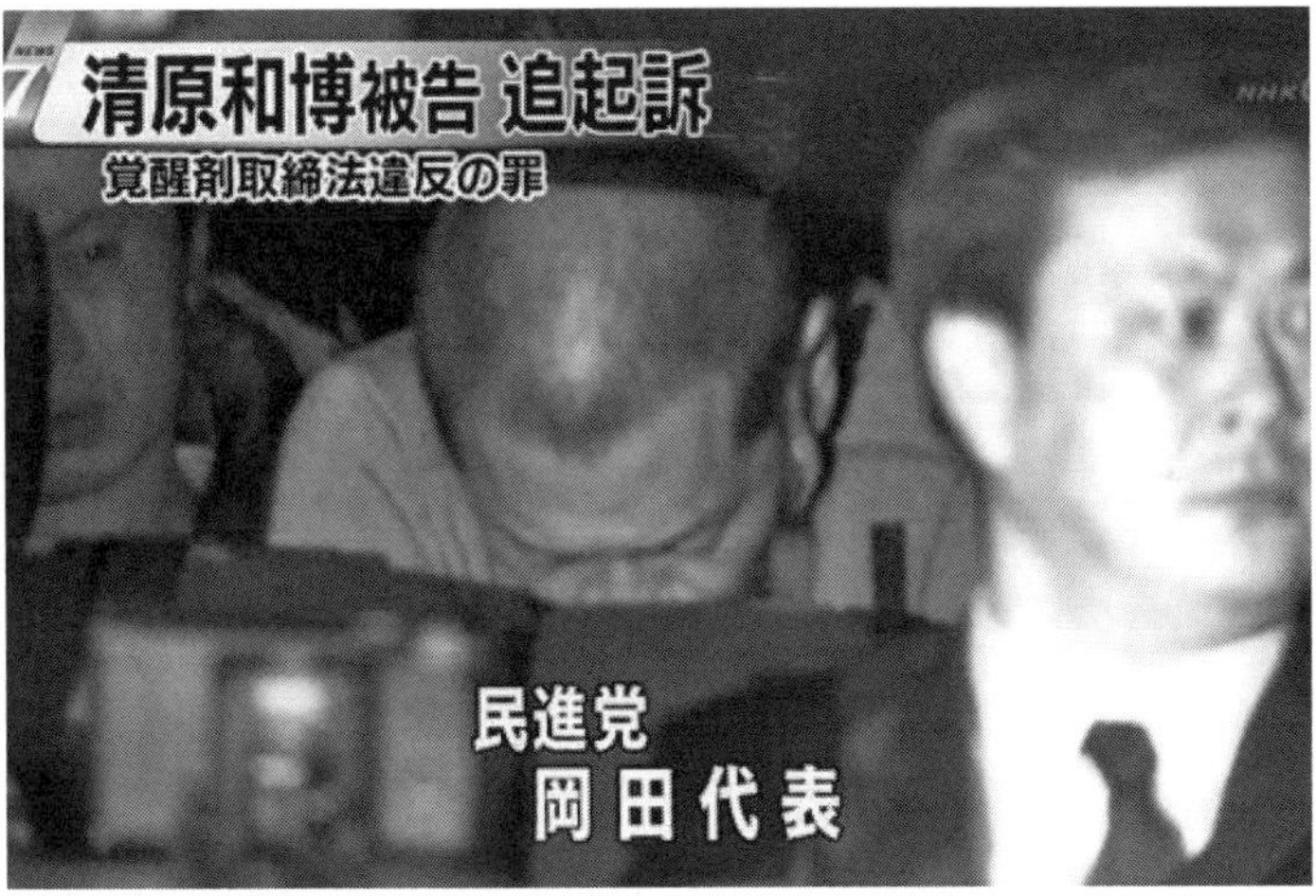

▲清原被告が逮捕されたニュースで、まさかの「岡田代表」とテロップが出る痛恨のミス

清原が山口組に

2016年の番組
「みんなのニュース」より
人気テレビ番組のあり得ないミス200 第2章 ハプニング

▲こちらはフジテレビで起きたミス。清原被告が、なぜか山口組ナンバー3として紹介された

明日の天気「はえ」

1987年の番組
「あしたの天気」より
人気テレビ番組のあり得ないミス200 第2章 ハプニング

▲フジテレビの天気予報で起きたテロップミス。
なぜか名古屋の天気が「はえ」に

タイムテロップ

2014年の番組
「ハナタレナックス」より
人気テレビ番組のあり得ないミス200 第2章 ハプニング

▲北海道のローカル番組で起きた珍事。画面の右下に
タイムテロップが急に現れ、最後まで表示され続けた

アシカが鈴木拓に

2016年の番組
「あさイチ」より
人気テレビ番組のあり得ないミス200 第2章 ハプニング

▲NHKの朝のニュースで水族館を取り上げたところ、
アシカがなぜか「鈴木拓」として紹介されてしまった

面白う

2016年の番組
「プリンセスT-ARA」より
人気テレビ番組のあり得ないミス200 第2章 ハプニング

▲韓国の人気アイドルグループを取り上げた番組で、
シンプルな送り仮名のミスが

2005年の番組
「NHKニュース」より

イケメン

▲豆まきのニュースで起きたテロップミス。確かに現場にはタッキーもいたんですが…

2016年の番組
「NHKサッカー中継」より
人気テレビ番組のあり得ないミス200 第2章 ハプニング

美女

▲もちろん澤穂希ではなく、アナウンサーの一柳亜矢子

最後の放送で大号泣からの鼻水

2015年の番組
「イブニング信州」より

▲番組が終わりに近づくにつれて涙が

▲最後のあいさつでは大号泣 → 鼻水

2015年、NHK長野の人気番組「イブニング信州」で、ほほえましいハプニングが起きた。

この日、番組を卒業することになった気象予報士の神谷ゆい氏が、放送の最後に感極まって大号泣。原稿を読み進められなくなったうえに、鼻水も流してしまった。

視聴者からは「番組への愛を感じた」の声が多く、高評価だったそうだ。

音楽番組で急に現れた不気味な映像

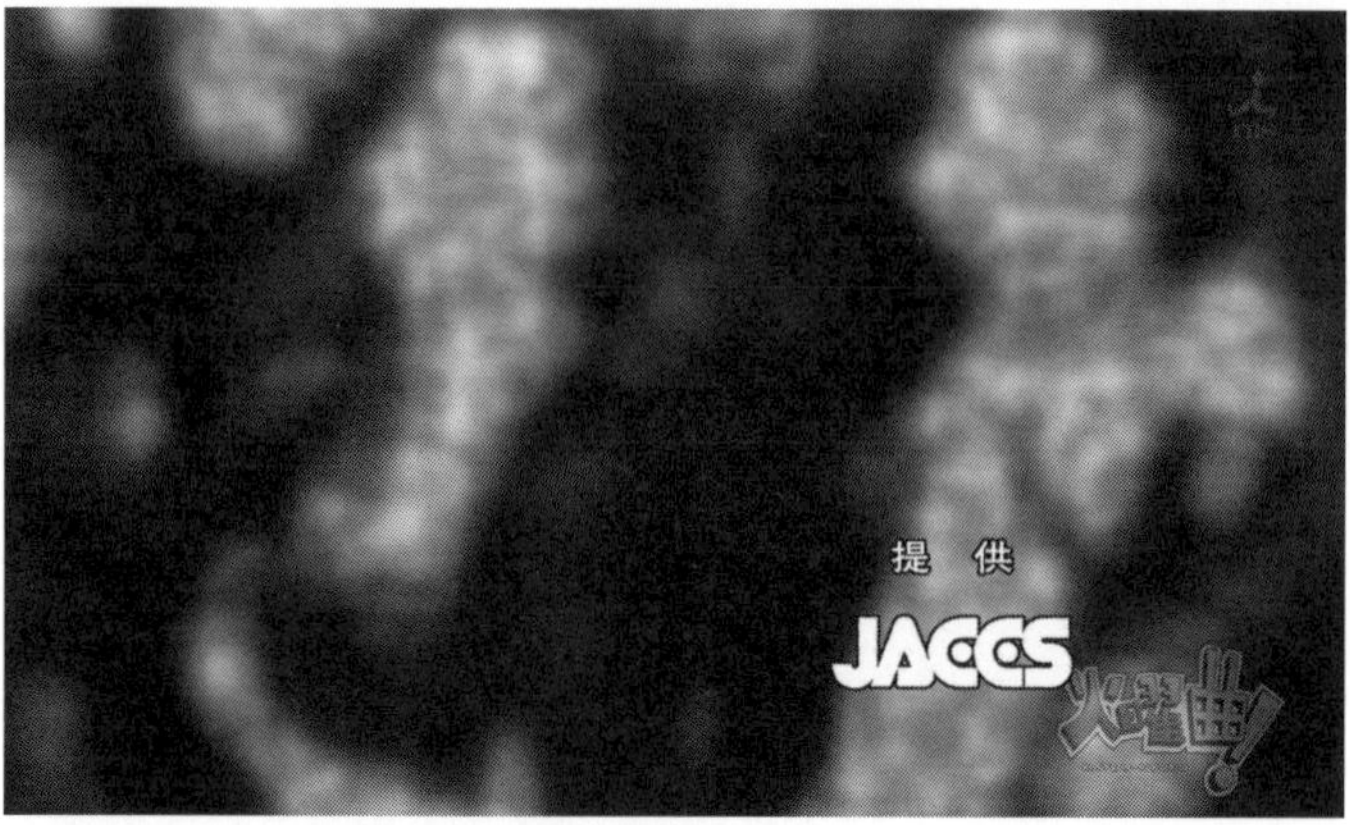

▲いきなり不気味すぎる映像が1分も流れた

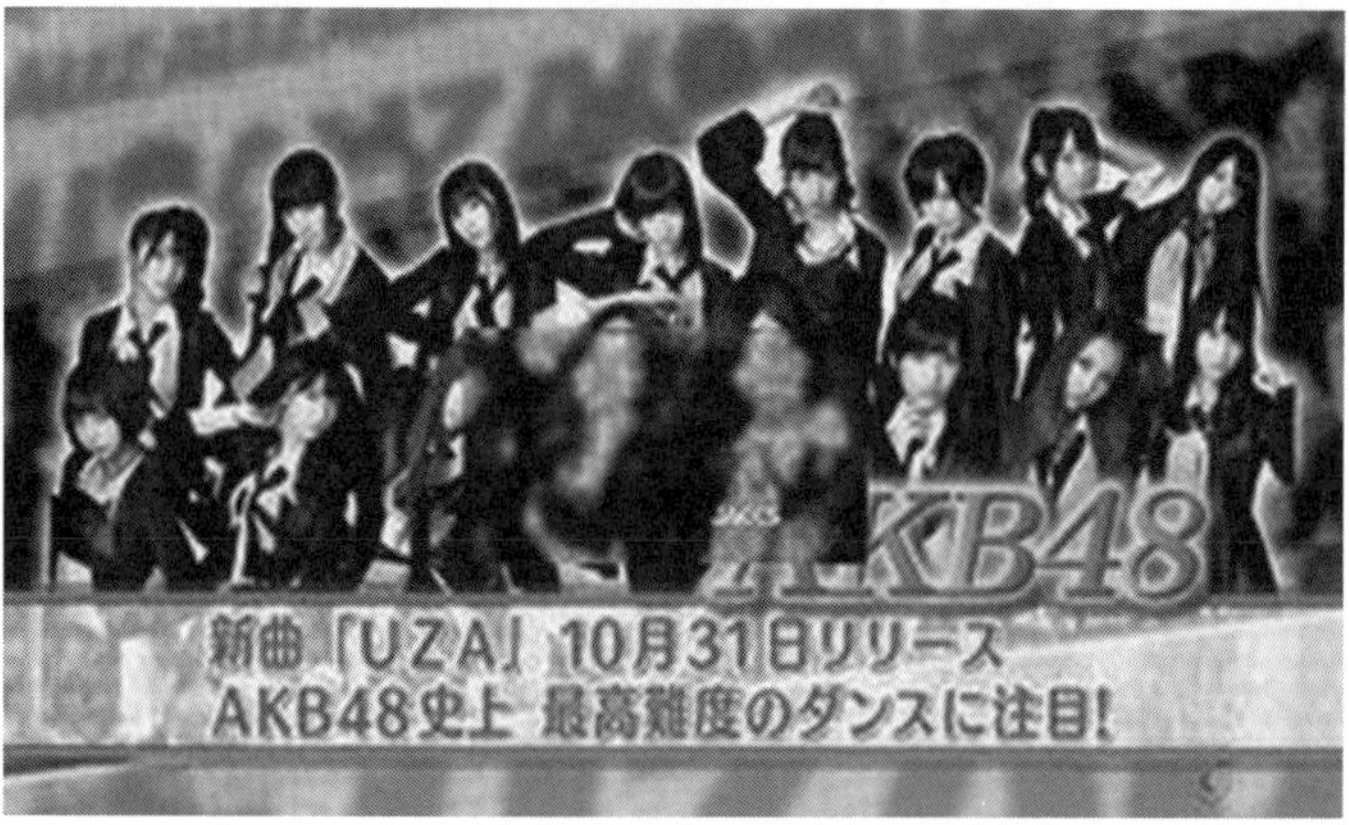

▲実はAKB48の写真の一部が拡大されたものだったらしい

2012年、TBSの音楽番組「火曜曲!」で、めずらしい放送事故が起きた。AKB48が登場する直前の場面で、突如、ご覧のように白い影がボンヤリと浮かぶ不気味な映像が1分ほど流れ続けたのだ。

その後、AKB48の歌が始まるも再び画面がフリーズ。いきなり番組が終わってしまった。あとでわかったところでは、AKB48のメンバー画像が、なぜか極端に拡大して表示されたらしい。

朝にパンモロ

2015年の番組

「スッキリ!」より

▲2015年にTBSの朝の情報番組で起きたハプニング。司会の加藤浩次がゲストをぶん投げたところ、下着がモロ出しになってしまった。テレビ局には「朝にふさわしくない」との電話が殺到したとか

まつげズレてる

2013年の番組

「さんまのスーパーからくりTV」より

人気テレビ番組のあり得ないミス200 第2章 ハプニング

▲TBSの人気バラエティでラサール石井氏のお宅へ訪問したところ、妻である桃圭さんの「つけまつげ」が思いっきりズレていたため、ネットで大きな話題となった

覗き込む女

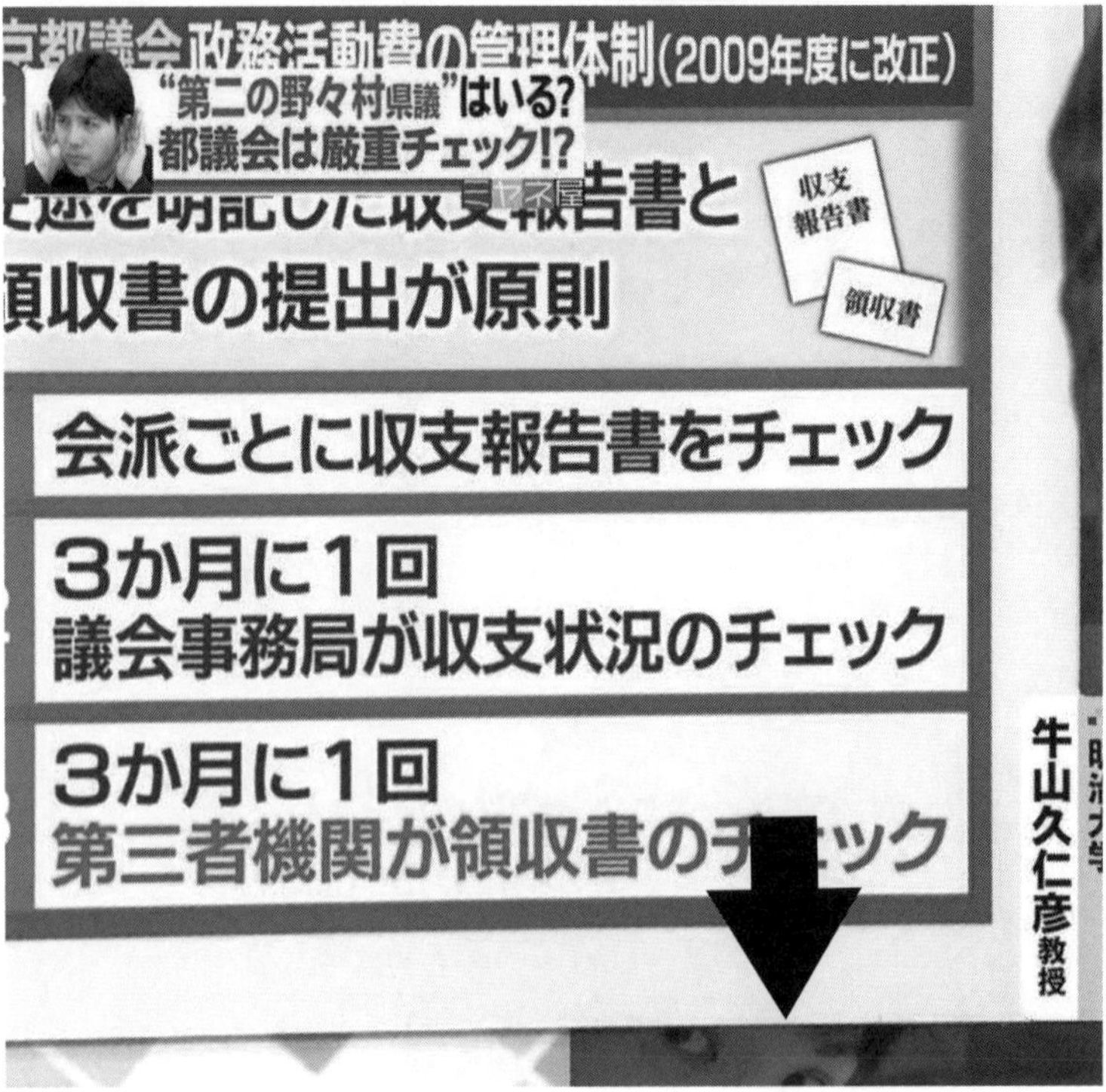
京都議会政務活動費の管理体制(2009年度に改正)
“第二の野々村県議”はいる?
都議会は厳重チェック!?
ミヤネ屋
収支報告書と
領収書の提出が原則
収支報告書
領収書
会派ごとに収支報告書をチェック
3か月に1回
議会事務局が収支状況のチェック
3か月に1回
第三者機関が領収書の
牛山久仁彦教授

2014年7月9日、日本テレビの情報番組「ミヤネ屋」で心霊騒動があった。

問題のシーンは、号泣議員・野々村竜太郎県議の話題から、政務活動費の管理体制について、東京都議会の例を元に解説した直後のこと。司会者である宮根誠司の横に立つパネルの下から、こちら側を覗き込むような女性の顔がハッキリと映っていたのだ。

もちろん、たんにスタッフが見きれただけだが、リアルタイムでこれを観た視聴者からは、「一瞬心臓が止まった」などの感想が続出。確かに、ニラむような表情が怖すぎる。

避難住民

2011年の番組
「はやドキ！」より
人気テレビ番組のあり得ないミス200　第2章 ハプニング

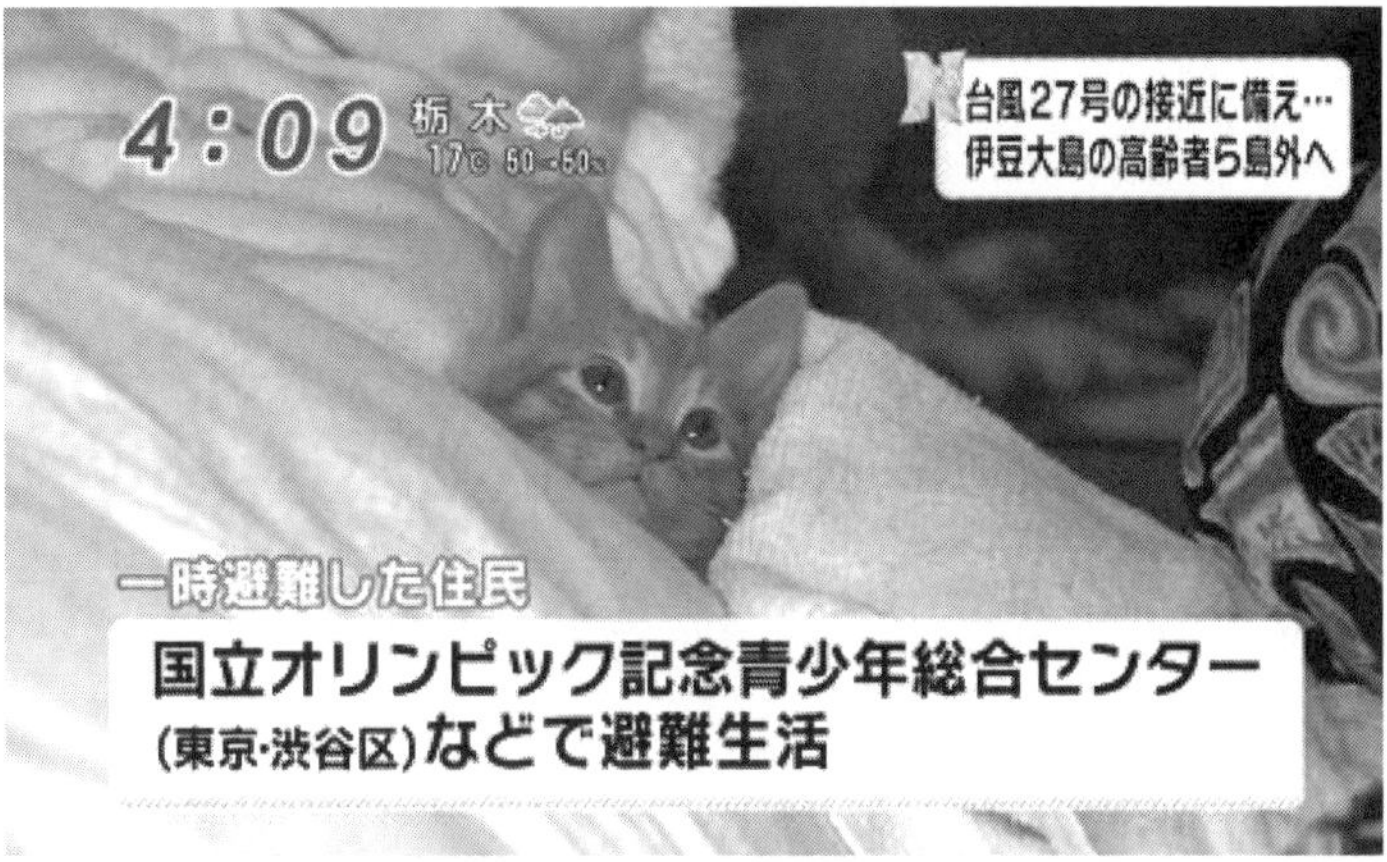

▲大型台風から避難する住民の生活を報じたニュースだったが、画面にはずっと猫の映像が表示されたため、視聴者からは「これは意図的なものだろう」「でもかわいいからいい」といった感想が出た

特別車両

2007年の番組
「ズームインSUPER」より
人気テレビ番組のあり得ないミス200　第2章 ハプニング

▲皇室用の特別な電車が公開された際のニュース映像だが、なぜか画面には族車が映り込んでしまった

1987年の番組
「ベストアーティスト」より
人気テレビ番組のあり得ないミス200 第2章 ハプニング

鈴木福に

▲豪快なテロップミスで、亀梨和也が鈴木福に

2013年の番組
「チューボーですよ」より
人気テレビ番組のあり得ないミス200 第2章 ハプニング

しめじに

▲今度はテロップのタイミングミスで、しめじが亀梨和也に

2005年の番組

「きょうの料理」より

大惨事

▲きょうの料理でオニオングラタンスープを作ったが、
容器のフチから大量にグラタンが漏れだす大惨事に

2006年の番組

「ポチたまペットの旅」より

人気テレビ番組のあり得ないミス200 第2章 ハプニング

スキンシップ

▲ラブラドール・レトリバーが全国を旅する人気番組で起きたハプニング。
ケーブルカーのなかで、犬がお姉さんの股間から顔を離さなくなってしまった

1987年の番組
「ゴールデン洋画劇場」より
人気テレビ番組のあり得ないミス200 第2章 ハプニング

さかさまで放送

▲ゴールデン洋画劇場で「Mr. BOO！ インベーダー作戦」を放送した際、提供クレジットが逆さまになってしまった

2010年の番組
「ソングス」より
人気テレビ番組のあり得ないミス200 第2章 ハプニング

桃色片想い

▲長渕剛が男っぽく歌い上げるシーンで、画面下には「桃色片想い」の表示が。もちろん、松浦亜弥の代表曲です

セット中です

2010年の番組
「バンクーバーオリンピック」より
人気テレビ番組のあり得ないミス200 第2章 ハプニング

▲2010年に開催されたバンクーバーオリンピックの特番で起きたトラブル。アナウンサーが髪をセットするシーンが、思いっきり生で放送されてしまった

あと3日

2010年の番組
「国会中継」より
人気テレビ番組のあり得ないミス200 第2章 ハプニング

▲菅直人が総理大臣だったころの国会中継で起きたハプニング。「アナログ放送があと3日で終了する」という趣旨のテロップが、菅直人の文字に重なったため、あたかも菅内閣が3日で終わるかのような印象の画面になってしまった

2013年の番組
「獣電戦隊キョウリュウジャー」より
人気テレビ番組のあり得ないミス200 第2章 ハプニング

アンコール？

▲人気の戦隊ヒーロー番組で起きた放送ミス。キョウリュウジャーの放送が終わった直後に「キョウリュウジャーこのあとすぐ!」の予告が流れたため、全国の子供たちを大いに混乱させた

2012年の番組
「クローズアップ現代」より
人気テレビ番組のあり得ないミス200 第2章 ハプニング

いい顔

▲NHKの硬派な報道番組「クローズアップ現代」で、教授の背後にスタッフが映り込んでしまうトラブルが起きた。いい顔してます

ゆるキャラの中の人が飛び出ちゃった事件

2012年に日本テレビで放送されたバラエティ「ガチガセ」で、めずらしい放送事故が起きた。

「ご当地キャラ相撲対決」という企画で、愛媛県今治市のキャラクター「バリィさん」と東京都国分寺市の非公式キャラクター「にしこくん」が取り組みを開始。すると、バトルがスタートした瞬間にバリィさんのボディアタックが決まり、にしこくんはあっけなく土俵の外へ飛ばされてしまった。

その瞬間、にしこくんの上半身が取れ、「中の人」が丸見えに。一瞬だけ映った体のラインなどから、どうやら中の人は女性だったらしいことがバレてしまった。

2005年の番組
「ごきげんよう」より
人気テレビ番組のあり得ないミス200　第2章 ハプニング

ハリキリすぎ

▲人気キャラのライオンくんがジャンプした瞬間、かぶり物がズレまくり、ほとんど中の人の顔が見えてしまった

2009年の番組
「NNNニュース」より
人気テレビ番組のあり得ないミス200　第2章 ハプニング

ハマーン様

TOILET
男子お手洗
トイレの個室から現れた男に
ハマーン様のもので頭殴られる

▲「ハンマー様のもの」が「ハマーン様のもの」になってしまった。ちなみに、ハマーンは「Zガンダム」に登場する悪のヒロインの名前

放射能科？

2016年の番組
「いつかこの恋を思い出してきっと泣いてしまう」より

人気テレビ番組のあり得ないミス200　第2章 ハプニング

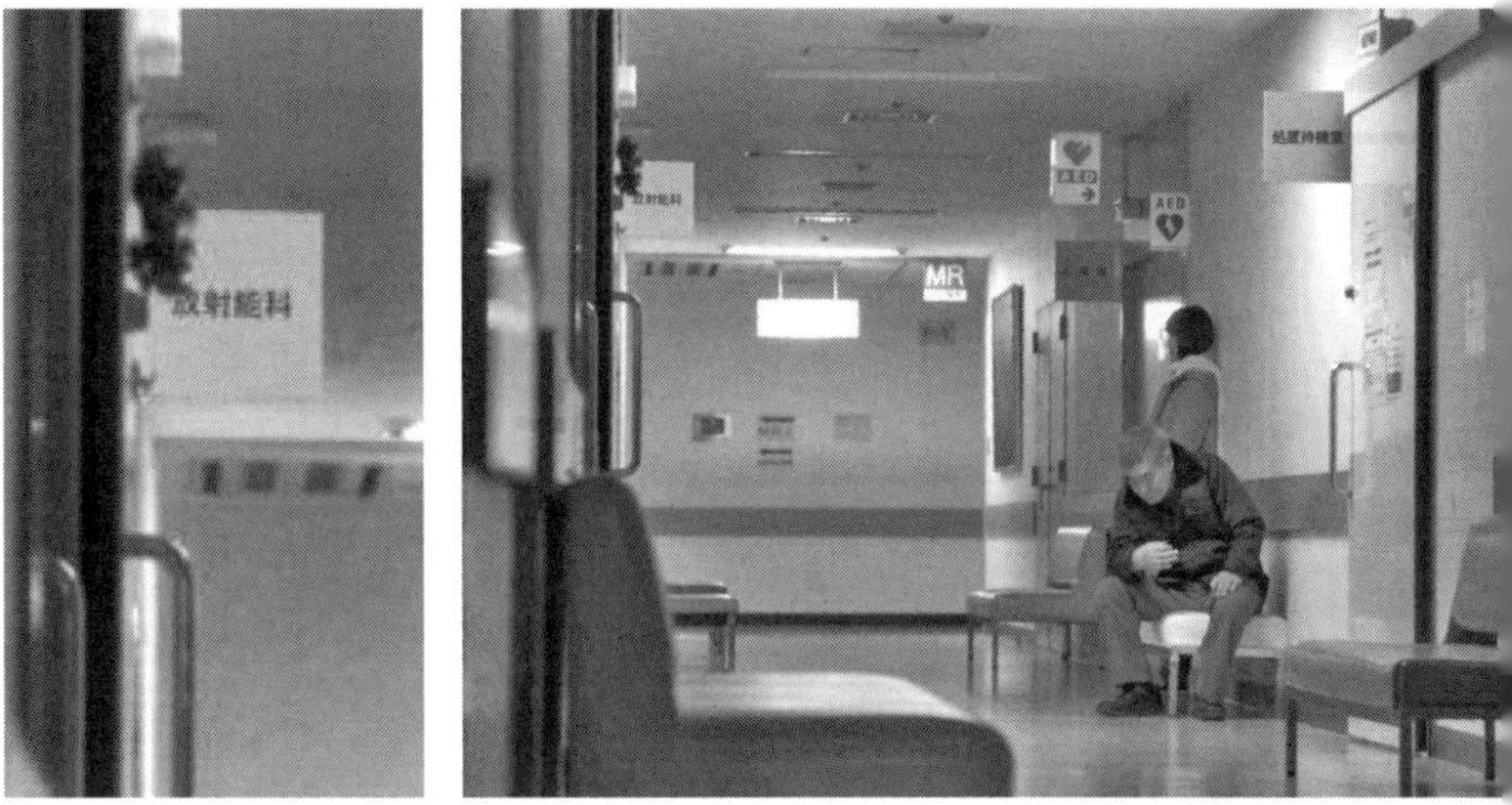

▲フジテレビの月九ドラマ第1話で起きたミス。ヒロインの有村架純が病院を訪れたシーンで、「放射能科」と書かれた謎の場所が写りこんだ。もちろん、「放射線科」の間違い

太ったオタクの天国

2013年の番組
「ZIP!」より

人気テレビ番組のあり得ないミス200　第2章 ハプニング

▲2013年に公開の映画「パシフィック・リム」で、監督のギレルモ・デル・トロが来日した際にテロップミスが起きた。監督は「What a OTAKU heaven!」（なんてオタク天国だ！）と言ったのだが、なぜか「太ったオタクの天国」と誤表記されてしまった

2007年の番組「24時間テレビ」より

小島よしおの熱湯コマーシャル事件

▲熱湯風呂に入っても熱がらない小島よしお

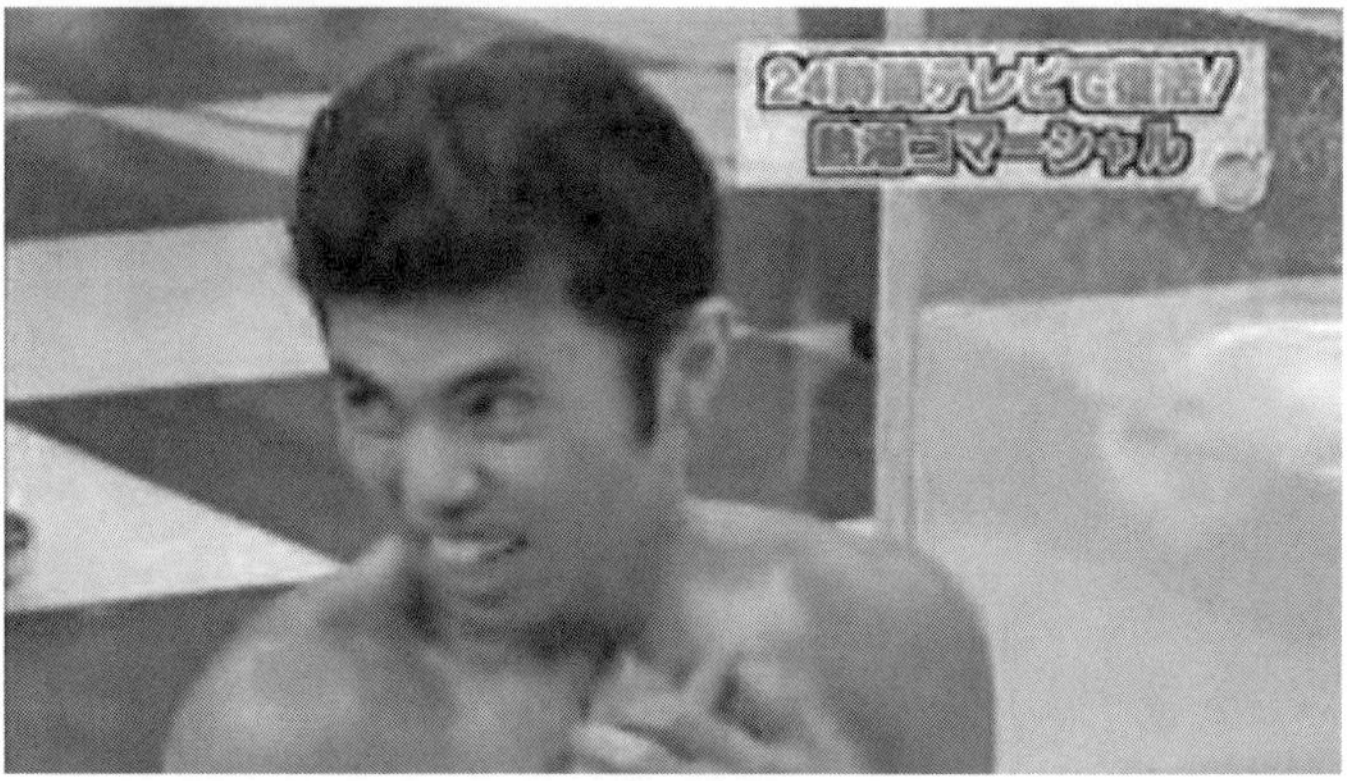

▲現場の空気を察して、画面が真っ青に

2007年、「24時間テレビ」の深夜に行われた、熱湯コマーシャルのコーナーで事件が起きた。

熱湯風呂に長く浸かった分だけCMをする機会が与えられるという企画だったが、小島よしおが風呂に入った瞬間、本当は熱湯のはずなのに「そんなの関係ねー!」と叫び、まったく熱がる様子をみせなかったのだ。

すかさず周囲の芸人からは「おい小島! それ熱湯だからっ」とツッコミが入ったが、会場は完全にシラケムードに。ネットでは「前代未聞の事故」と盛り上がった。

推定年俸千円

2004年の番組

「news every.」より

人気テレビ番組のあり得ないミス200 第2章 ハプニング

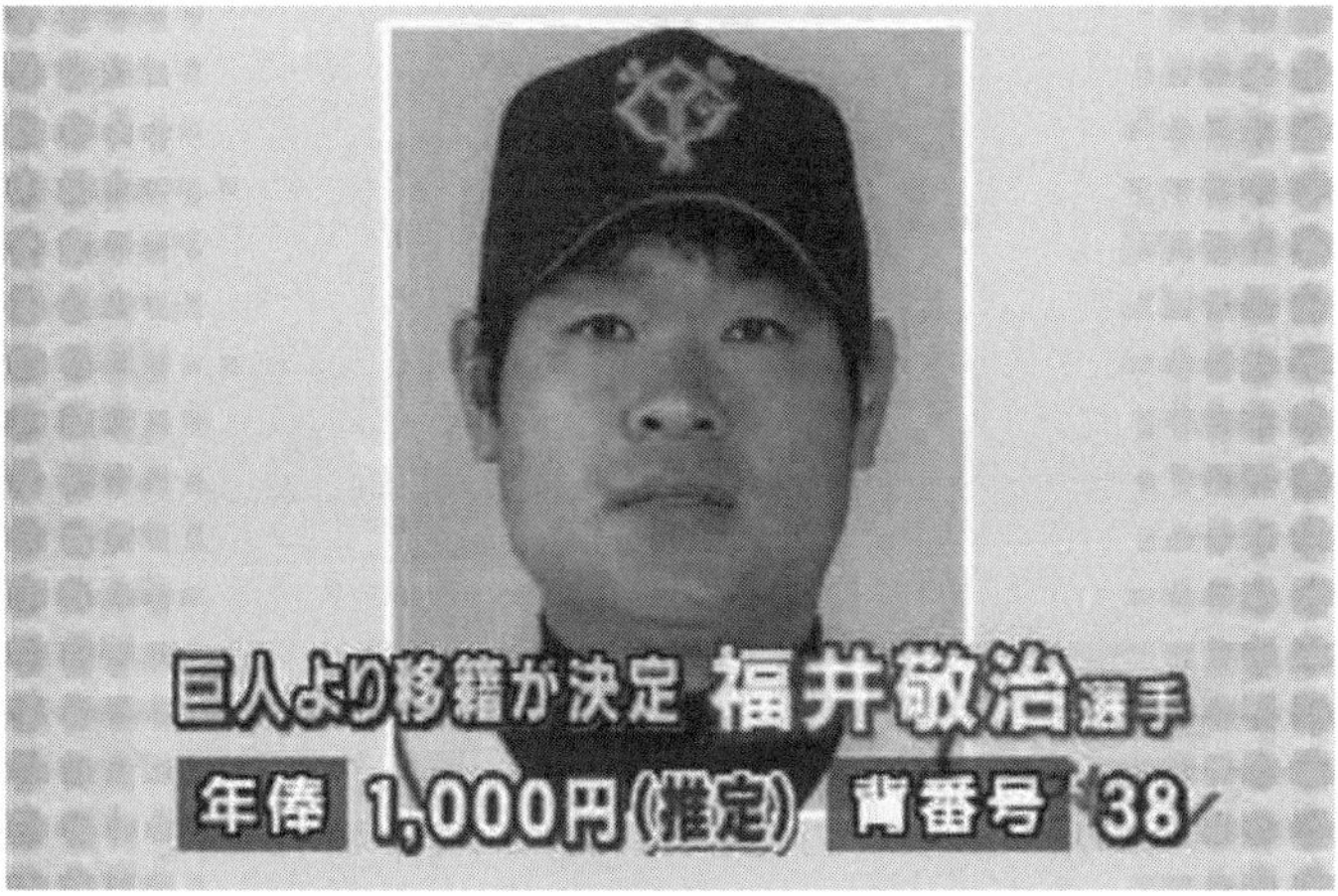

巨人より移籍が決定 福井敬治選手
年俸 1,000円(推定) 背番号 38

▲福井敬治選手が巨人から広島へ移籍した際に、スポーツニュースで起きたミス。もちろん1千万円の間違い

34歳の男児

2007年の番組

「とくダネ!」より

人気テレビ番組のあり得ないミス200 第2章 ハプニング

8:38
早刷り 運用初日に…
速報「赤ちゃんポスト」に34歳男児

▲熊本市でスタートした「赤ちゃんポスト」に関するニュースのテロップミス。「3～4歳の男児」と言いたかったらしい

何も見えません

▲霧が濃すぎて何も見えない

▲レースが始まったらしいが、
展開がさっぱりわからない

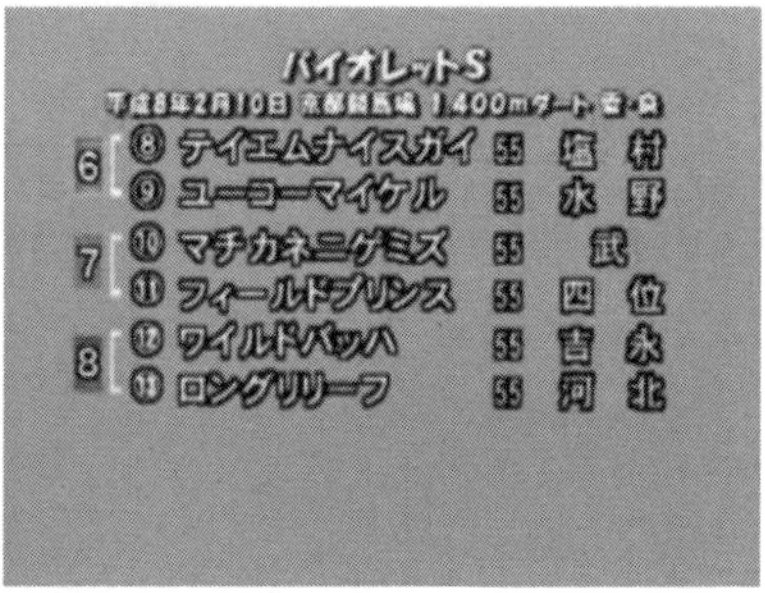

▲アナウンサーも
「何も見えませんね」とあきれた声

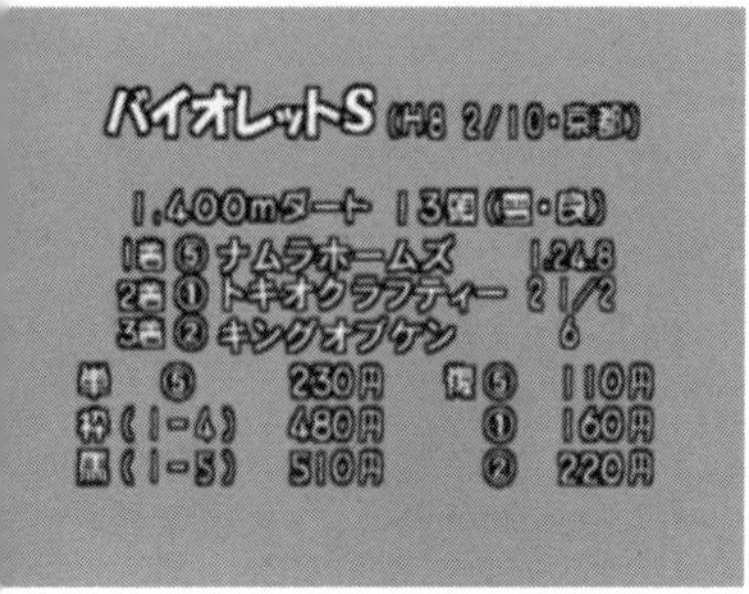

▲結局、最後まで何が何だか
わかりませんでした

2006年に行われた競馬レース「バイオレットステークス」で、空前絶後の事態が起きた。この日、競馬場には濃霧が立ち込めていたが、テレビ局のカメラが遠景からの1台しかなかったため、画面が真っ白で何も見えない状態になったのだ。

アナウンサーも最初は「何も見えません!」と叫んでいたが、霧のすき間からチラチラとのぞく馬群を見ながら、かろうじてレースの実況を終了。どうにか様子は伝わったものの、最後まで馬の姿が見えない、異例の競馬中継となった。

ちんこっぽくね？

2009年の番組
「オンタマ」より
人気テレビ番組のあり得ないミス200 第2章 ハプニング

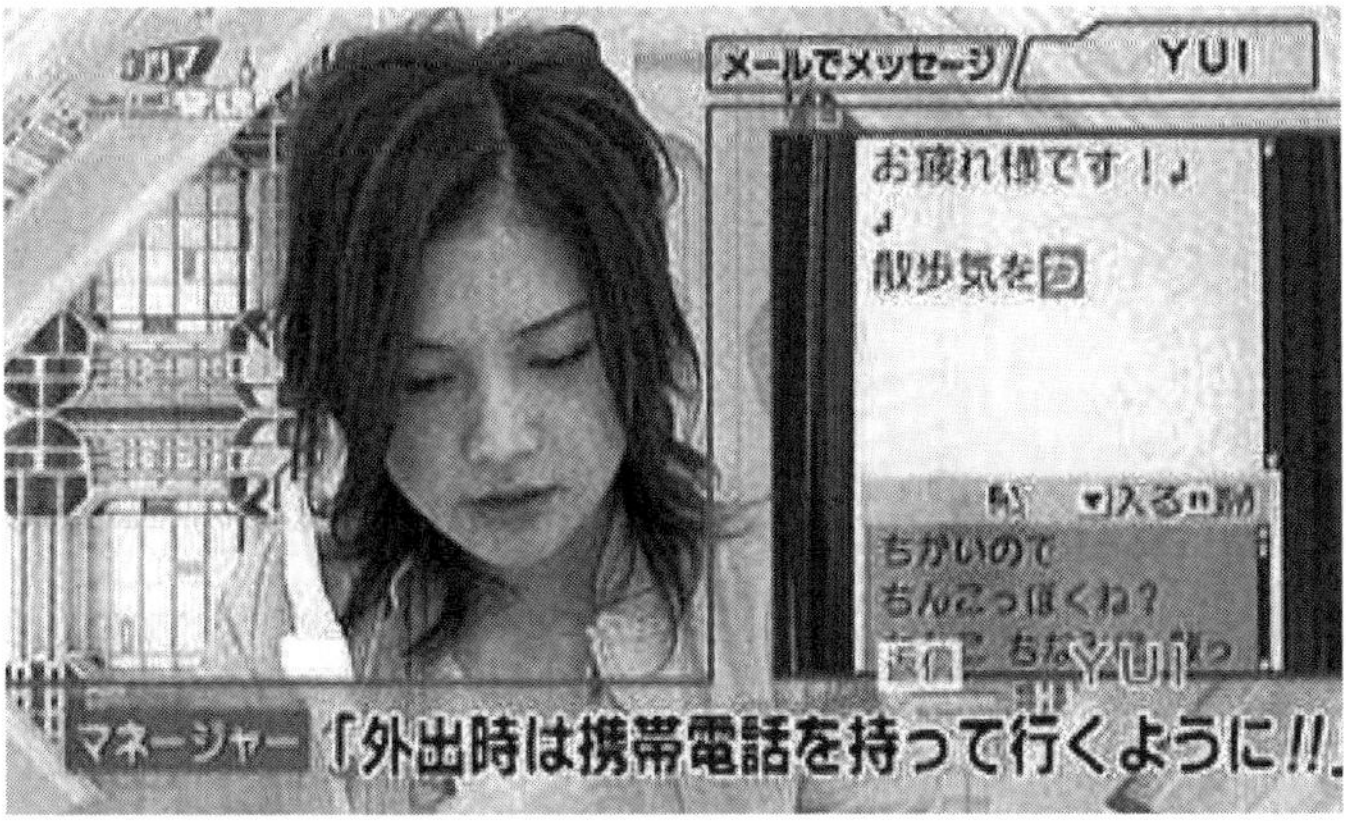

▲テレビ朝日の音楽番組で起きた事件。ミュージシャンのYUIが使う携帯の予測変換に、思いっきりシモネタワードが入っていた

殺人未遂の疑い

2009年の番組
「FNNニュース」より
人気テレビ番組のあり得ないミス200 第2章 ハプニング

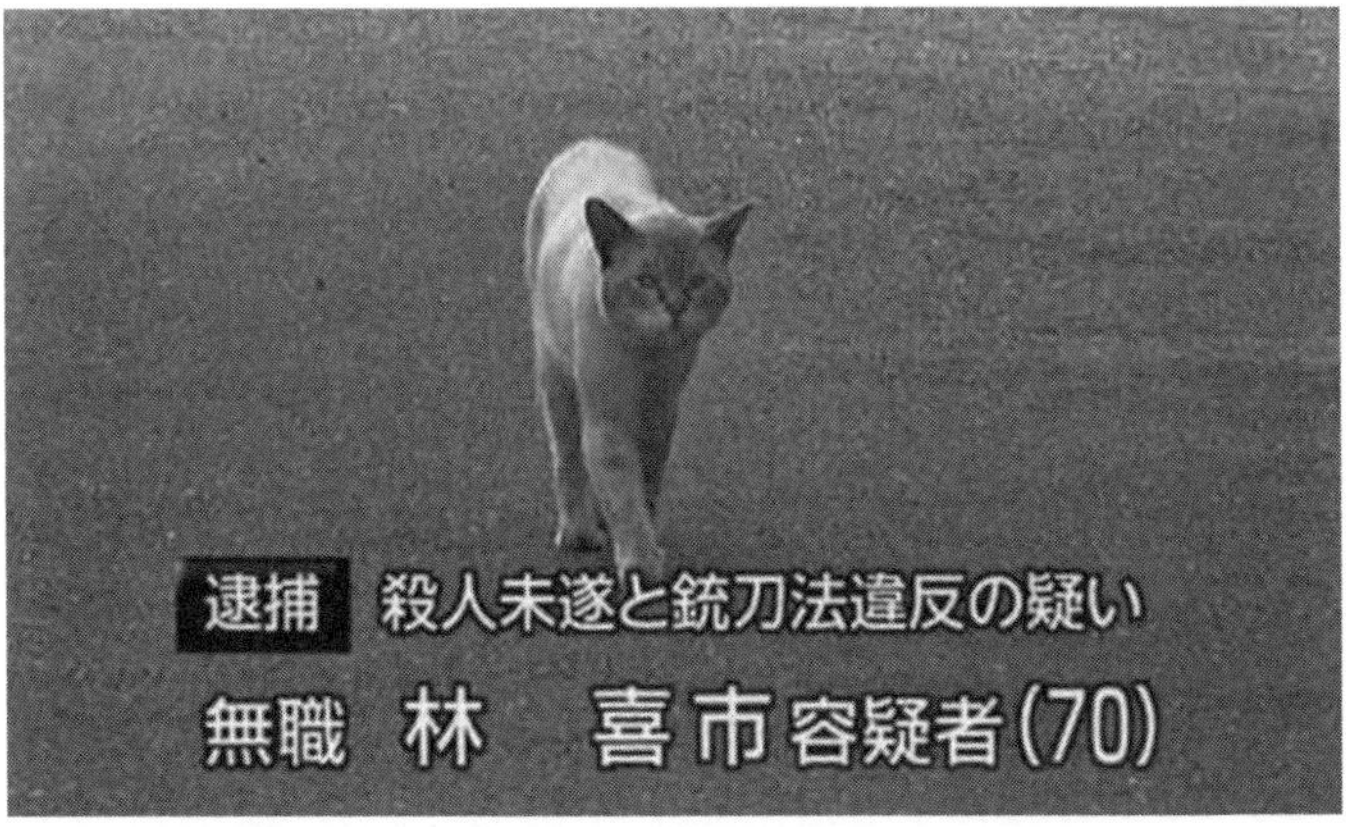

▲千葉県で起きた殺人未遂事件を報じるニュースのワンシーンだ。野良猫の餌付けトラブルが理由で起きた事件だったため、画面にはずっと猫の映像が。そのせいで、あたかも猫が容疑者であるかのような印象になってしまった

痛恨の名前ミス

2004年の番組

「スーパーニュース」より

人気テレビ番組のあり得ないミス200 第2章 ハプニング

▲2004年、都心に大型台風が発生。当時はまだ局アナだった高橋真麻がレポートに出たが、思い切りテロップが間違われていた。スタジオのアナウンサーも思わず失笑

高級さきイカ

2004年の番組

「スーパーJチャンネル」より

人気テレビ番組のあり得ないミス200 第2章 ハプニング

▲さきイカの万引き事件で起きたテロップミス。
もちろん、「1200円相当」の間違いです

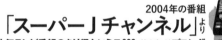

2016年の番組

「ニュースJAPAN」より

滝川クリステルのうたた寝シーン

▲お疲れのようです

2005年に放送のフジテレビ「ニュースJAPAN」で、変わった映像が流れた。CMと本編の切り替えタイミングがうまくいかず、コーヒーを飲む松方アナと、その隣でうたた寝をする滝川クリステルの姿が茶の間に映しだされたのだ。事態に気づいた2人はすぐに体勢を立て直したが、キャスターの居眠りが茶の間に流れたのは珍しい。

2016年の番組
「テレビタミン」より

視聴者に電話をかけたらブチギレ

▲視聴者に電話をかけたら、いきなり怒り口調の返事が

▲司会者も困り顔です

2016年、くまもと県民テレビの人気番組「テレビタミン」で、意外な事件が起きた。

プレゼントコーナーにて、司会者がハガキを送ってきた視聴者に電話をしたところ、回線がつながった直後から「はぁ!いまさら?最悪!」などとケンカ腰の答えが返ってきた。どうやら、忙しい時に電話をかけてきたことに対して激怒したらしい。

予想外の事態に慌てつつも、どうにか番組を進める司会者。しかし視聴者の怒りは収まらず、「あんたらねぇちょっと役に立たんよ、まじで!!」などと暴言を吐き続けた。

この事態に、ネットでは「自分でハガキを出したんじゃないの?」といった感想が続出した。

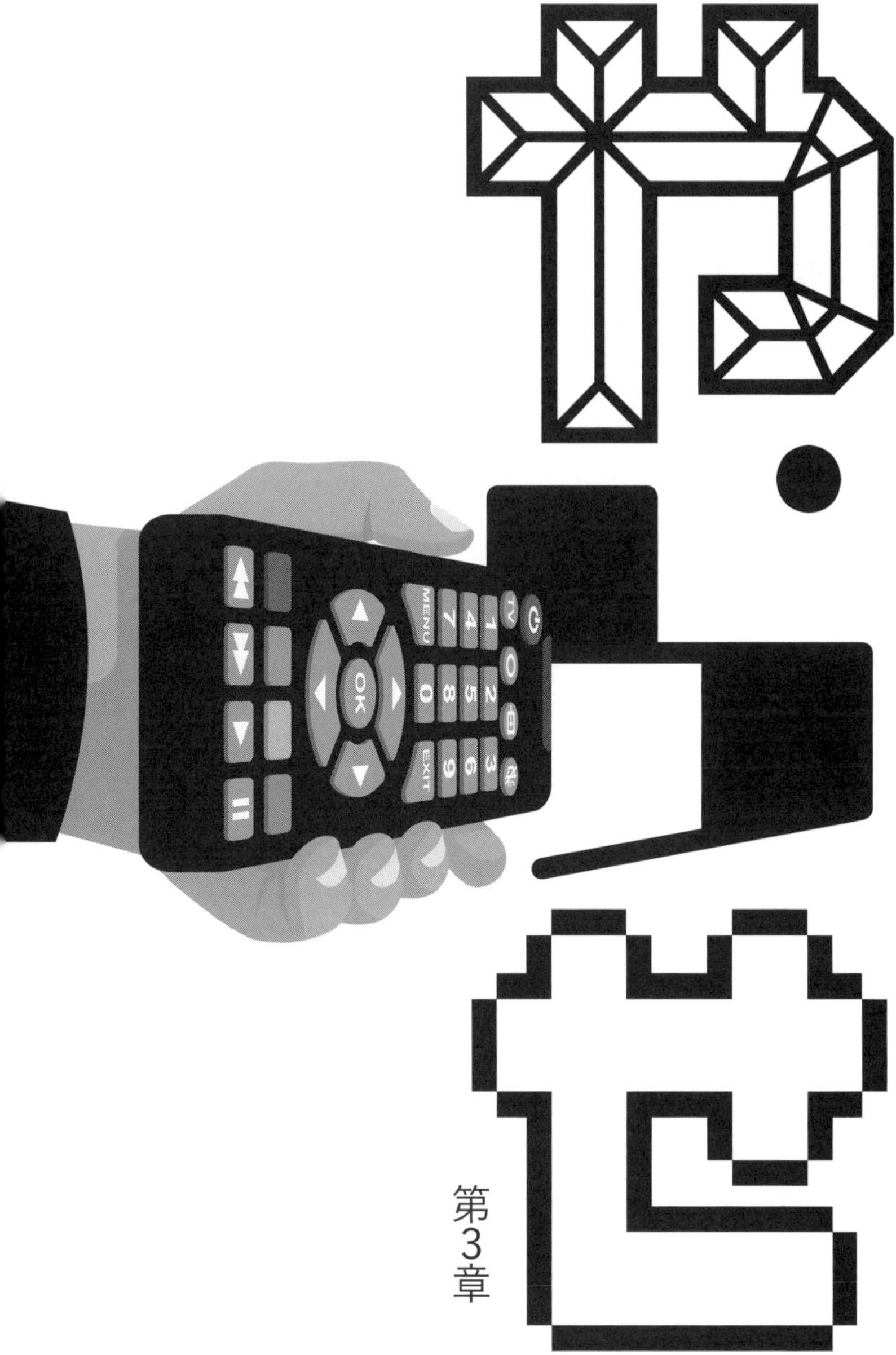

第3章

2018年の番組
「24時間テレビ」より

かねちの二股暴露↓やらせが発覚

EXIT兼近 ⟷ 元カノ マナさん
[redacted]さん 当時15歳

EXIT 兼近
@kanechi_monster
これがテレビか
今日台本見せられた時はもっとレベチでやばたにえんだったけど流石にめちゃめちゃ嫌だと伝えて抑えた結果がこれ！もし言ってなければ社会的に抹殺されていたのかもと思うとゾッとするでござる
向こうの方も控えめに言って可哀想杉田玄白解体新書なのでYouTubeは登録すべし

▲放送を見ていた視聴者からもやらせっぽいとの声があがっていた ▶「24時間テレビ」は誰を救おうとしているのだろう

何かと話題の多い「24時間テレビ」だが、大人気のお笑いコンビEXITのかねちこと兼近大樹が番組のやらせの被害者になったと話題を呼んだのが2018年の『あの人に会いたくない』コーナーだ。

番組出演者が現在は絶縁状態にある人物と対面して関係を修復する企画で、かねちのご対面相手は中学時代に付き合っていたという元カノ。2人は、女性がかねちの浮気現場を目撃したことで破局し、彼女はそれが原因で男性不信に陥ったと告白した。

しかし、放送直後に女性は自身のYouTubeチャンネルで、かねちの二股は24時間テレビのスタッフから言われたことで浮気現場を見たこともないし、男性不信に陥った事実もなく、ほぼ全てのエピソードがねつ造であることを示唆。一方のかねちもSNSで苦しい心の内をツイートし、視聴者からは2人への同情の声が殺到した。

半年も前のやらせがタレコミで発覚

5:38
なぜ？突然"孫"が増えた女
業務用スーパーの不思議な
巨大焼きそばを大量買
常連[redacted]さん（47）
おばあちゃんって呼ばれるんですか？

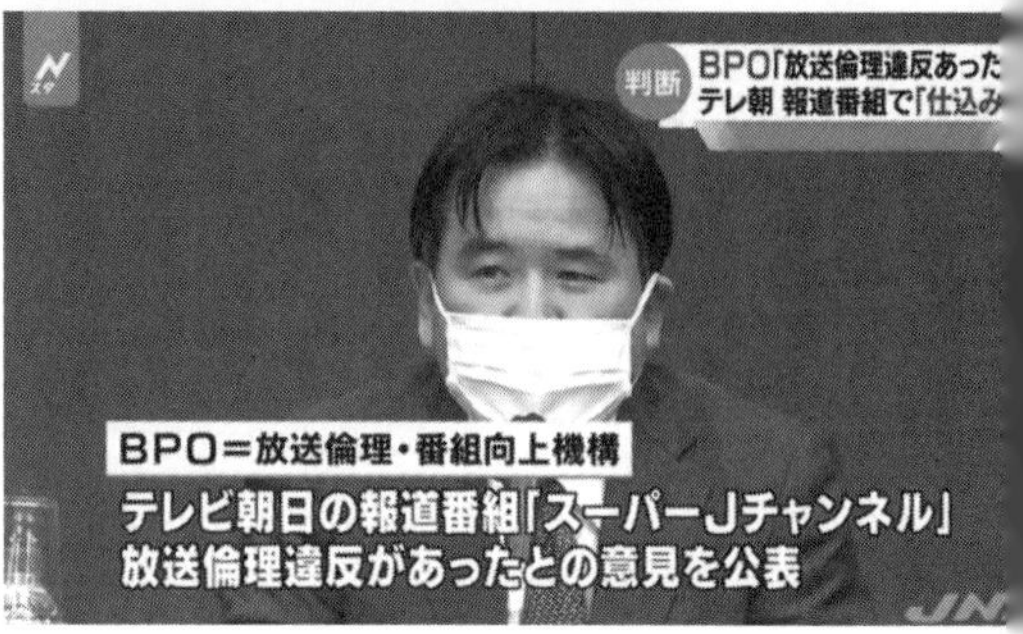
判断
BPO「放送倫理違反あった
テレ朝 報道番組で「仕込み
BPO＝放送倫理・番組向上機構
テレビ朝日の報道番組「スーパーJチャンネル」
放送倫理違反があったとの意見を公表

▲出演者はディレクターの仕込みだった
▶放送倫理・番組向上機構（BPO）放送倫理検証委員会も放送倫理違反があったとする見解を発表した

２０１９年10月16日、テレビ朝日の常務が緊急会見を開き、夕方の報道・情報番組「スーパーJチャンネル」で不適切な演出があったとして謝罪した。

問題があったのは、3月15日に放送された「業務用スーパーの意外な利用法」という人気企画で、スーパーに個人で買い物に来た客の人間模様を伝える内容。この日、放送で取り上げたのは男女5人だったが、いずれも担当した男性ディレクターの知人で、初対面を装ってインタビューした様子がオンエアされた。

ディレクターは人材派遣会社からテレビ朝日映像に派遣され、同コーナーには初めてかかわり、ロケは1人で実施。彼は俳優養成教室の講師もしており、5人のうちの4人が生徒だったとか。

不思議なのは、なぜ半年も前の事が問題になったかだが、なんでも同局へ匿名で情報提供があったらしい。

人気の「マキさんの老後」シリーズにやらせ⁉

▼好きだと公言しているタレントも多い「マキさんの老後」シリーズ

フジテレビで日曜午後に放送されている「ザ・ノンフィクション」は、放送開始20年以上の長寿番組だ。中でもＬＧＢＴのマキさん＆ジョンさんの夫婦生活を追う『マキさんの老後』シリーズは人気が高く、２００８年に登場して以降、ほぼ年に1回のペースで登場。気性の激しいマキさんと、それをなだめて耐えるジョンさんの姿に視聴者は心をつかまれてきた。

だが、２０２０年、週刊誌に当の2人が衝撃の告白を行う。なんと「全8回の放送とダイジェスト版とで計9回の番組は、やらせ、仕込み、はめ込みのオンパレード」とのこと。

そもそも「気性が激しいマキさん」というのが演出で、ディレクターが「とにかくケンカしてください」と指示してきたそうだ。初回の放送では言われるままスーパーで店員にイチャモンをつけ、ジョンさんとも仕方なくケンカをしたという。ときにはワインボトルを割ってないのに効果音を付けて割ったことにされ、生活費も10万入れているのを2万しか払ってないとナレーションを入れられた。しかも、カメラが回ってないところで突然ディレクターがジョンさんを後ろから羽交い締めして胸を揉んできたことがあるというのだから驚く。これに対しフジテレビ側は「過剰な演出はなかったと認識しています」だそうだ。

2015年の番組「ドキュメント72時間」より

密着された便利屋がナメクジを仕込む

1日に300件の依頼が舞い込むという都内の便利屋に密着した回でやらせを体験したというのは、当時、お助け本舗なる便利屋の取締役だった元タレントの坂本一生氏。

番組で流れた、父親の定年祝いに大型マッサージチェアを自宅に運んでほしいという依頼者は、お助け本舗の社長の義理の母で、ロケが行われたのは社長の実家。夜中にバスタブのナメクジを取ってほしいとの依頼もスタッフが、ゴキブリだと逃げてしまうからナメクジならいいんじゃないかと、わざわざナメクジを仕込んでのやらせだったとか。

NHKの広報は、「(番組では)同行して作業をさせていただくこと以外、何のお願いもしておりません」と答えており、密着された便利屋側が自らやらせに走った可能性も考えられる。

▲撮られる側が勝手にやったのか?

日本にいないはずのコウモリが部屋に

▼「離島で0円生活」や「1ヶ月1万円節約生活」など
大ヒットコーナーが目白押しだった「いきなり！黄金伝説。」

2002年9月4日、人気バラエティ「いきなり！黄金伝説。」では「いきなり！汚部屋訪問」のコーナーが放送された。自分では片付けられないほど汚れた部屋を掃除してほしいという依頼を受ける便利屋に同行する企画で、この日は彼女が来るので足の踏み場もないアパートの部屋を片付けてほしいという33歳の男性依頼者の部屋をクリーニングした。

が、この部屋の中を飛んでいたコウモリが、日本には生息しないはずの「ルーセットオオコウモリ」であることが判明。実はこの依頼主が便利屋の知人で、コウモリは部屋の不衛生さを表現するため動物プロダクションから借用したものであったこともわかった。

番組側は、コウモリの知識が欠落していたことは認めたものの、あくまで部屋の状況を再現するための演出だったとしている。

台本が写真週刊誌に撮られて発覚

TOKIOが司会を務めた伝説の番組「ガチンコ」。中でもヤンチャな不良達を集めてプロのボクサーがサポート、ボクシングのプロテスト合格までを追いかける「ファイトクラブ」シリーズが大人気を博した。

このコーナーから実際にプロボクサーが誕生した一方、指導する竹原慎二氏の腰に台本らしきものが挟まれている写真が週刊誌に撮られたり、コーナーの台本が写真週刊誌に掲載されるなどし、やらせ疑惑が噴出。素人のはずの出演者が他のバラエティ番組に出ていたことなども明らかになり、番組終了後には「台本はあった」「特定の役をやらされた」などとやらせを証言する出演者も相次いだ。

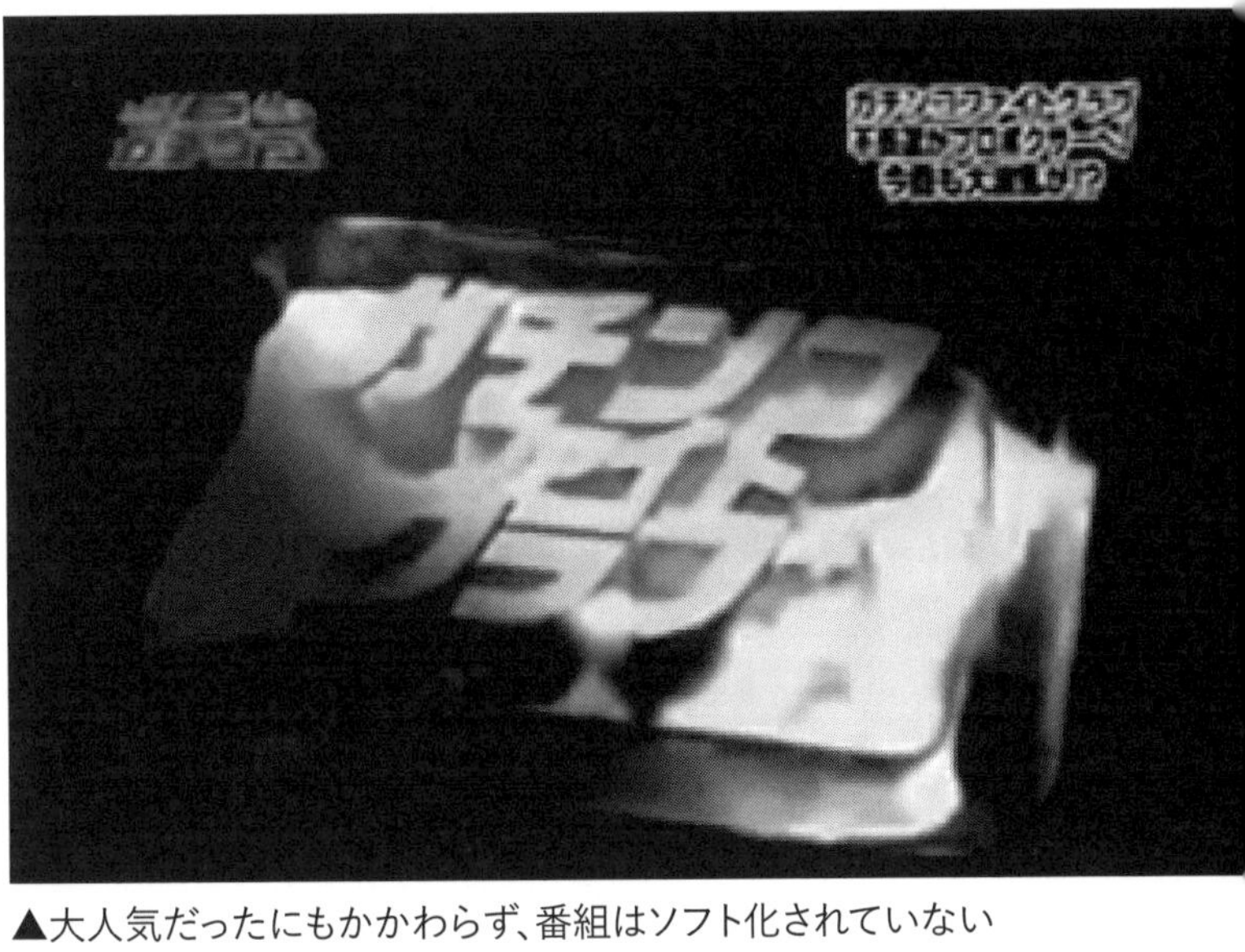

▲大人気だったにもかかわらず、番組はソフト化されていない

廃病院で心霊現象が続発!↓ウソでした

▲廃病院のはずが、なぜかエレベーターがちゃんと動く

▲廃病院なのに、入り口に観葉植物があるのも不自然

2013年に放送されたバラエティ番組「乃木坂って、どこ?」で、やらせが発覚した。アイドルグループ乃木坂46のメンバーが、「都内の廃病院」で心霊体験をする企画だったが、そこで登場した廃病院が、実は初台の玉井病院という有名なスタジオだったのだ。実際、放送された映像は、廃病院というわりにはあまりにもキレイすぎである。

2016年の番組
「世界の怖い夜」より

都内の心霊ホテルに潜入！↓ウソでした

▲「心霊現象で有名な都内の廃ホテル」として紹介されたが…

▲実は山梨にある「ホテル大藪」だった。心霊の噂はありません

2013年に放送されたオカルト番組「世界の怖い夜」内で、やらせ疑惑が持ち上がった。お笑い芸人のパンサーが、「都内の廃ホテル」でさまざまな心霊体験をする企画だったが、そこで登場した心霊ホテルが、実は山梨県内にある「ホテル大藪」という有名な廃墟だったのだ。ホテル大藪には心霊スポットとの噂も特になく、おそらく見た目の怖さでロケ地に決めたのだろう。

視聴者投票の企画に「やらせ疑惑」が

▲投票前にもかかわらず、公式サイトに「不合格」の表示が

2015年、フジテレビのバラエティ「めちゃめちゃイケてるッ！」でやらせ疑惑が持ち上がった。

問題視されたのは、レギュラーメンバーのひとりである三中元克の卒業が決まったシーン。視聴者投票で三中がレギュラーに残るかどうかを決める企画だったのだが、まだ投票が始まっていない段階で、番組の公式サイトに『三ちゃん不合格 残念会』というバナーが表示されていたのだ。

この事態に対して、視聴者からは「デキレースだ」などの批判が続出。もちろん、たんにスタッフの準備ミスだった可能性もあるが、大きな疑惑を残すことになってしまった。

1985年の番組

「アフタヌーンショー」より

テレビ史上初の「やらせ」事件

▲暴走族のVTRがすべて仕込みだった

▲やらせが原因で長寿番組が終了

テレビ朝日で放送された「アフタヌーンショー」は、20年の歴史を持つ長寿番組だった。

ところが、1985年に放送した「激写! 中学女番長!! セックスリンチ全告白」なるVTRが、実は番組ディレクターが暴走族に金を払って演じさせた「やらせ」だったことが発覚。さらに、この事実を苦にした被害者の少女の母親が、放送から2ヶ月後に自殺してしまう最悪の事態になった。

その結果、番組はすぐに打ち切りが決まり、20年の歴史が終了。それまでは業界用語だった「やらせ」という言葉が、一般にも広まるきっかけとなった。

2010年の番組
「真相報道バンキシャ!」より

恋愛ゲーム特集でやらせ疑惑が

一人でも"二人旅"!? 驚きの「ゲーム効果」とは
カンシキ
東京から来た男性
バンキシャ 本物の彼女は?
いらないです

▲ゲームキャラと疑似恋愛をする男性を特集

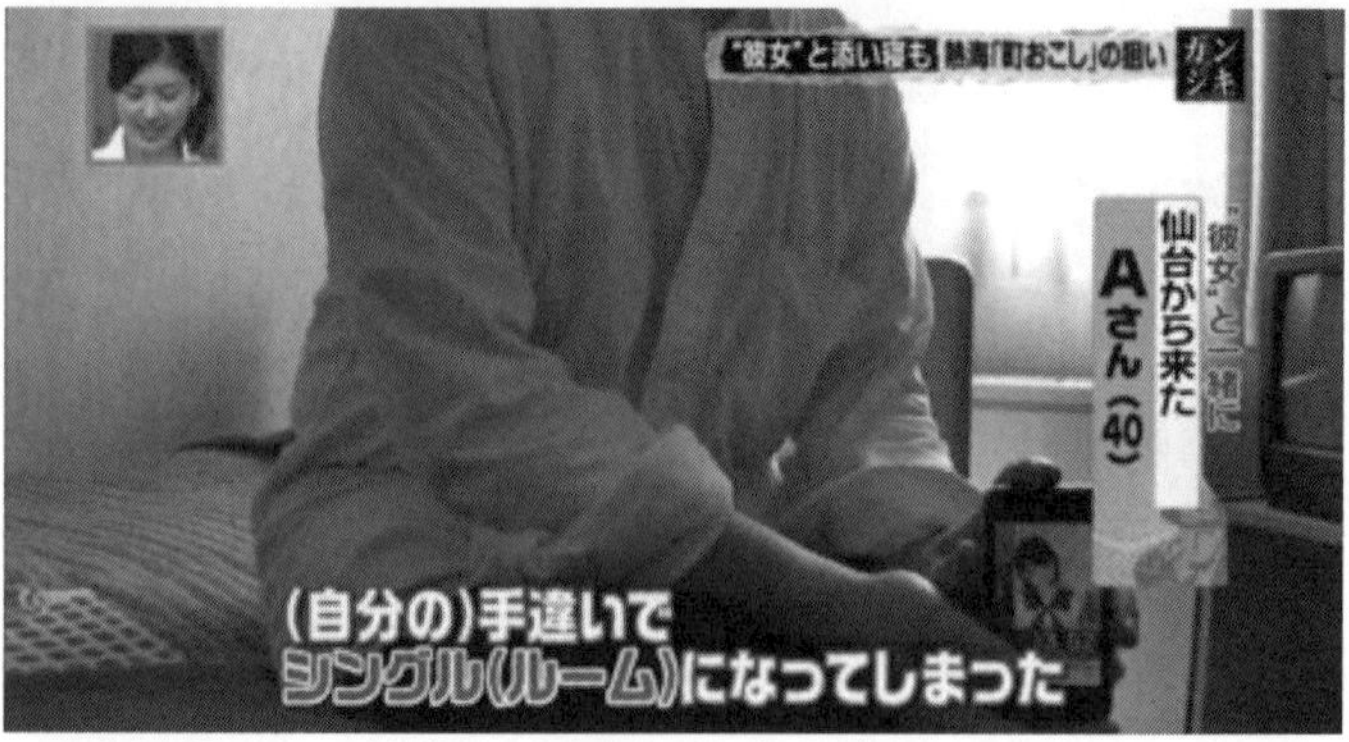
"彼女"と一緒に
仙台から来た
Aさん(40)
(自分の)手違いで
シングル(ルーム)になってしまった

▲番組に登場した旅館に、男性が泊まった形跡はなかった

2010年、日本テレビの報道番組「バンキシャ!」が、人気の恋愛シミュレーションゲーム「ラブプラス＋」を取り上げたところ、炎上騒動に発展した。

番組では、ゲームキャラと擬似恋愛をしながら観光地をめぐる男性を取り上げたが、実際のユーザーから見ると不審な点が多かったため「やらせ疑惑」が発生。これを受けて夕刊フジが調査を行ったところ、番組内に登場した旅館と男性の証言に食い違いがあることがわかった。

その後、ゲームユーザーからは「偏見を助長する」といった批判が相次いだが、番組は特にリアクションをしていない。

ネットの嘘を暴く！↓テレビの嘘が判明

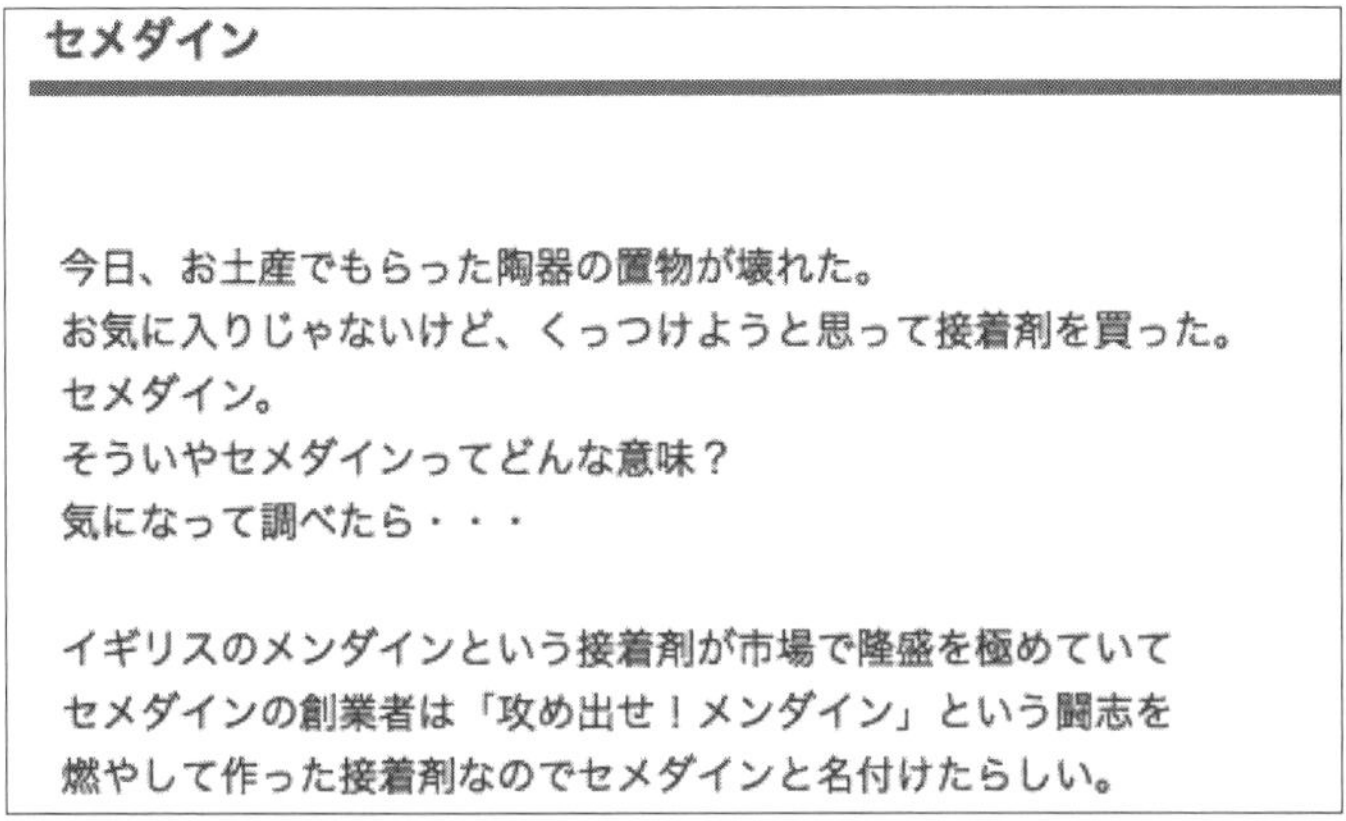
セメダイン
今日、お土産でもらった陶器の置物が壊れた。
お気に入りじゃないけど、くっつけようと思って接着剤を買った。
セメダイン。
そういやセメダインってどんな意味？
気になって調べたら・・・
イギリスのメンダインという接着剤が市場で隆盛を極めていて
セメダインの創業者は「攻め出せ！メンダイン」という闘志を
燃やして作った接着剤なのでセメダインと名付けたらしい。
▲ネット雑学のウソを暴く内容だったが…

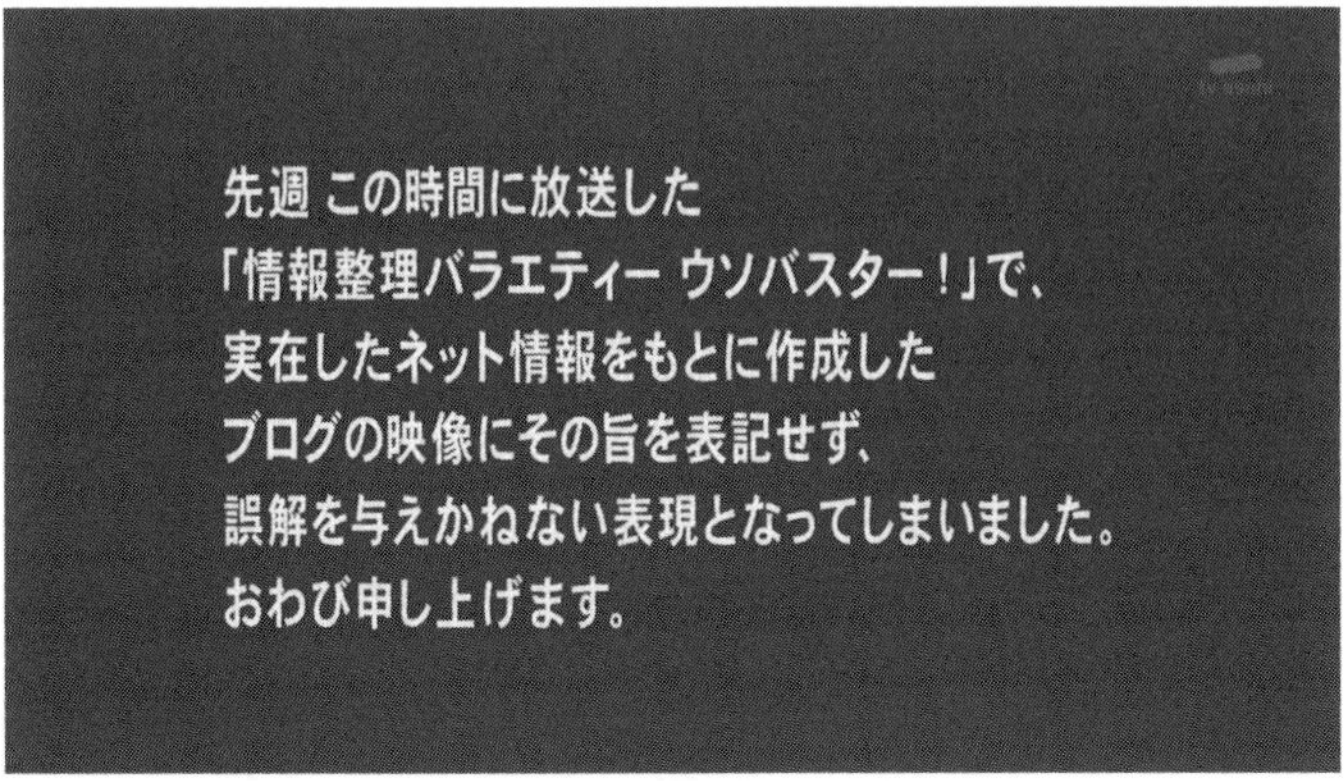
先週 この時間に放送した
「情報整理バラエティー ウソバスター！」で、
実在したネット情報をもとに作成した
ブログの映像にその旨を表記せず、
誤解を与えかねない表現となってしまいました。
おわび申し上げます。
▲取り上げられたブログがウソだった

2010年、テレビ朝日のバラエティ「ウソバスター」でやらせ問題が起きた。

番組で放送されたのは、ネットで広まるデマの真相を暴くというもの。6つのネット記事を取り上げ、「サケとシャケの違い」や「NEWSの語源」といった雑学を紹介していったのだが、実はここで紹介されたブログが、すべてスタッフによる自作自演だったのだ。

この疑惑について、テレビ朝日は全面的にねつ造を認めて謝罪。同社ホームページに謝罪文を公表した。

116回の祭りのうち11回がやらせ!?

2018年の番組
「世界の果てまでイッテQ!」より

平均視聴率20%超えの「世界の果てまでイッテQ!」最大のトラブルといえば、放送開始当初から月1回ほど放送されていた祭り企画だ。「お祭り男」こと宮川大輔がその月に開催される世界の祭りを実際に訪ねて参加。世界で最も盛り上がる祭りは何かを探っていく人気コーナーである。

ところが2018年11月発売の「週刊文春」が、その年の5月に放送された「橋祭りinラオス」について現地の日本人駐在員やラオス情報文化観光省に取材した上で、やらせの疑いがあると報道。他誌の取材では、放送された116回のうち「田植え祭り」や「カリフラワー祭り」など11が番組のときだけ行われたもので、ラオスの祭りにもかかわっていたタイの会社がコーディネートしたものと判明した。これらを受け、日本テレビは「番組の意向でコーディネート会社が主催者に提案したり、実質的な主催者となってイベントとして開催したりしたケースがあった」と番組の一部に不適切な演出があったことを認めた。

▲自転車で“橋”に見立てた全長25メートルの板を渡り、スピードなどを競う「橋祭りinラオス」。なんとも楽しそうな祭りだったが……

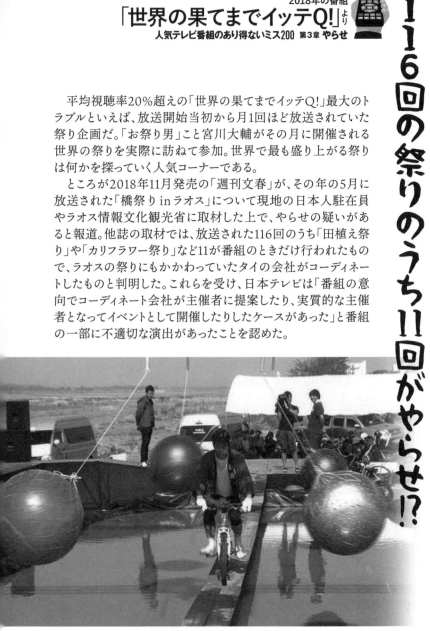

2013年の番組
「世界の果てまでイッテQ!」より

罰ゲームに1時間↓本当は5分ちょっと

延々1時間以上
▲1時間が過ぎたというが…

▲背後の時計を見ると、
5分ちょっとしか経過してません

タランチュラに3秒以上
▲タランチュラに触わる罰ゲーム

▲タランチュラにビビる手越祐也

2013年5月、人気バラエティ「世界の果てまでイッテQ!」で、ちょっとしたミスが起きた。

NEWSの手越祐也が、タランチュラに3秒以上触れるという罰ゲームにチャレンジしたシーンでのこと。番組では、なかなかタランチュラに触われない手越が、1時間以上もカメラの前で逡巡をくり返したと放送されたが、背後に置かれた時計をよく見ると、実際は短針が5分ちょっとしか進んでいない。

どうやら、罰ゲームシーンを盛り上げるために、時間を盛ってしまったようだ。

いろんなニュースに現れる謎の美女

昭和天皇実録
閲覧始まる
閲覧に訪れた人
幼少期に関しては発言 日記 手紙
言葉が直接あったりして おもしろかった

▲NHKニュースでインタビューを受けたかと思えば…

8:38
とくダネ!
都内はまるで"夏再来"
寒い? 暑い?
東京・新宿区
きのう 午前11時すぎ
来園者
今日の気温が25℃っていうのを見て
お外で食べようと

▲次の週にはフジテレビにも一般人として登場

ここ数年、ニュース番組ファンのあいだで話題の人物がいる。「NHKニュース」や「とくダネ!」など、さまざまな番組の街頭インタビューに、まったく同じ美女が一般人として登場しているからだ。

ある時は宮内庁に足を運んだ訪問客として、またある時は新宿御苑で弁当を食べるピクニック客として。さまざまな番組に何度も登場したため、一部にはファンまで出現。街頭インタビューに姿を見せるたびに、ネットが盛り上がる事態となった。

2014年の番組「27時間テレビ」より

番組制作のツイッターでやらせ発言

dボタンでクイズに参加
Tシャツと賞金をGET!!
#27時間テレビ
ドラマの出演者豪華過ぎ。録画しときゃよかったー
@peach_tutti

▲画面の下に視聴者のツイッターを流していたが…

土屋あかね @peach_tutti 35分
ドラマの出演者豪華過ぎ。録画しときゃよかったー #27時間テレビ
3
1
土屋あかね @peach_tutti 2時間
つよし頑張って！ #27時間テレビ

▲あきらかに自演アカウントだった

2014年にフジテレビで放送された「27時間テレビ」で、やらせ騒動が起きた。同番組では、「視聴者からの声」として一般人のツイートを紹介していたのだが、そこで取り上げられたつぶやきが、どう見ても番組スタッフの自作自演だったからだ。

実際、番組で紹介された3つのアカウントは、いずれも「27時間テレビ」の放送直前に作られたものばかり。どのアカウントも書き込みが4件しかないうえに、放送が終わったとたんにつぶやきも終わってしまった。

2015年の番組
「ぶっこみジャパニーズ」より

フェイスブックでヤラセを暴露

世界のニセ日本を年末大掃除
マズすぎるラーメンinイギリス
日本ラーメン界の女番長が
正体を隠してドッキリ潜入
驚愕のニセラーメンが
この店では人気メニューだというが…

▲イギリスのラーメン店では、オニギリやウインナーが入った「偽ラーメン」を出していると紹介されたが…

Maki & Ramen Sushi Bar
49分前・

Hi everyone
Thanks for your likes, retweeting, and commences. Sorry for those who find it disappointed or upset. We are here to answer all the questions. Firstly you need to understand it is a Entertainment TV program, it should be funny, entertaining and surprising. We have agreed to do so, so in return we learn the "Burnt Soyu Ramen" . It's already in our special menu and we sold hundreds of them. Are they good? You have to come and try...
Secondly, we DON'T sell instant n... もっと見る

翻訳を見る

▲店の公式フェイスブックがやらせを暴露してしまった

2015年に放送された「ぶっこみジャパニーズ」は、海外に広まる間違った日本文化を正すべく、日本人の専門家を現地に送り込むバラエティ番組だ。

12月に放送された回では、「驚愕のニセラーメン」と題してスコットランドのとんこつラーメン店を取り上げたが、放送後に同店のスタッフが、フェイスブックで「あの番組はやらせ。本当は普通に美味いラーメンを出している」と暴露。多くの視聴者から抗議が殺到した。

放送後にツイッターで「やらせ」を暴露

彼氏なんていらない！私がひとりでいる理
これも人生の楽しみ方
"彼氏いらない女子"が急増中

▲「彼氏いらない女子」として報道されたが…

彼氏なんていらない！私がひとりでいる理由
これも人生の楽しみ方
連絡するのもめんどうくさ

▲実際は「1人でも楽しい女子」としてインタビューされたらしい

2015年7月に放送されたフジテレビ「みんなのニュース」で、炎上騒ぎが起きた。「彼氏いらない女子」という特集で女性の街頭インタビューを流したところ、その後、その女性がツイッターで「やらせ」を暴露したのだ。

『彼氏いらない特集、取材された時は一人でも楽しい女子の特集って言われてたからね…だから誰かと行動するのも良いけど、一人の方が楽ですねーって言ったんだけど…』

どうやら、本来はまったく違うテーマでインタビューを受けていたらしい。

2007年の番組
「総合格闘技HERO'S 2007」より

掲示板をねつ造して選手をバッシング

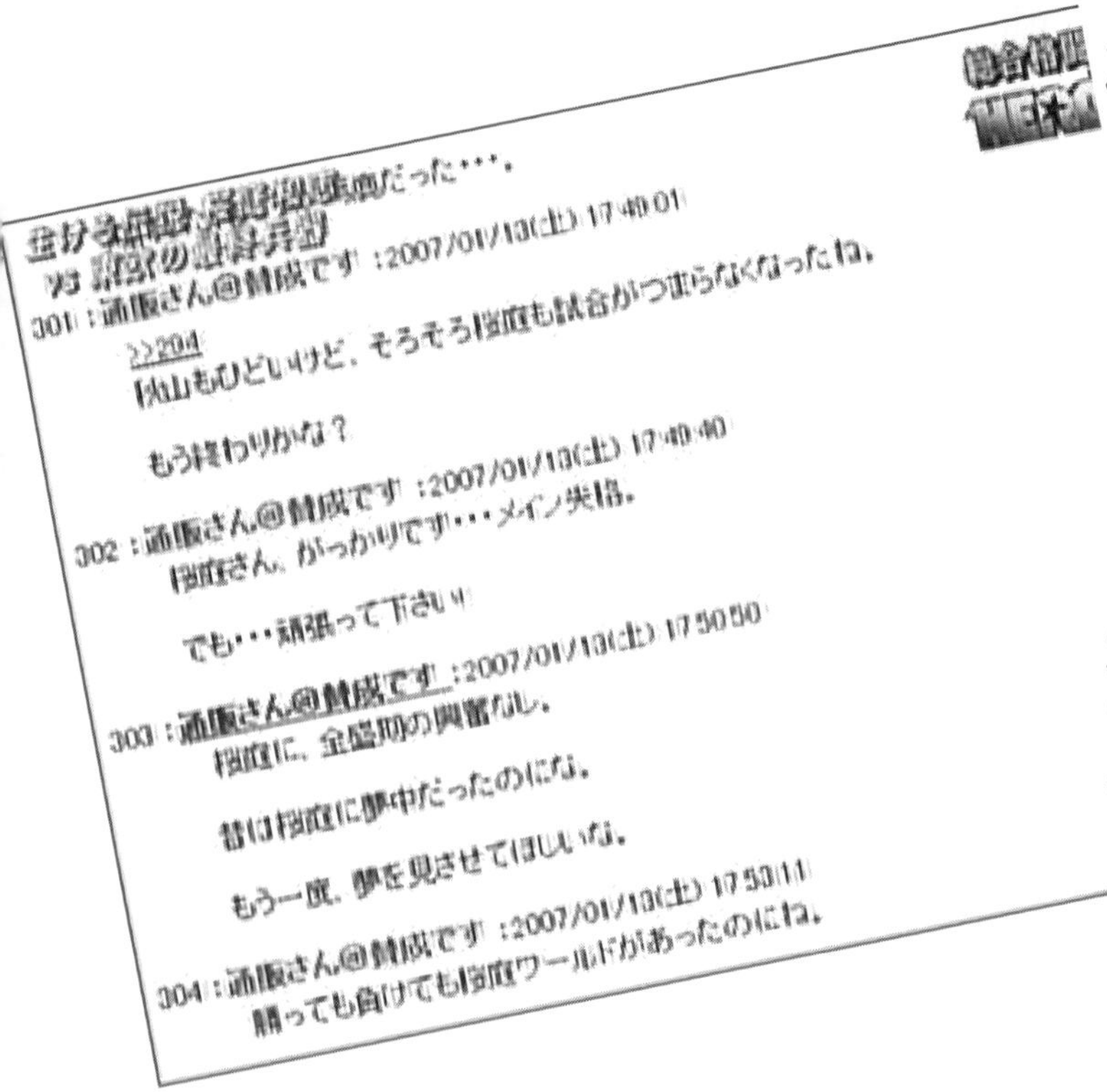
2007/01/13(土) 17:40:01
301：通販さん＠賛成です
秋山もひどいけど、そろそろ桜庭も試合がつまらなくなったね。
もう終わりかな？
2007/01/13(土) 17:40:40
302：通販さん＠賛成です
桜庭さん、がっかりです・・・メイン失格。
でも・・・頑張って下さい！
通販さん＠賛成です ：2007/01/13(土) 17:50:00
303：通販さん＠賛成です
桜庭に、全盛期の興奮なし。
昔は桜庭に夢中だったのにな。
もう一度、夢を見させてほしいな。
通販さん＠賛成です ：2007/01/13(土) 17:50:11
304：通販さん＠賛成です
勝っても負けても桜庭ワールドがあったのにね。

２００７年3月、ＴＢＳが放送した格闘技番組「総合格闘技HERO'S 2007開幕戦」で、やらせ問題が起きた。

番組では、「２００６年に行われた桜庭和志選手の試合に対し、電子掲示板で批判が起きている」という内容を放送。「2ちゃんねる」にそっくりな掲示板の映像を流したうえで、「ファンとともに築きあげてきた闘いの歴史に泥を塗られたのだ」とナレーションを展開。桜庭選手へのバッシングを行った。
が、放送直後から、「掲示板の画面が微妙に2ちゃんねるとは違う」との指摘がテレビ局に殺到。ＴＢＳは、映像の書き込みが担当ディレクターが自作したものだと認めて謝罪した。

この事件は他局のニュースで広く報道されたが、ＴＢＳの番組だけは取り上げなかったため、さらに炎上が加速した。

2005年の番組「プロジェクトX」より

感動エピソードをねつ造してお蔵入り

▲荒れた工業高校を舞台にした感動の実話だったが…

▲コンクールにパトカーが来たエピソードがねつ造だった

2005年にNHKで放送された「プロジェクトX」で、やらせ騒動が起きた。

ある工業高校を舞台に、新人教師が合唱部を作って荒れた生徒たちを成長させる様子を描いた感動のストーリーだったが、放送直後に高校のOBなどから「事実と違う」との指摘が相次いだ。たとえば、番組では「合唱コンクールにパトカーを呼ばれた」とのシーンがあったが、これは完全にねつ造。合唱部の顧問が冗談で話したものを、そのまま使ってしまったという。指摘を受けてNHKはすぐに謝罪。現在、このエピソードは封印されている。

感動ドキュメンタリーでまさかの大炎上

2002年の番組
「奇跡の詩人」より

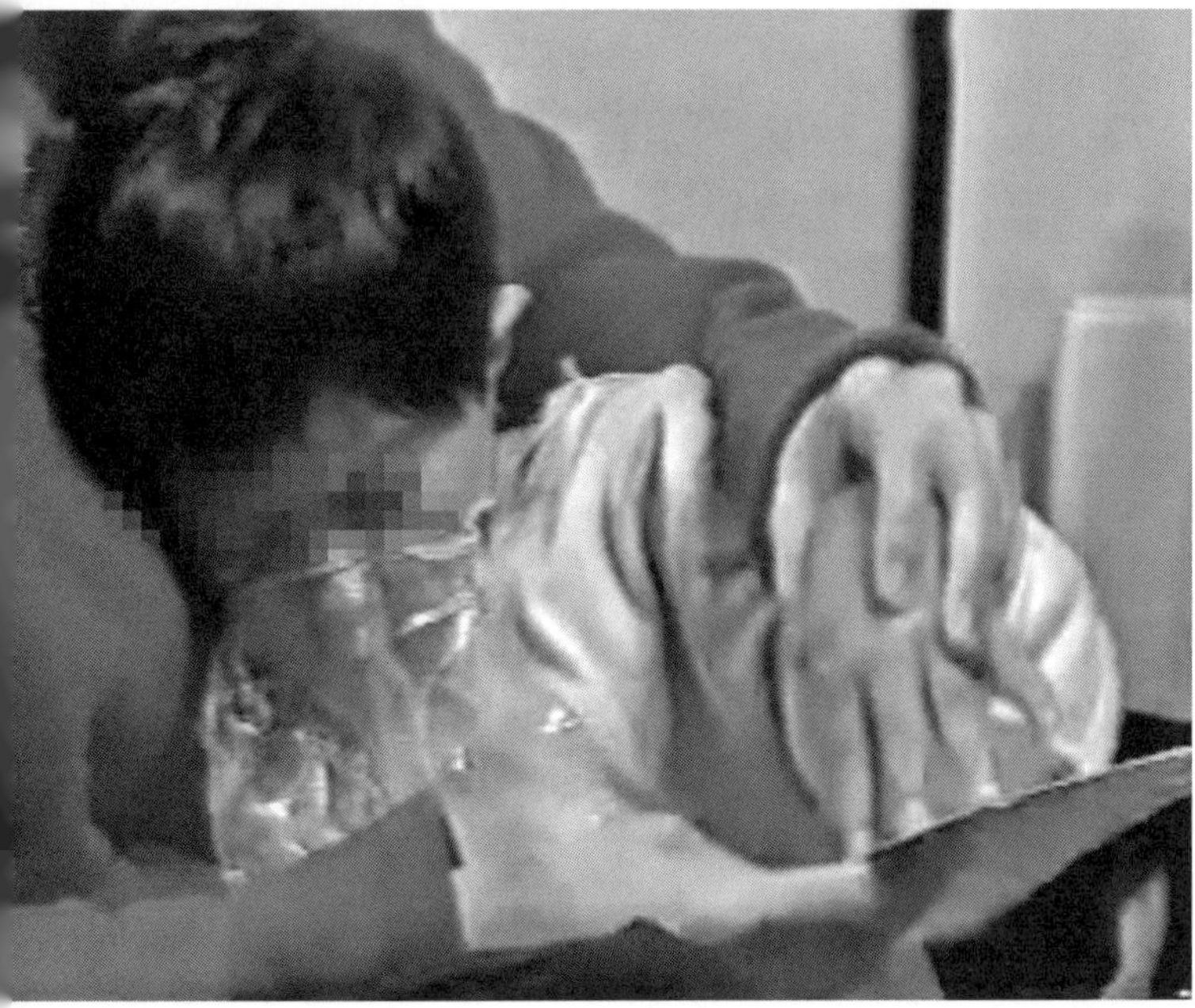

２００２年、ＮＨＫで放送されたドキュメンタリー番組「奇跡の詩人」が、「ねつ造疑惑」で大炎上した。

番組の内容は、重度の脳障害を抱えながら、文字盤を指して執筆活動を行う少年をとりあげたものだ。

しかし、この番組をみた視聴者から、「母親が息子の手を持って文字盤を操作しているようにしか見えない」、「少年があくびをしたり、よそ見をしているのに正確に文字盤を指している」などの指摘が続出。日本小児科学会倫理委員会も、番組の中で紹介されている治療方法には科学的な問題があるとして、ＮＨＫに公開質問状を送った。

これらの批判に対し、ＮＨＫは「番組は事実である」と会見を行うも、専門家による意見や科学的な検証をなにも示さなかったため、さらに炎上した。

納豆の健康実験データがねつ造でした

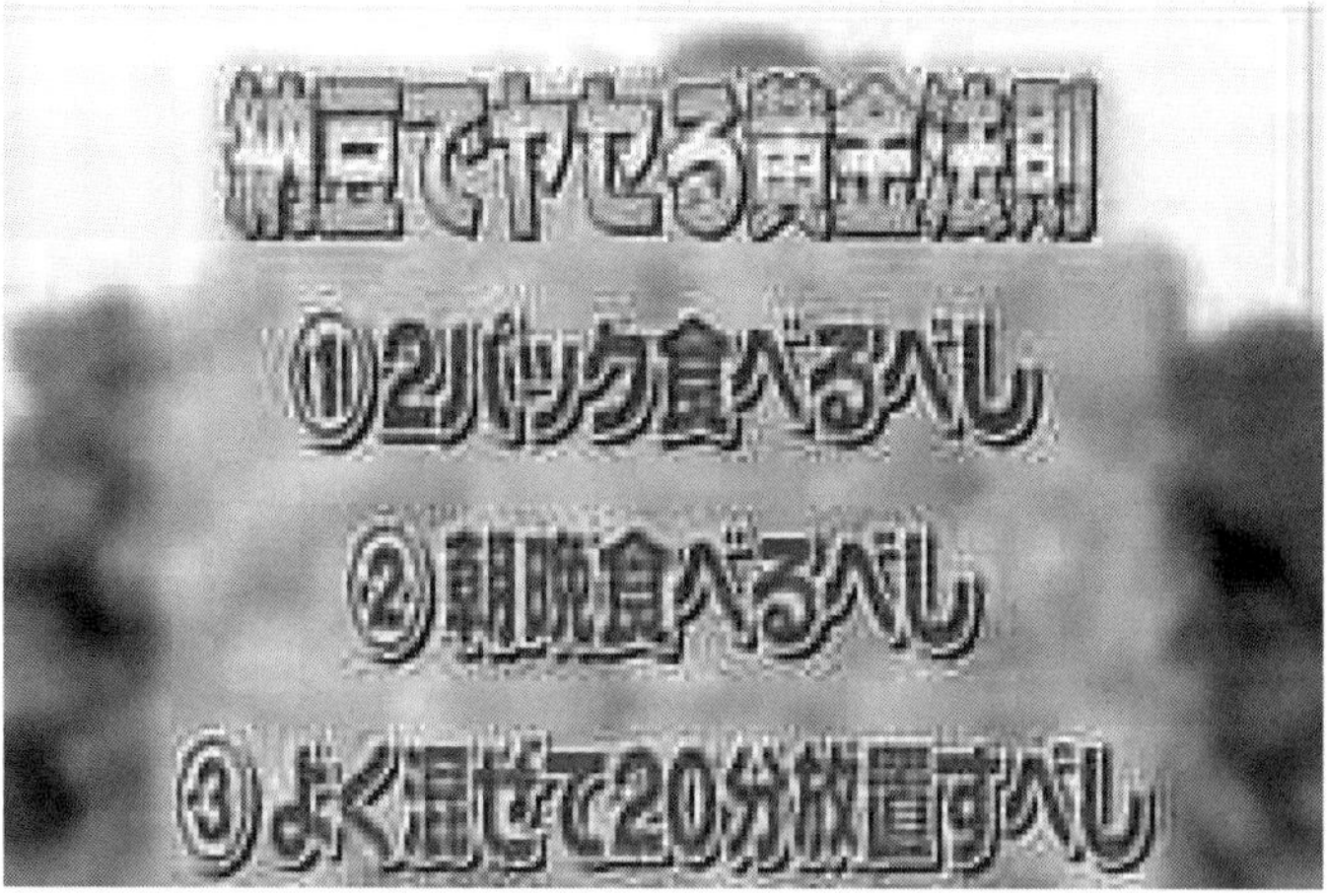

▲納豆のダイエット効果を絶賛していたら…

▲本当は実験をしてませんでした

2007年、フジテレビの人気健康番組「発掘!あるある大事典」でデータのねつ造が発覚した。問題の放送では納豆によるダイエット効果を取り上げたが、そこで使われた実験結果が、実は血液検査などをなにも行っていなかったことが判明。関西テレビの役員が処分され、番組も打ち切りとなった。

子役の仕込みがバレちゃった事件

▲素人の子どもが参加するコーナーで起きた出来事

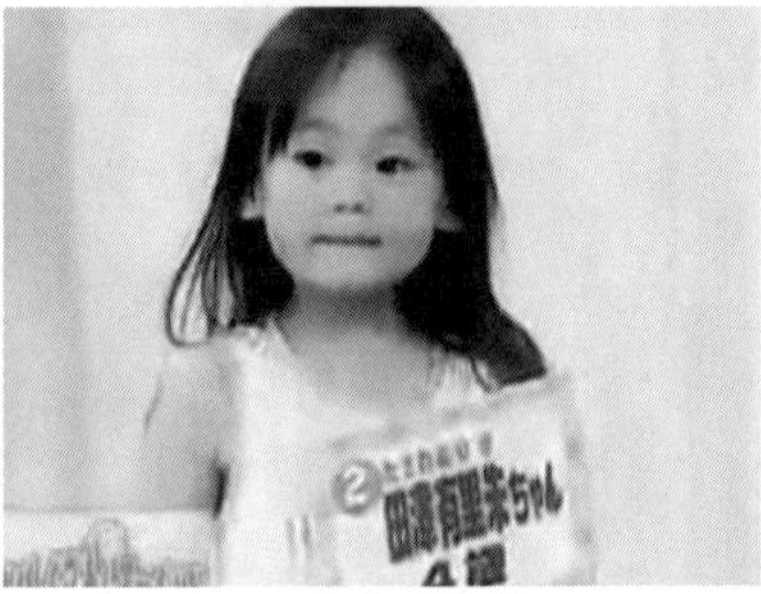
▲かわいらしい少女が登場

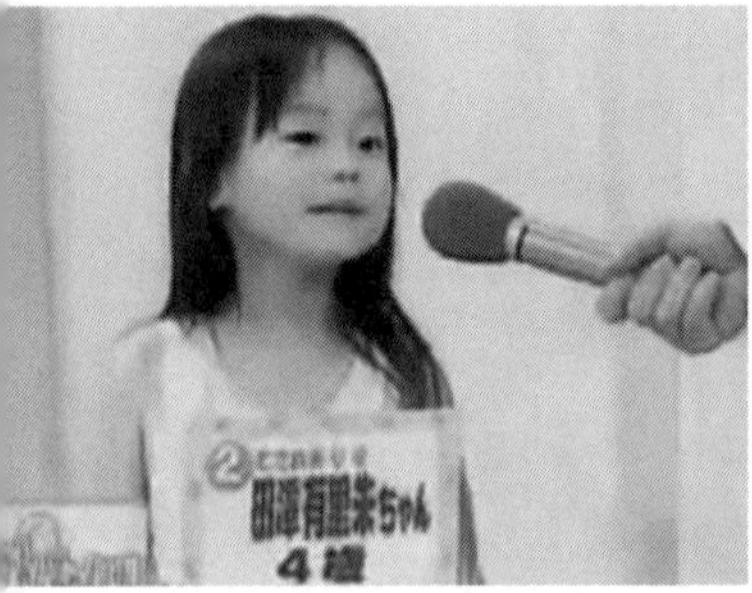
▲「キリンプロの◯◯です」と自己紹介をしてしまった

▲タモさんもビックリ

２００３年に放送の「笑っていいとも」で、ほほえましい事故が起きた。

子どもに将来の夢を聞く素人参加コーナー「ドリームズカムチャイルド」に、4歳の女の子が一般人として登場。タモリが「お名前は？」と尋ねたところ、「キリンプロの○○です」と子役事務所の名前をつけて自己紹介をしてしまったのだ。

すると、その場にいた別の子どもが、「それは言っちゃダメってお母さんが…」と指摘。すべて仕込みだったことがバレてしまい、さすがのタモさんも思わず口アングリになってしまった。

猿の首に糸を巻き付ける残酷なやらせ

▲猿たちがラジコンを追いかけるユニークな映像だったが…

> 更に、2012年10月21日に放送された猿との対戦の際には、猿がラジコンカーを怖がって逃げてしまうので、釣り糸を猿の首に巻き付けてラジコンカーで猿を引っ張り、猿が追いかけているように見せる細工をしての撮影でした。
>
> 私も、私が勤めるラジコンカー メーカーのヨコモも、これまでは、『ラジコンの認知度を上げたい』『ラジコンを普及させたい』との強い想いで、制作会社からの度重なる無理な要望にも出来る限り応えて参りましたが、今回の編集内容には愕然とし大きなショッ

▲実は猿に糸を巻き付けて撮影していた

2012年10月、フジテレビのバラエティ「ほこ×たて」で、「ラジコンカーVS.猿軍団」なる企画が放送された。俊敏な猿たちから、ラジコンカーが逃げられるかどうかを検証した、ユニークな内容だ。

が、ラジコンの操作を担当した広坂正美氏が、放送後に自身のブログでやらせを告発。なんと、収録現場では猿がラジコンを怖がっていたため、猿の首に糸を巻き、あたかもラジコンを追いかけているかのように演出したというのだ。

これに対し、視聴者からは「動物虐待だ!」との指摘が殺到。番組は放送休止に追い込まれた。

オタク系ニュースに必ず出てくる男性

2007年の番組「サンデー・ジャパン」より

▲加護亜依の未成年喫煙事件では、アイドルファンの設定で登場

▲ウィンドウズビスタの販売時には、店頭の行列に並んでました

▲メイド喫茶で事件が起きたときも、おもしろコメントを連発

▲柳沢厚労相の舌下事件でも、なぜかコメントを寄せてました

TBSの長寿番組「サンデー・ジャパン」には、一時期、オタク系ニュースの街頭インタビューに必ず登場する男性がいた。

2007年のウィンドウズビスタ発売や2006年の加護亜依喫煙スキャンダルなど、オタク系の事件が起きるたびに、あたかもたまたま通りかかったフリをして、インタビューを受けまくっていたのだ。

あまりに何度も登場するため、テレビ局には「ヤラセではないか？」との苦情が殺到。そのせいか、いつしか姿を見かけなくなってしまった。

実は日テレ社員？

2009年の番組
「news every.」より

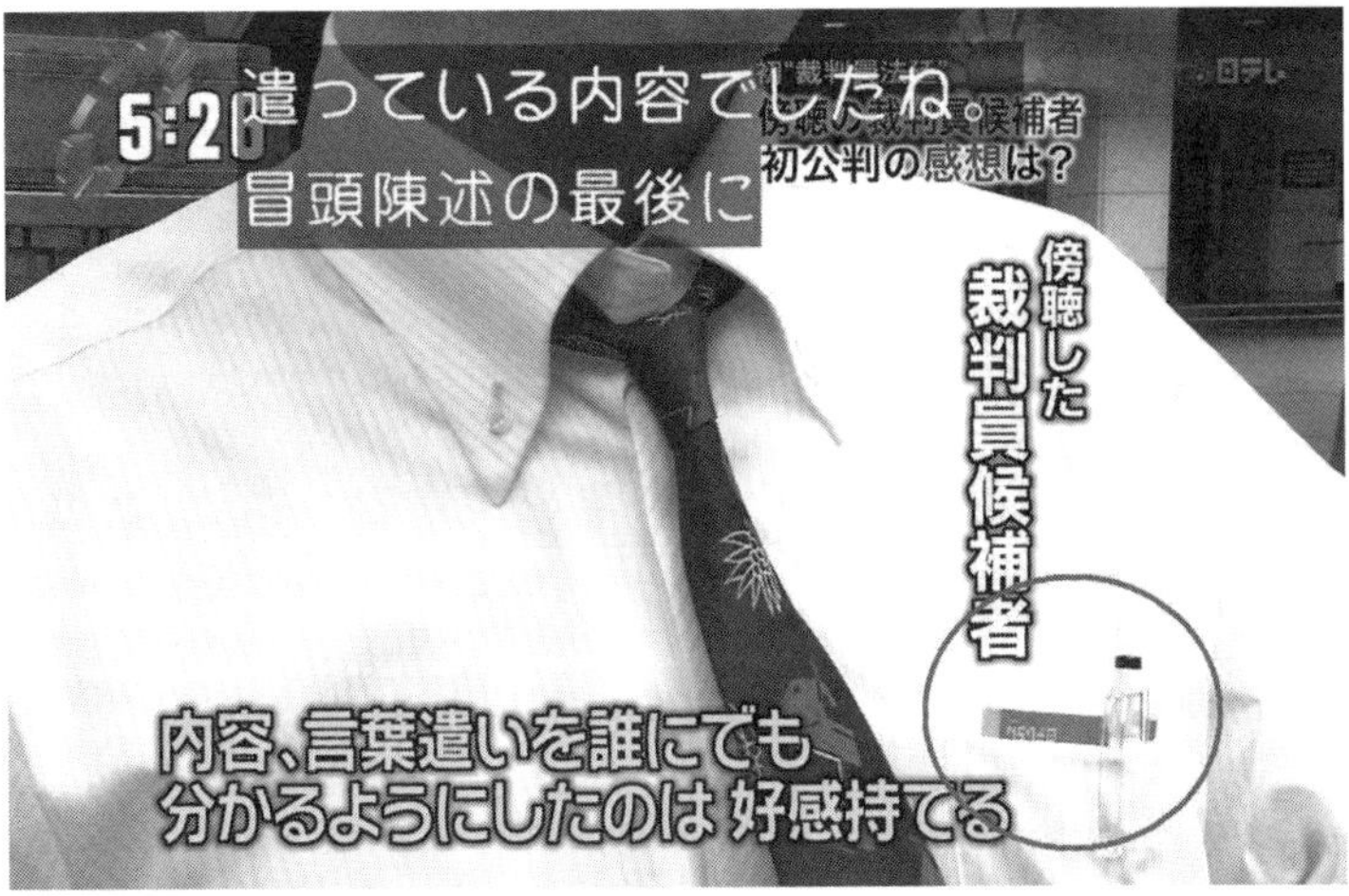
違っている内容でしたね。
冒頭陳述の最後に
初公判の感想は？
傍聴した裁判員候補者
内容、言葉遣いを誰にでも
分かるようにしたのは 好感持てる

▲裁判員の候補者へのインタビュー映像。いかにも一般人のように回答していたが、よく見ると胸ポケットに「日テレ」のロゴがついたメモ帳が入っており、放送局の社員である可能性が高い。

次世代ゲーム機

2006年の番組
「FNNニュース」より

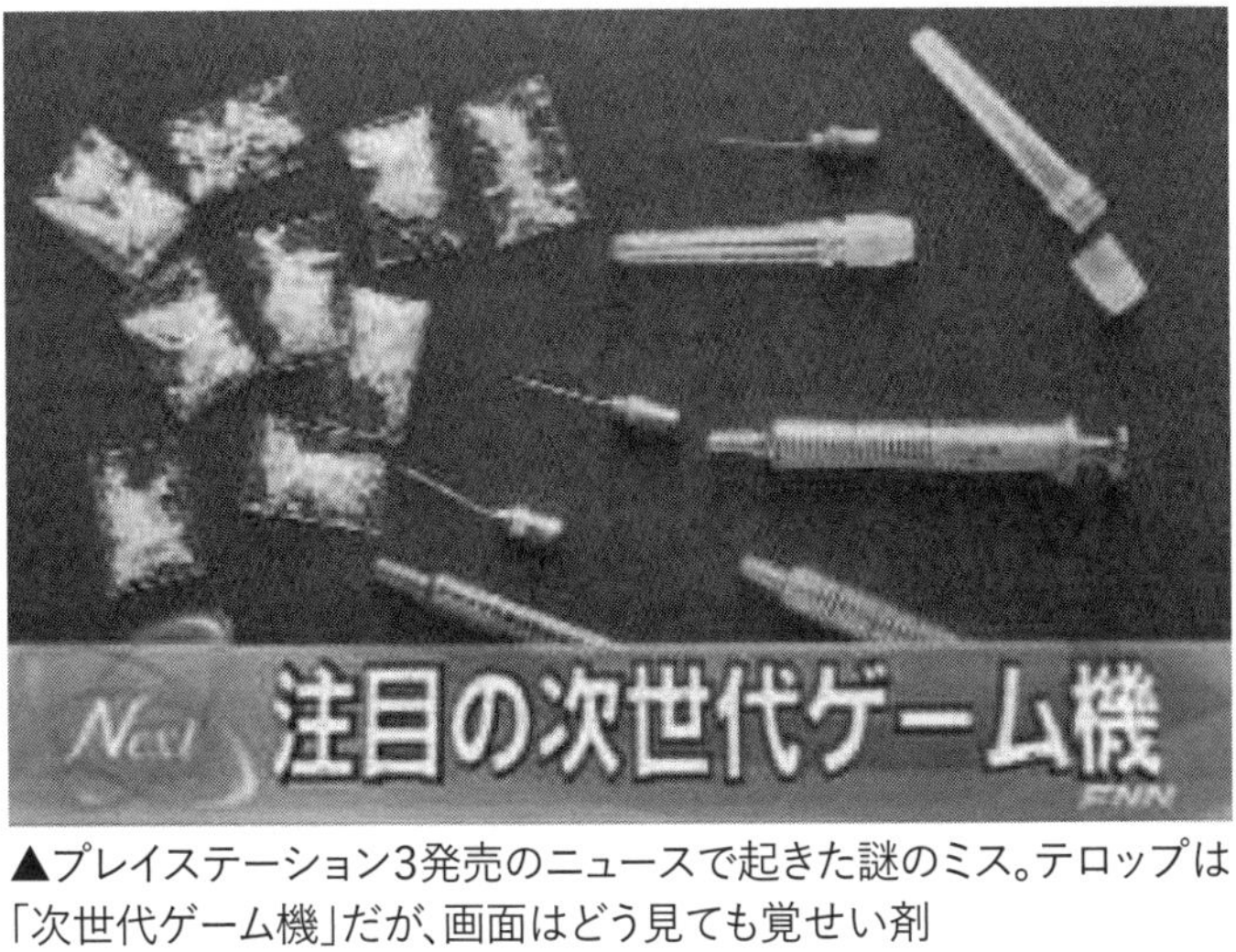
注目の次世代ゲーム機
FNN

▲プレイステーション3発売のニュースで起きた謎のミス。テロップは「次世代ゲーム機」だが、画面はどう見ても覚せい剤

1999年の番組
「愛する二人 別れる二人」より

遺書にやらせの告発文が…

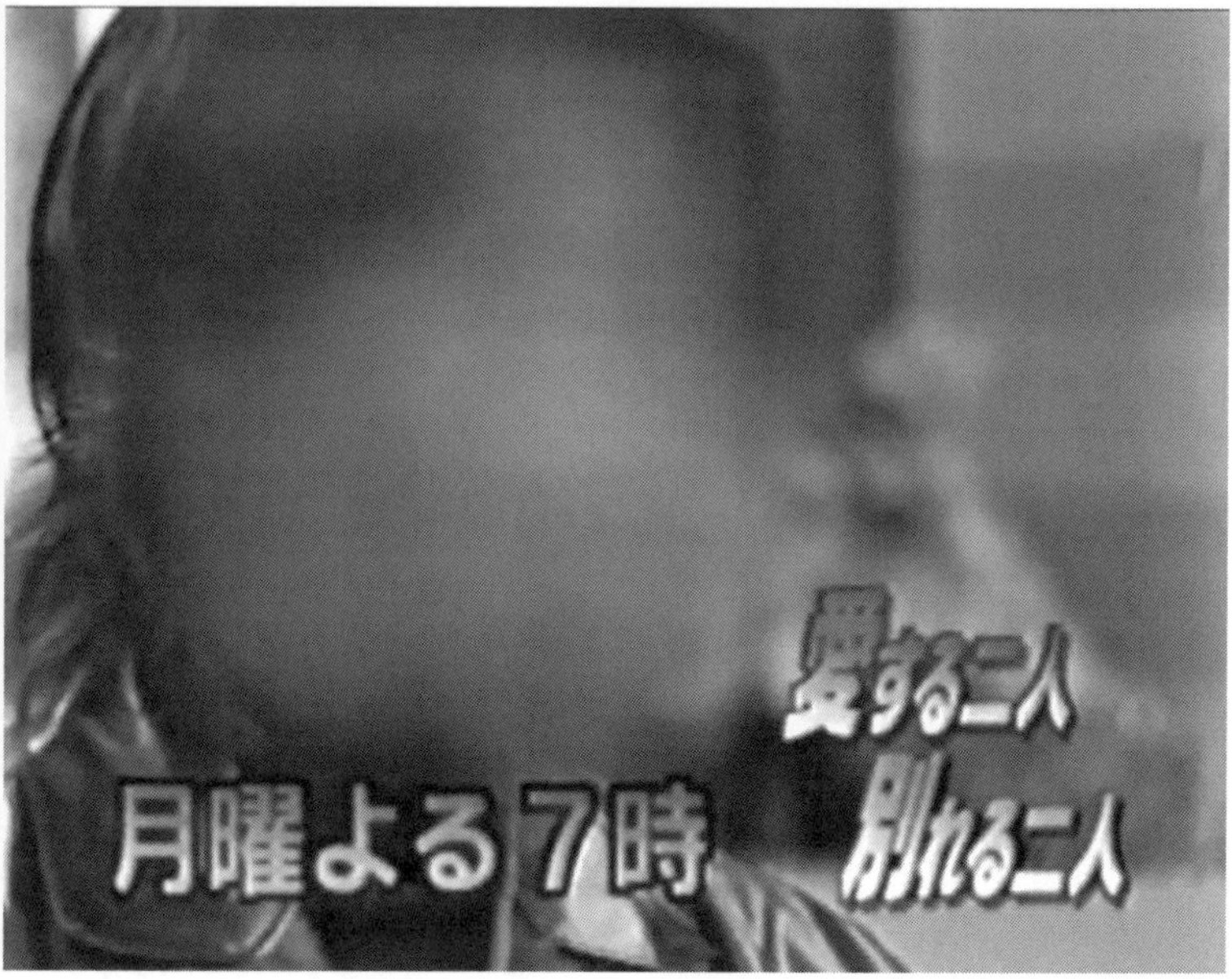

　１９９８年からフジテレビで放送された「愛する二人別れる二人」は、不仲な夫婦をスタジオに呼び、離婚するかどうかを決断させるというリアリティショーだ。夫と妻の不倫相手がつかみ合いを始めたり、デヴィ夫人と出演者が大げんかをしたりと、過激なシーンが大きな話題を集めた。

　が、１９９９年、とんでもない事件が起きる。同番組に出演していた一般女性が、プライベートな問題で自殺。その際にのこした遺書のなかに、「番組にやらせがあった」と書かれていたのだ。

　すぐに事件は社会問題となり、制作会社にも警察の捜査が入る事態に。当然、番組は即座に打ち切りが決まった。

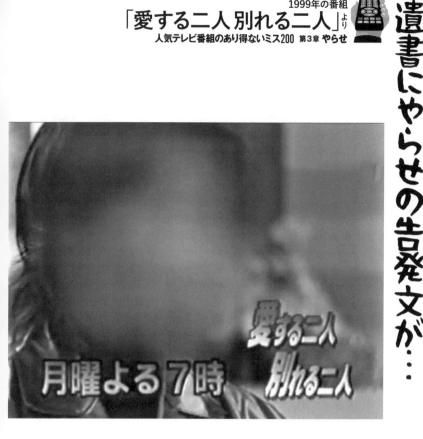

2006年の番組「ミュージックステーション」より

口パクが確定しちゃった事件

抱いて 抱いて 抱いて セニョリータ

▲間違ってマイクスタンドを蹴り倒してしまったが…

▲なぜか番組では山Pの声が流れ続けた

2006年にテレビ朝日で放送された音楽番組「ミュージックステーション」で、めずらしい放送事故が起きた。

山下智久が新曲の「抱いてセニョリータ」を披露していたところ、誤ってマイクスタンドを蹴り倒してしまい、それ以上は歌唱ができない状態に。それにも関わらず、なぜかサビでは山下智久の歌声が流れ続けたのだ。

思わぬ事態にあわてた山下だったが、その後は何食わぬ顔でマイクなしのまま熱唱。「凄い度胸だ!」として逆に絶賛の声が多くあがった。

2008年の番組
「真相報道バンキシャ!」より

犯罪の証言をねつ造して大問題に

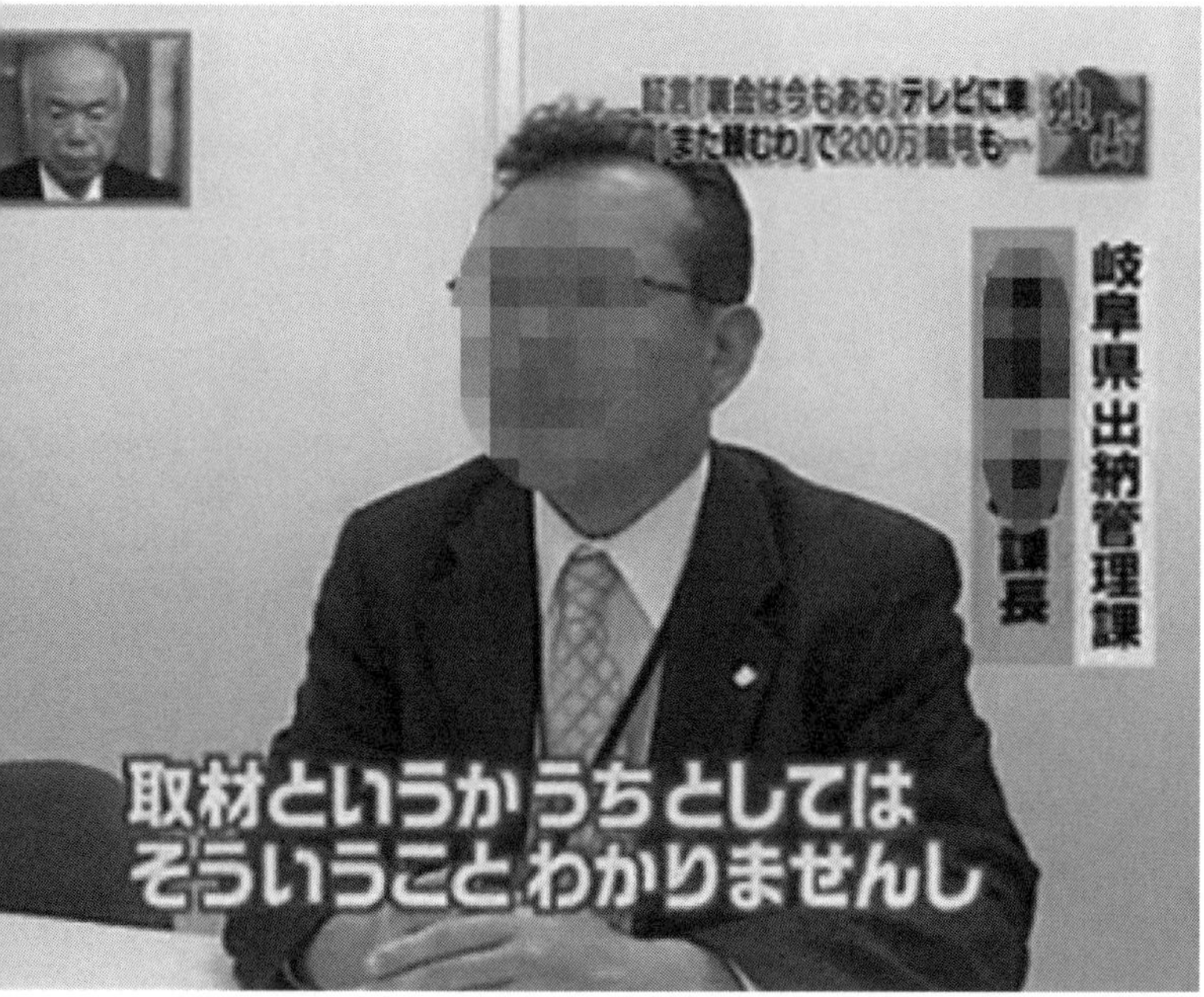

２００８年、日本テレビの情報番組「バンキシャ！」で、ねつ造報道があった。

同番組では、建設業者の男性にインタビューを行い、岐阜県の土木事務所が架空工事による裏金を捻出していたとの証言を報道。しかし、これを岐阜県が調査したところ、証言内容が虚偽だったことが判明してしまったのだ。

そこで、岐阜県は番組に出た男性を業務妨害で告訴。男性は「謝礼金が欲しくてやった」と供述したという。

これを受けて、２００９年2月に日本テレビが岐阜県に謝罪。久保伸太郎社長が辞任し、報道局長も役職をクビになった。

やらせ発覚で終了

1992年の番組

「素敵にドキュメント」より

人気テレビ番組のあり得ないミス200 第3章 やらせ

▲「素敵にドキュメント」は、1987年からテレビ朝日で放送された人気ドキュメンタリー番組だ。しかし、1992年に素人女性のナンパ映像を放送したところ、後に女優を使ったやらせだったことが発覚。司会の逸見政孝氏が謝罪し、番組は打ち切りになった

看護婦がニセモノ

1992年の番組

「どーなるスコープ」より

人気テレビ番組のあり得ないミス200 第3章 やらせ

▲「どーなるスコープ」は1992年に読売テレビで放送されたバラエティ番組だ。同年12月に「出張アンケート・看護婦さん大会」なる企画を放送したが、そこに出演していた看護婦がニセモノだったことが発覚。すぐに打ち切りとなった

2014年の番組「NHKニュース」より

毎年、なぜか同じ女性が映り込む不思議

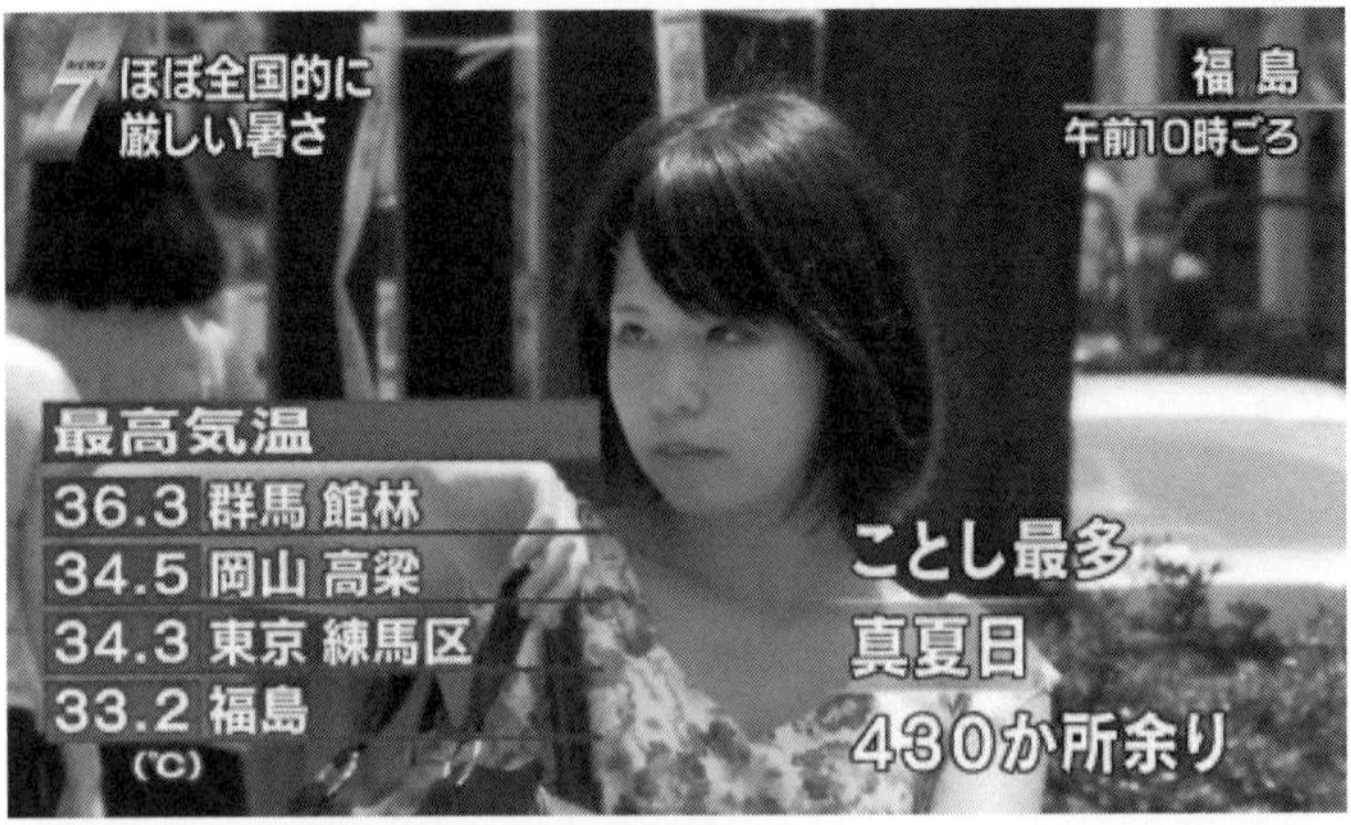

▲福島の猛暑を伝えるニュース映像

▲2013年にも、同じ女性が「通りがかりの人」として出演していた

2014年の夏に放送されたNHKニュースで、汗をぬぐう女性の映像が流れた。これは、猛暑に見舞われた福島の様子をとらえたシーンで、この女性は、あくまで偶然にカメラに映り込んだだけのはずだった。

が、実は2013年のニュースでも、まったく同じ女性が映り込んでいた。動画をよく見ると、女性はチラチラをカメラのほうに視線を送っており、とても通りがかりの人物とは思えない。エキストラと考えるのが自然だろう。

2012年の番組「スーパーJチャンネル」より

1時間で就職が決まった女性

▲4時代のニュースでは「就職活動中」だったが…

▲6時台には「通勤中」の女性として紹介されていた

2012年に放送された「スーパーJチャンネル」のなかで、めずらしいミスが起きた。午前4時のニュースで街頭インタビューに答えていた女性が、1時間後の企画コーナーにも登場。まったく同じ人物にもかかわらず、「就職活動中」から「通勤する人」へと肩書きが変わっていたのだ。

これは、「就職活動中」が正しい表記だったようだが、スタッフの連絡ミスが発生したらしい。結局、翌日にテレビ朝日の社長が謝罪する事態となった。

公式ツイッターでヤラセを暴露

2015年の番組
「水曜日のダウンタウン」より

▲ブックオフの福袋をイジる内容だったが…

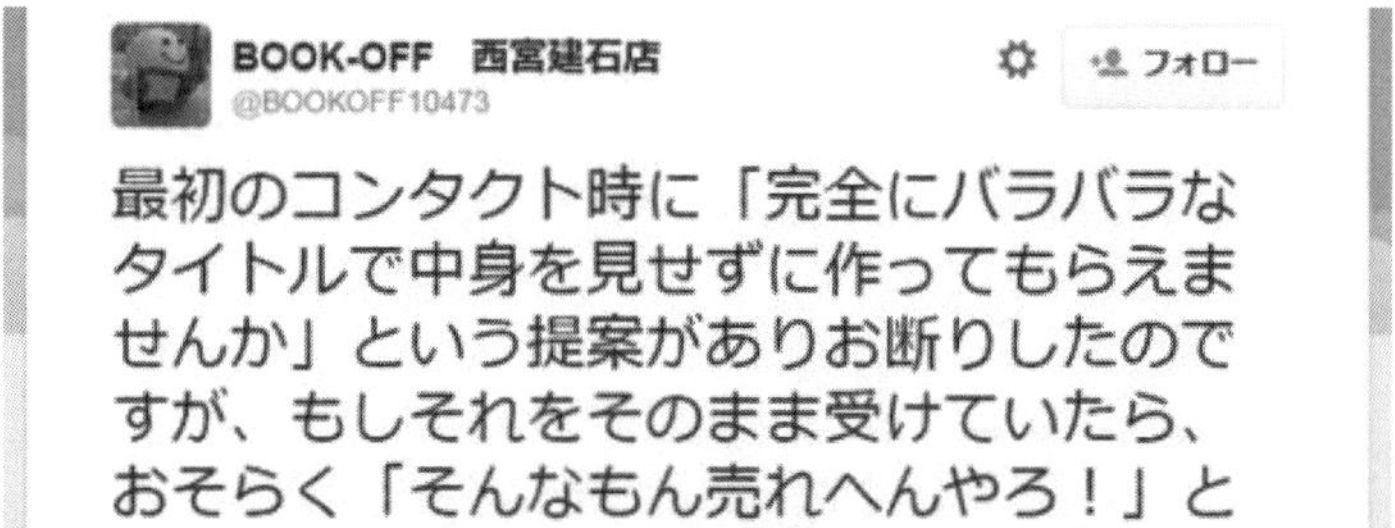

BOOK-OFF　西宮建石店
@BOOKOFF10473
フォロー

最初のコンタクト時に「完全にバラバラなタイトルで中身を見せずに作ってもらえませんか」という提案がありお断りしたのですが、もしそれをそのまま受けていたら、おそらく「そんなもん売れへんやろ！」というスタジオさんの声が挙がっていたのでしょう。最初から茶化す内容を考えていたのでしょうね

▲店のツイッターが詳細を暴露

2015年に放送された人気バラエティ「水曜日のダウンタウン」で、やらせ事件が起きた。

番組では「ブックオフの福袋買うヤツどうかしてる説」として、ブックオフの「コミック試し読み福袋」の中身を検証。すると、放送後にブックオフのTwitterアカウントが、「（福袋を）完全にバラバラなタイトルで中身を見せずに作ってもらえませんか」というヤラセの提案があったと投稿したのだ。そのため、翌月の番組では、終了後に謝罪文が流れる事態となった。

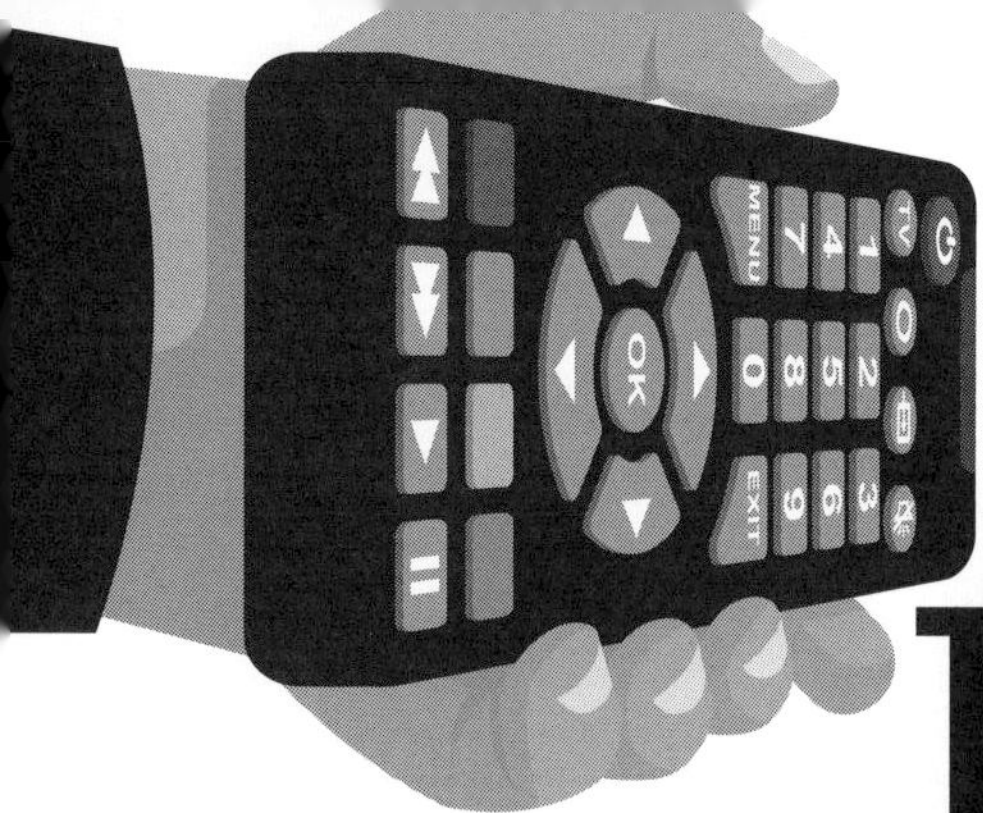

第4章 放送事故

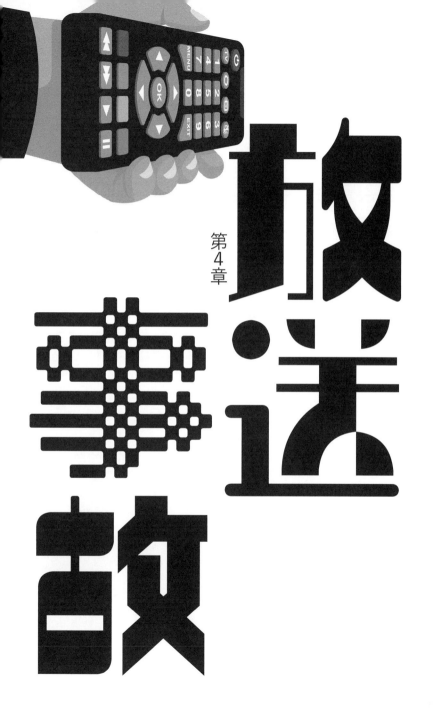

ボールペン落ちちゃった

2011年の番組
「将棋中継」より
人気テレビ番組のあり得ないミス200 第4章 放送事故

▲2011年8月のNHK杯テレビ将棋トーナメントで、糸谷哲郎五段と北島忠雄六段の対局中、棋譜の読み上げ担当の藤田綾女流初段がボールペンを落とすハプニング

対局中なのに

2014年の番組
「将棋中継」より
人気テレビ番組のあり得ないミス200 第4章 放送事故

▲2014年5月、森内俊之名人に羽生善治棋聖が挑戦した名人戦第3局開始直後、大勢のマスコミがカメラ前を横切り退席。対局がストップするハプニングが。ちなみに、勝負は120手で羽生棋聖の勝利。最終的に4連勝した羽生棋聖が名人に返り咲いた

（記録係が寝てるよ）（ほんとだね）

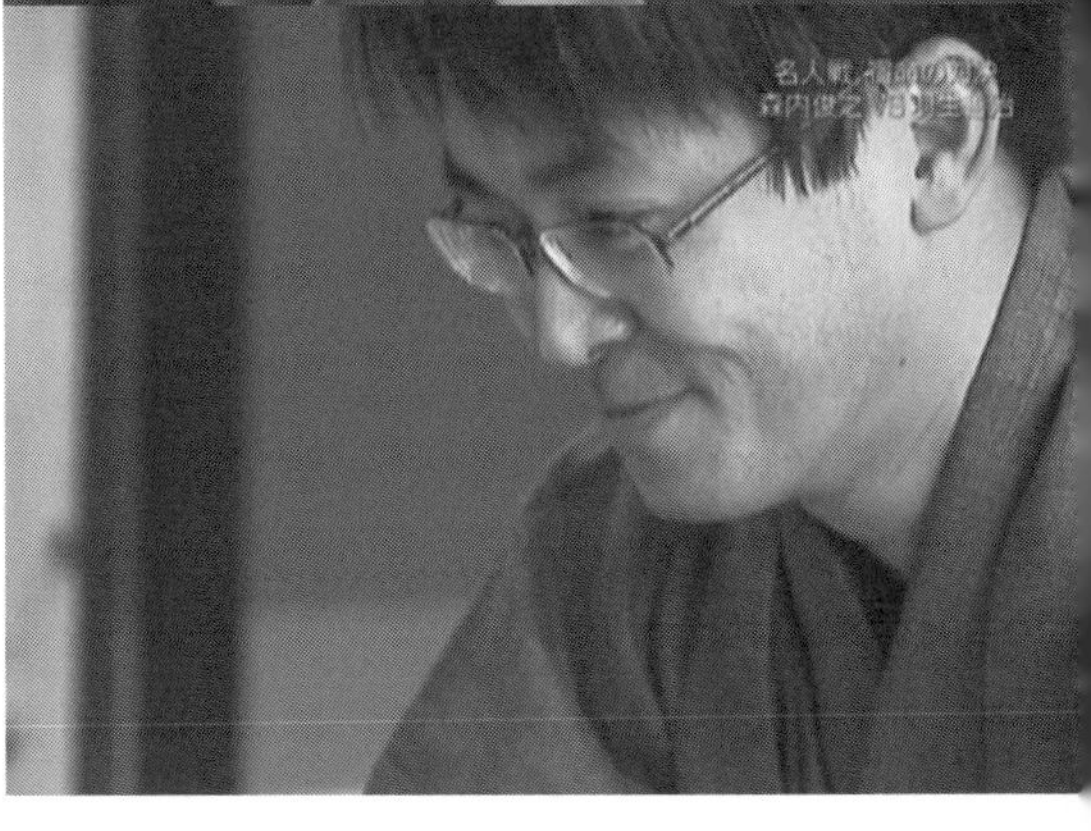

▶同じ年で長年のライバル同士の2人ならではの雰囲気

２００８年４月から行われた第66期名人戦七番勝負は、小学４年よりライバルの森内俊之名人（当時37歳）に挑んだ羽生善治二冠（当時37歳）が「歴史に残る名勝負」で勝利。名人位を奪取した。

この対局中に、今も語り草になっているハプニングが起きた。記録係と立会人が居眠りを始めたのだ。声を荒げて注意する棋士もいるが、森内＆羽生の2人は、思わずニッコリ。なんとも微笑ましいシーンだ。

2007年の番組「ジャパネット」より

まったく製品が作動しない大トラブル

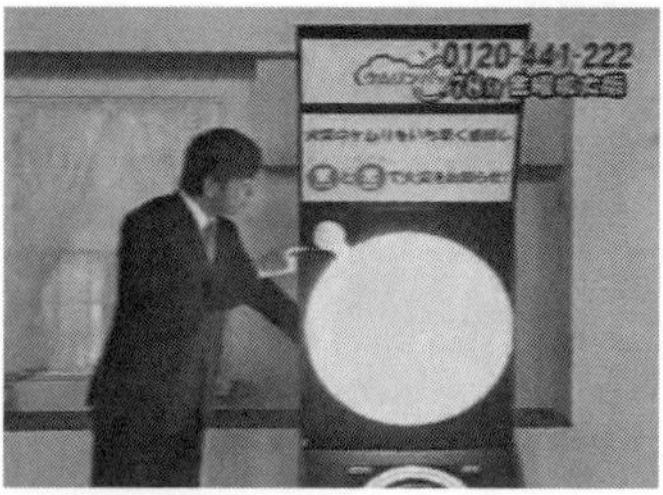

▲防災機能が優れた照明を取り上げて…

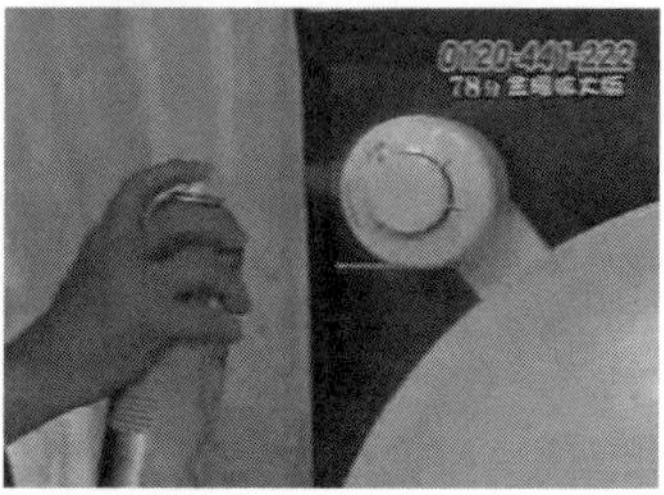

▲センサーに煙を吹きかけてみたが…

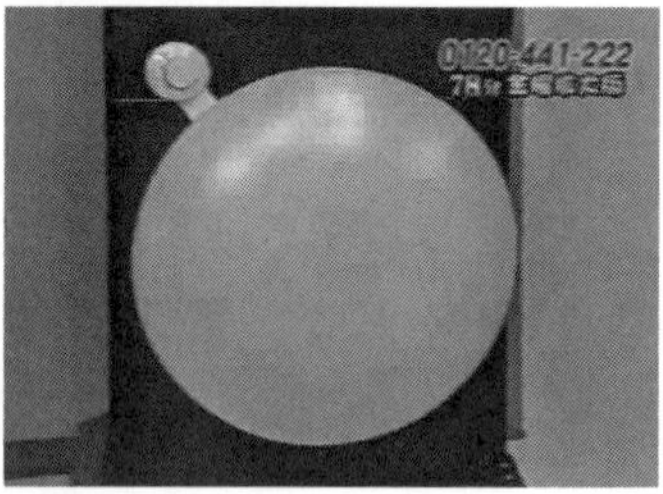

▲まったく照明が反応しない

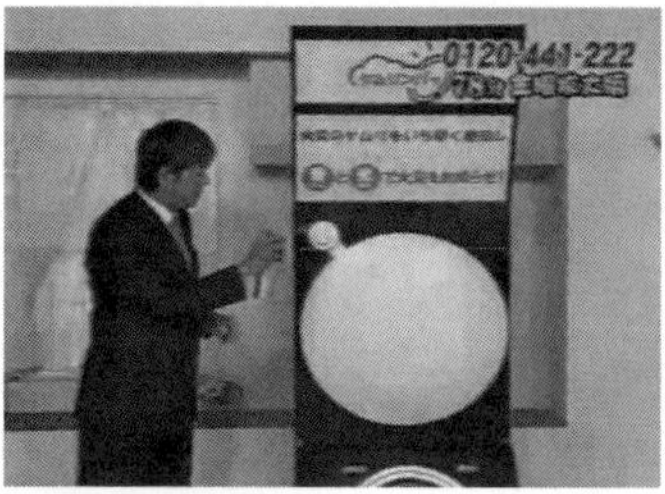

▲ひたすら煙を吹き続ける社長

▲最後まで照明は点かないままだった

▲あわてず商品の説明を続ける社長。さすがだ

「ジャパネットたかた」のCMといえば、生放送で商品を実際に使ってみせるのが特徴だ。が、そのぶんトラブルも多く、2007年に「煙を感知して点灯する防災照明」を取り上げた際は、高田社長がいくらセンサーに煙を吹きかけても、商品がまったく反応しない。何度も煙を吹きかけてみたが、最後まで商品はまともに動かないまま時間切れとなった。

結局、商品の良さは何も伝わらなかったが、最後まで動揺した姿を見せなかった社長のメンタルがすばらしい。

2012年の番組

「笑っていいとも」より

テレフォンショッキングで「はじめまして」

▲矢田亜希子が大竹しのぶを「友人」として紹介

▲しかし、電話に出た瞬間「はじめまして」と言ってしまった

2012年に放送された「笑っていいとも」で、「やらせ」が発覚する事件があった。「テレフォンショッキング」に出演した女優の矢田亜希子が、次回のゲストとして大竹しのぶに電話をかけたところ、開口一番に「はじめまして」と言ってしまったのだ。

ご存じのとおり、「テレフォンショッキング」はゲストの友人を呼ぶという趣旨のコーナー。矢田亜希子が「はじめまして」と言った時点で、その前提が崩れてしまった。

テレビ史上初の放送事故

1953年の番組「精工舎 CM」より

▲CMが始まると、文字が裏返しに表示された

▲音声も流れない

▲そのまま文字が裏のまま放送

▲最後まで裏向きでした

日本のテレビ史上で「初の放送事故」と呼ばれるのが、精工舎（現セイコー）のCMだ。

1953年8月、日本初の民放テレビ（日本テレビ）の番組がスタートし、正午ちょうどにセイコーのテレビCMが流された。

ところが、スタッフの手違いにより映像が裏返しになってしまい、しかも音声が流れないという事態に。日本で初めて放送されたテレビCMが、日本初の放送事故になってしまった。

まさに歴史に残る放送事故である。

台風中継で起きた怖すぎる放送事故

２０１４年８月、三重テレビで放映中の台風中継で、恐怖のアクシデントが起きた。

最初は普通に警戒を呼びかける画面だったのが、急に画面が緑色に切り替わり、髪の長い女から逃げまどう女性の姿が大写しになったのだ。

映像はすぐ元にもどったが、ネットでは「血まみれの女が一瞬だけ映った」と騒然。原因は単なる機器の操作ミスだったようだが、実に怖すぎる放送事故だ。

三重県に
大雨特別警報
台風11号
気象庁 三重県では
大雨で甚大な災害の危険迫る

▲普通の台風情報だったはずが…

▲急にご覧の画面に

2015年の番組
「キューピー3分クッキング」より

厚焼き玉子コンガリ焦げすぎ事件

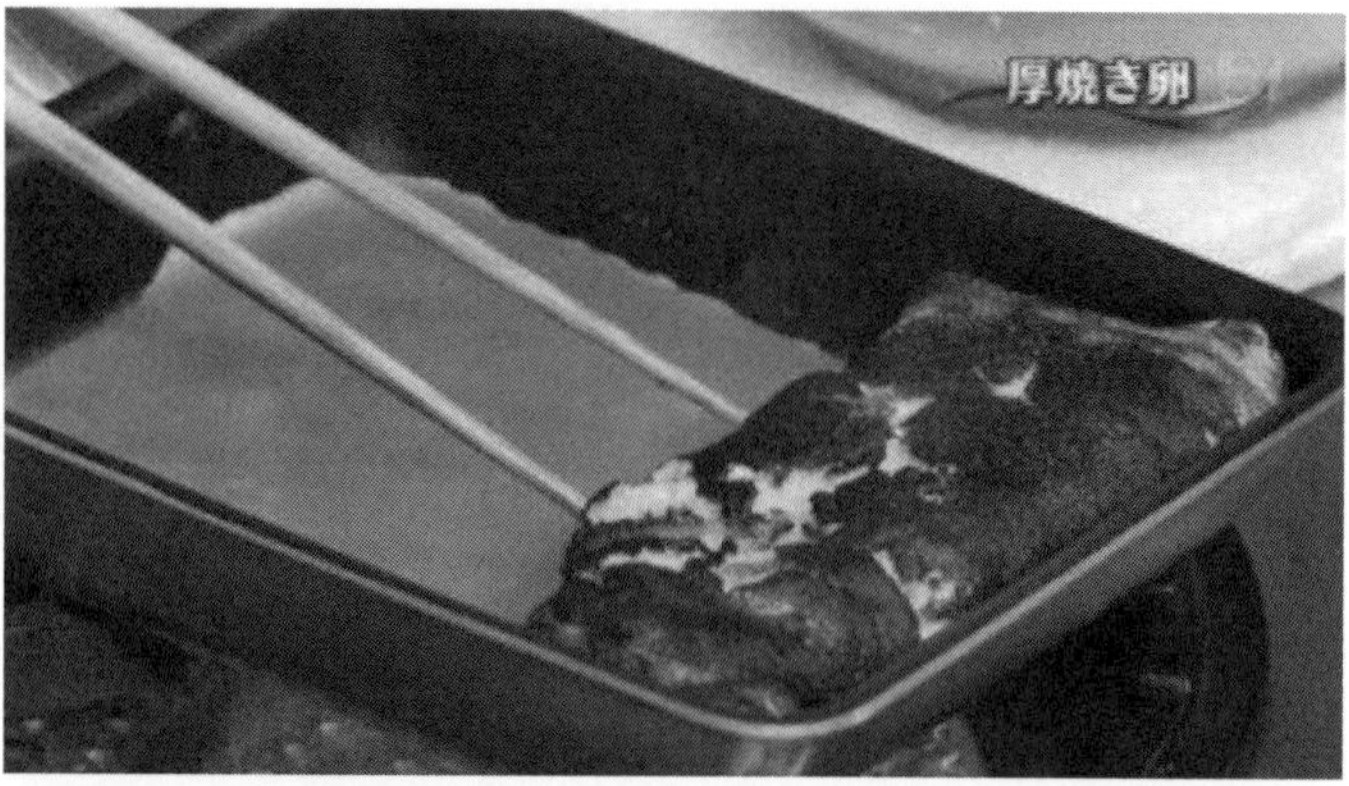
厚焼き卵

▲玉子をひっくり返すと、やけに色が黒い

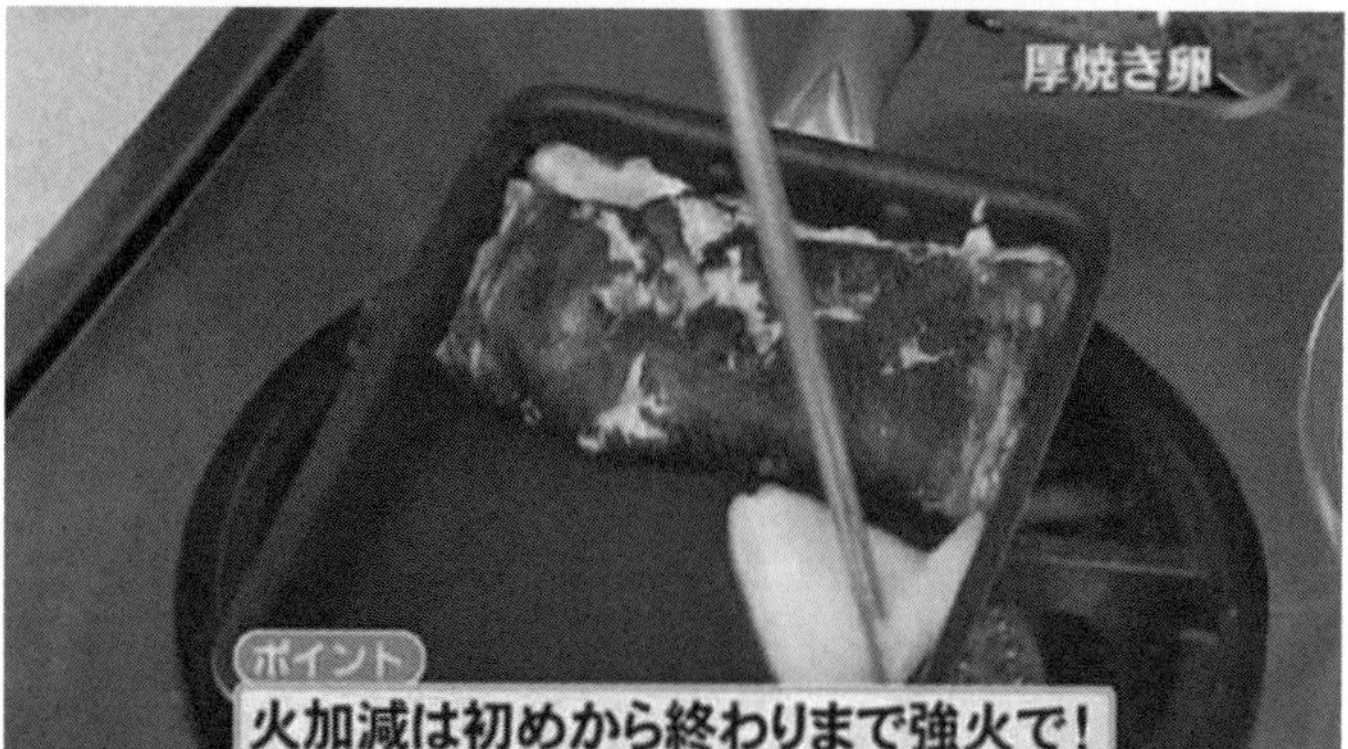
厚焼き卵
ポイント
火加減は初めから終わりまで強火で！

▲さすがに黒すぎるような…

2012年10月に放送された「キューピー3分クッキング」が、ネットで大きな話題を集めた。番組中で作った「厚焼き玉子」が、真っ黒コゲだったからだ。

これを見たアナウンサーも驚いたらしく、思わず「これぐらいしっかり焼き色が……?」と質問。しかし調理師は冷静さを崩さず、「醤油も入っている味付けなので、色はこういうふうにつくんです」と回答。確かに、砂糖が多いと焦げ色がつきやすくはなるが…。

岡本夏生のスッピンが急に映る放送事故が

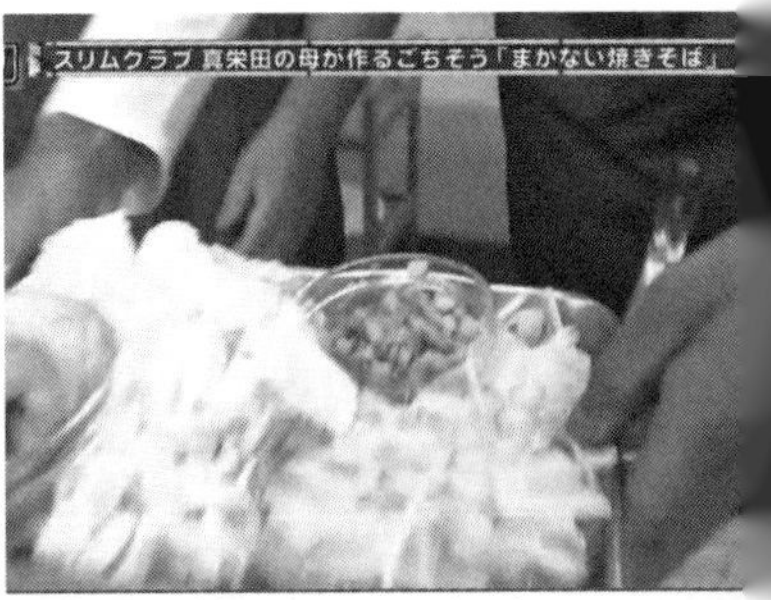

▲普通に料理をしていたが…

▲急に岡本夏生が登場

▲スッピンの岡本夏生の顔が、
延々と表示された

▲しばらくして料理にもどった

２０１２年５月、ＴＢＳのバラエティ番組「リンカーン」で、放送事故が起きた。

料理コーナーの途中で、急に岡本夏生のスッピンパネルが出現。そのまま、岡本夏生の顔が放送され続けたのだ。もちろん、料理の内容とはなんの関係もない。

なんでも、この岡本夏生パネルは、ＴＢＳの歌番組で過去に使ったものらしい。それが、なぜか別番組に誤ってインサートされてしまい、ワケがわからない状態になったようだ。

なんとも怖すぎる放送事故だ。

ドラマの時間が巻き戻る珍しい放送事故

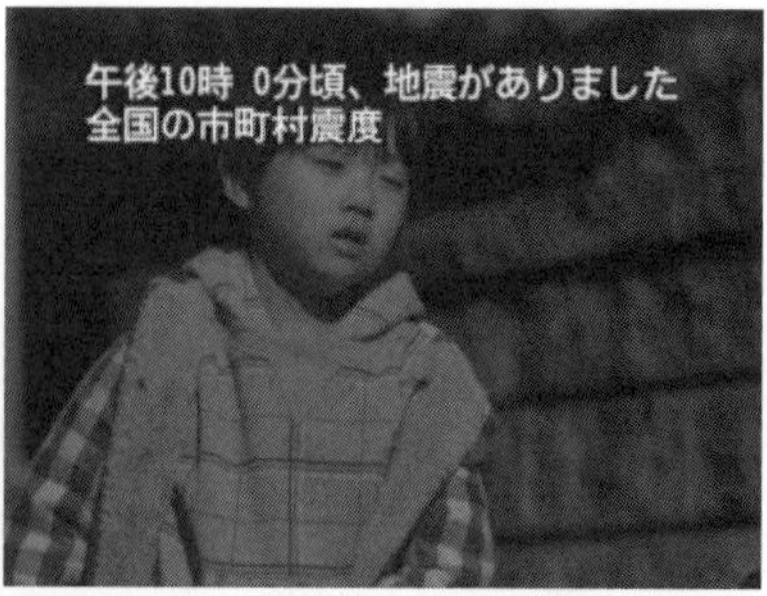

▲ストーリーが盛り上がったところで…

▲画面が急に真っ暗に

▲放送が再開するも同じシーンが流れた

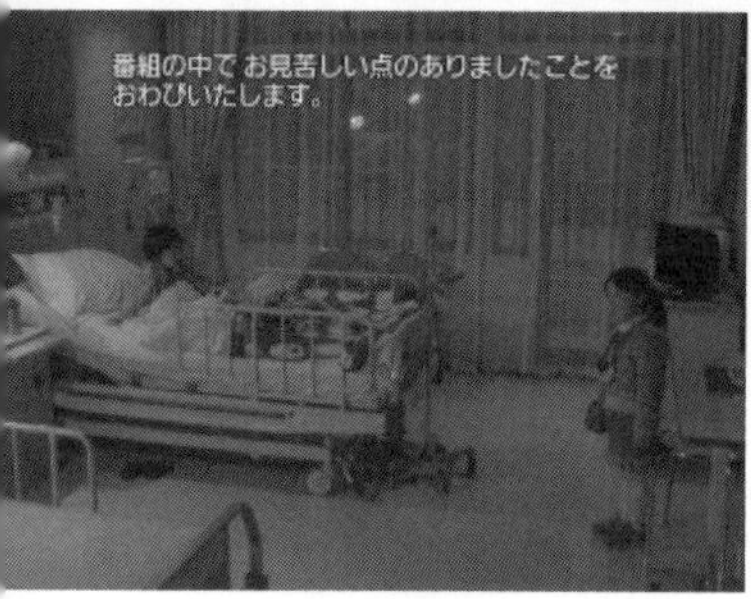

▲放送事故は8分続いた

2011年、日本テレビで放送されたドラマ「さよならぼくたちのようちえん」で、珍しい放送事故が起きた。

放送開始から約1時間が過ぎ、ストーリーがクライマックスに差し掛かったところで、急に画面が真っ暗に。11秒ほどで映像が再開されたが、今度は時間が巻き戻っており、すでに放送された同じシーンが8分にわたって流れ続けたのだ。

このトラブルに対し、視聴者からは「異次元に迷い込んだようだ」「新しいタイプの放送事故だ」といった感想が続出。意外と楽しむ声が多かったようだ。

珍ニュースにアナウンサーが笑いまくり

▲評論家も
「5歳児よりヒドい」と厳しく批判

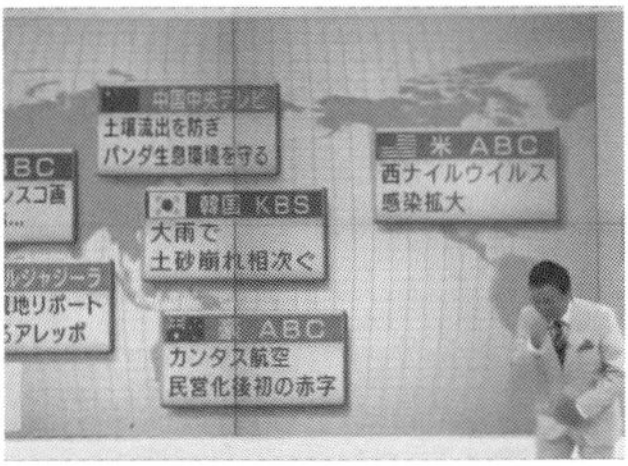

▲アナウンサーの
笑いが止まらなくなってしまった

▲スタジオの女性アナウンサー
も笑ってしまった

▲肖像画の修復を
伝えるニュース

▲もとはこういう
肖像画だったのだが…

▲こんな仕上がりに

2012年、NHKニュースの途中でアナウンサーが笑い出し、原稿を読めなくなってしまう事態が起きた。

その原因になったのは、同年にスペインで起きた事件である。イタリアの教会に飾られていたキリストの古い肖像画を81歳の老婆が修復したところ、まるでサルのような仕上がりになってしまったのだ。

この結果を見たアナウンサーは、笑いをこらえるのに必死。そのまま原稿を読めない状態が十数秒ほど続いた。

1953年の番組
「スッキリ」より
人気テレビ番組のあり得ないミス200 第4章 放送事故

謎の路線図

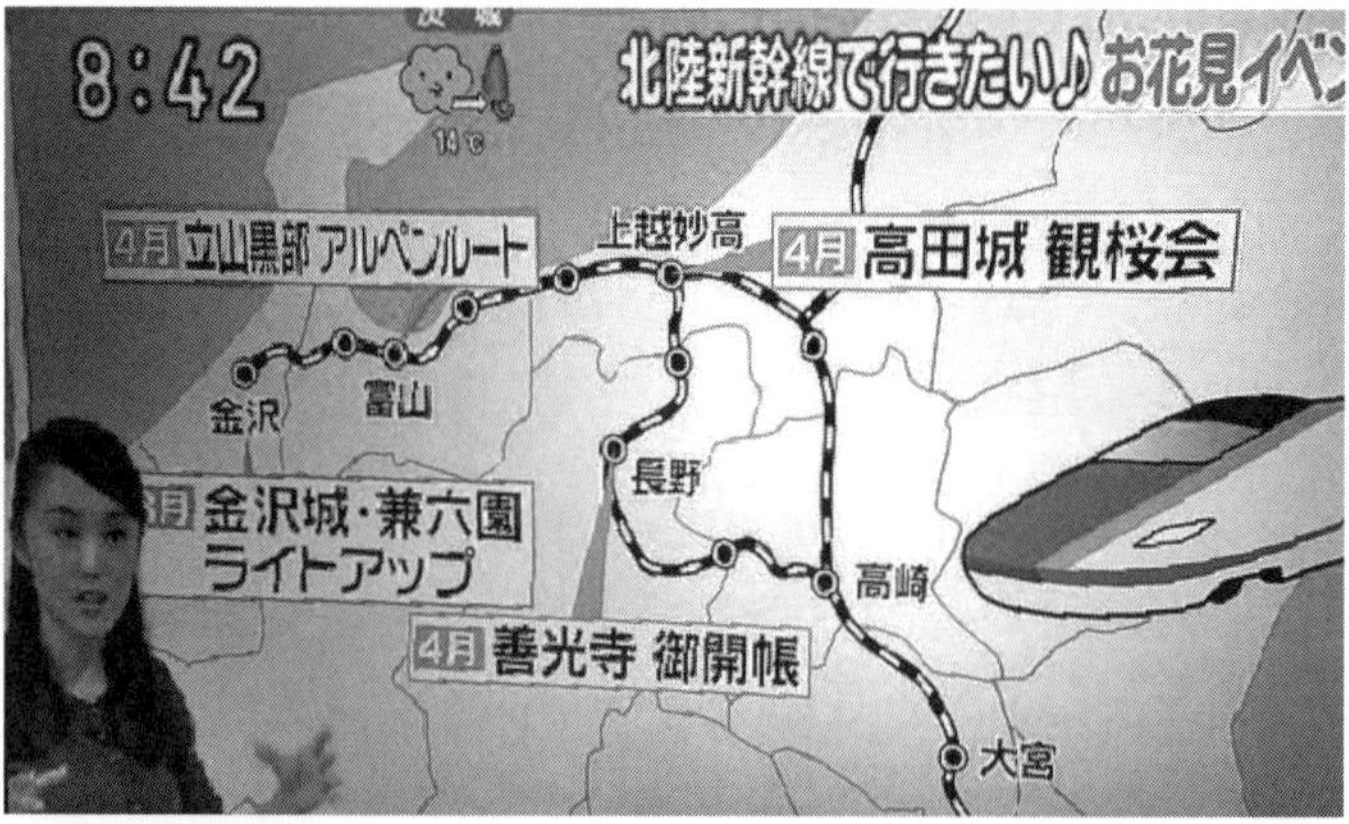

▲朝の人気番組「スッキリ」で北陸新幹線の開業を報じたが、上越妙高に向かう謎の路線が増えていた。ほくほく線の路線と間違えたものと思われる

2004年の番組
「JNNニュース」より
人気テレビ番組のあり得ないミス200 第4章 放送事故

強い地震で地震

▲TBSの地震速報で起きたテロップミス。
「強い地震で地震」というシュールな表現になってしまった

1年間違ってました

2015年の番組
「NHKニュース」より
人気テレビ番組のあり得ないミス200 第4章 放送事故

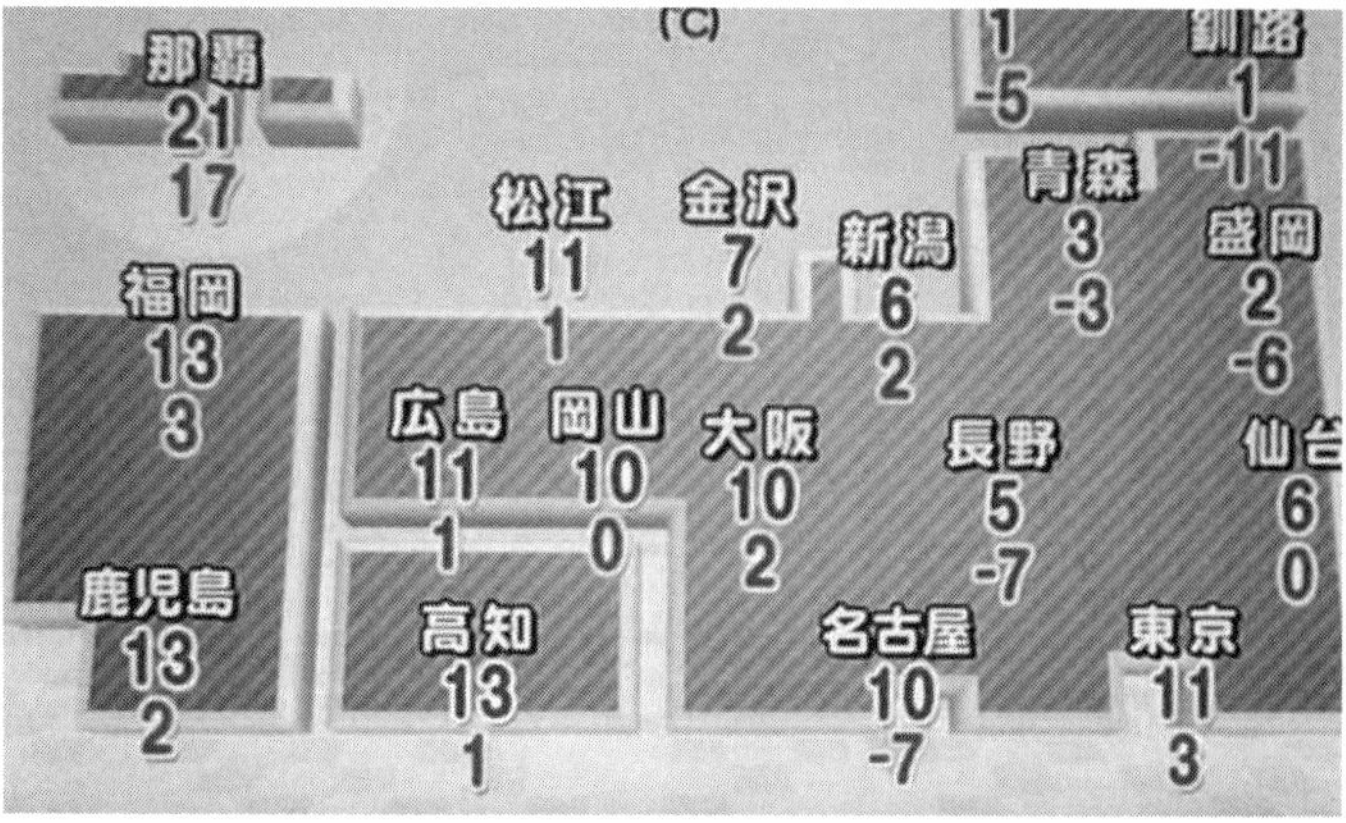

▲NHK名古屋の天気予報で起きた珍しいミス。なんと、2013年4月1日から1年あまりにわたって、長野市の降水確率を名古屋市と同じ数字で表示していたらしい

紙で隠す

2009年の番組
「ミヤネ屋」より
人気テレビ番組のあり得ないミス200 第4章 放送事故

▲2015年の「ミヤネ屋」で、中継コーナーが始まると同時に、アナウンサーが慌てて背後のモニターを紙で隠す事件が起きた。原因は不明だが、なにかヤバいものが映っていたらしい

2012年の番組
「NHKニュース」より
人気テレビ番組のあり得ないミス200 第4章 放送事故

×ウナギ ○ウサギ

▲NHKニュースで起きたテロップミス。なんかかわいい

2013年の番組
「はなまるマーケット」より
人気テレビ番組のあり得ないミス200 第4章 放送事故

ラモス瑠偉

▲出演しているのは振分親方ですが、
テロップはなぜかラモス瑠偉に。トリックアートみたい

あれ？ ここはどこだ？

▲普通に番組が放送されていたが…

▲続いて噴火の動画に「ここはどこだ…」の声が。妙に怖い

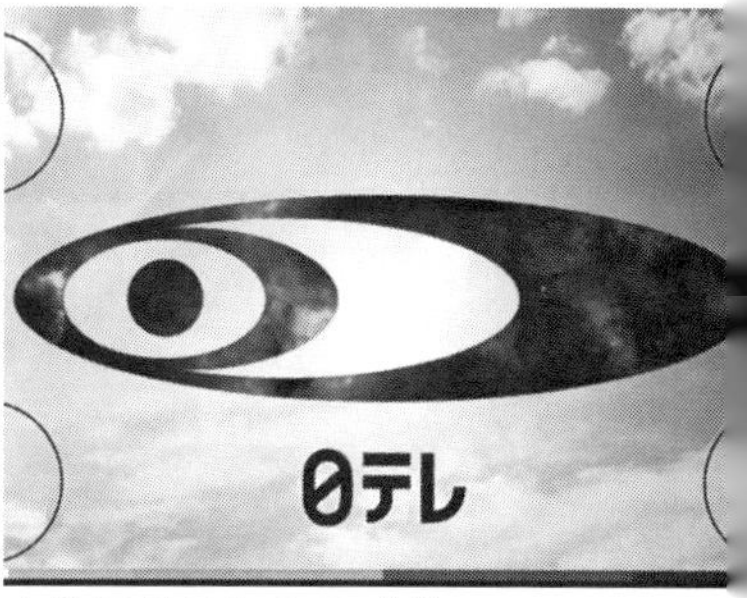
▲急に日テレのロゴが

▲そのまま「しばらくお待ちください」に

お昼の人気番組「ヒルナンデス」で不気味な事故が起きた。

番組の放送中にいきなり画面が途切れ、「ピーッ」という警告音とともに日テレのロゴが登場。すると、数秒後に火山が噴火する動画が流れ始め、そこに「あれ？ ここはどこだ……？ 4キロ…」と男性がつぶやく謎の声が聞こえてくる。なんとも不気味だ。

その後、画面には「ミヤネ屋」の放送が映しだされたが、謎の映像に対するコメントはなし。多くの視聴者をおびえさせた。

香川違い

2012年の番組

「スーパーニュース」より

人気テレビ番組のあり得ないミス200 第4章 放送事故

▲香川真司のマンチェスターユナイテッド移籍を伝えるニュースで起きたミス。香川照之が歌舞伎の初舞台を踏んだ映像とごっちゃになってしまった。シュールだ

2013年の番組

「とくダネ!」より

人気テレビ番組のあり得ないミス200 第4章 放送事故

▲2013年に上原がメジャーでMVPをとったニュースで起きたテロップミス。上原の息子はちゃんと「I don't know」と答えていたのに、「I don't no」と表記されてしまった

×no ○know

2015年の番組

「ニュースやまがた6時」より

お天気お姉さんが本番中に号泣

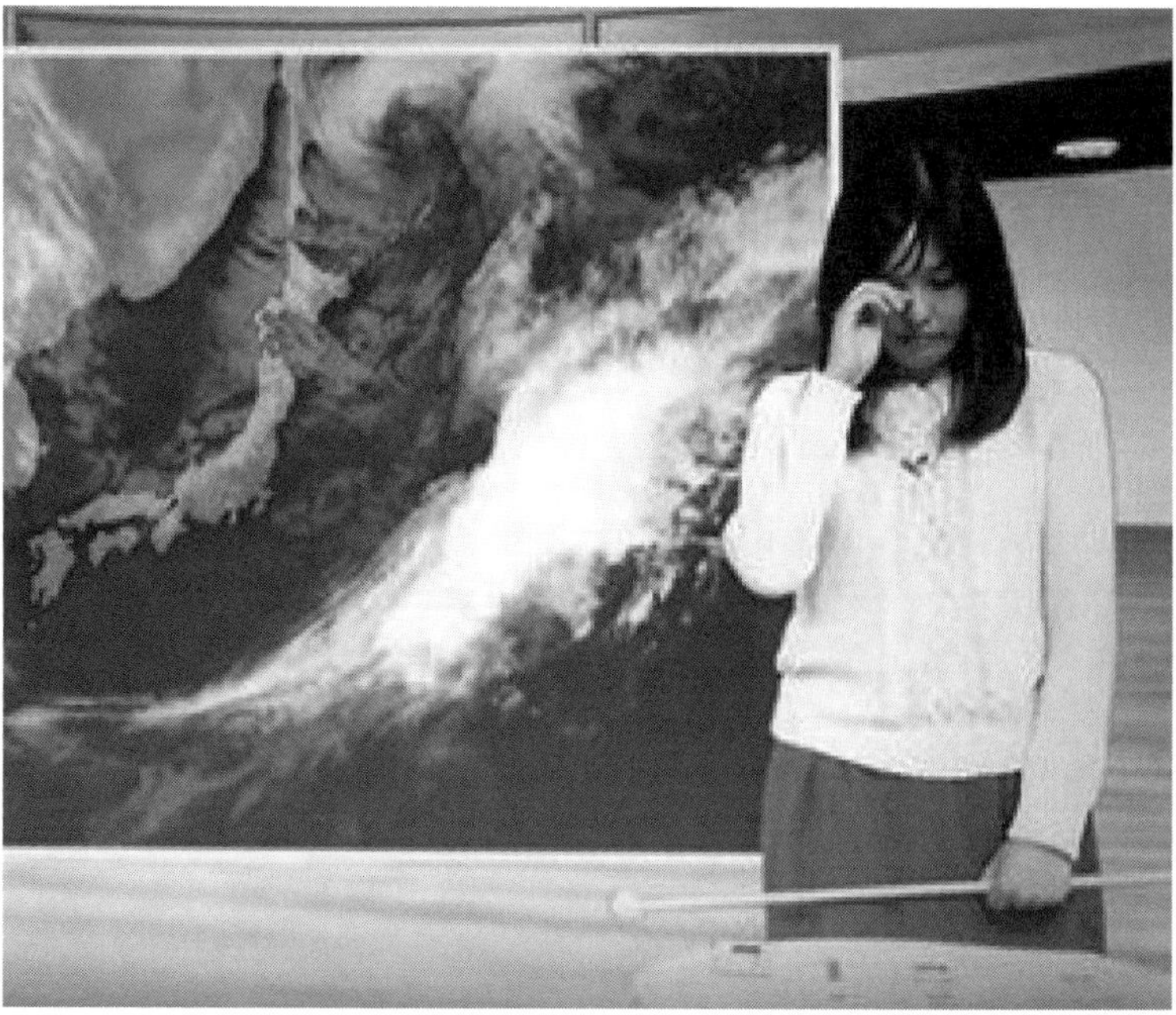

２０１５年12月、ＮＨＫ山形放送局の「ニュースやまがた６時」の天気予報コーナーで、気象予報士の女性が泣き出して原稿が読めなくなるというハプニングがあった。

マスコミの取材によれば、この女性は普段からスタッフにミスを指摘されることが多く、すっかり萎縮していたとか。実際、女性が泣き出したシーンの直前にも、女性が新庄市の映像を「鶴岡市」と間違えて、番組スタッフが注意する声が入り込んでいた。

その後、女性は番組を降板したが、２０１６年６月にはＴＢＳ系の「ひるおび」にてテレビに復帰している。

伝説の放送事故。鶴瓶局部露出事件

2003年の番組
「27時間テレビ」より

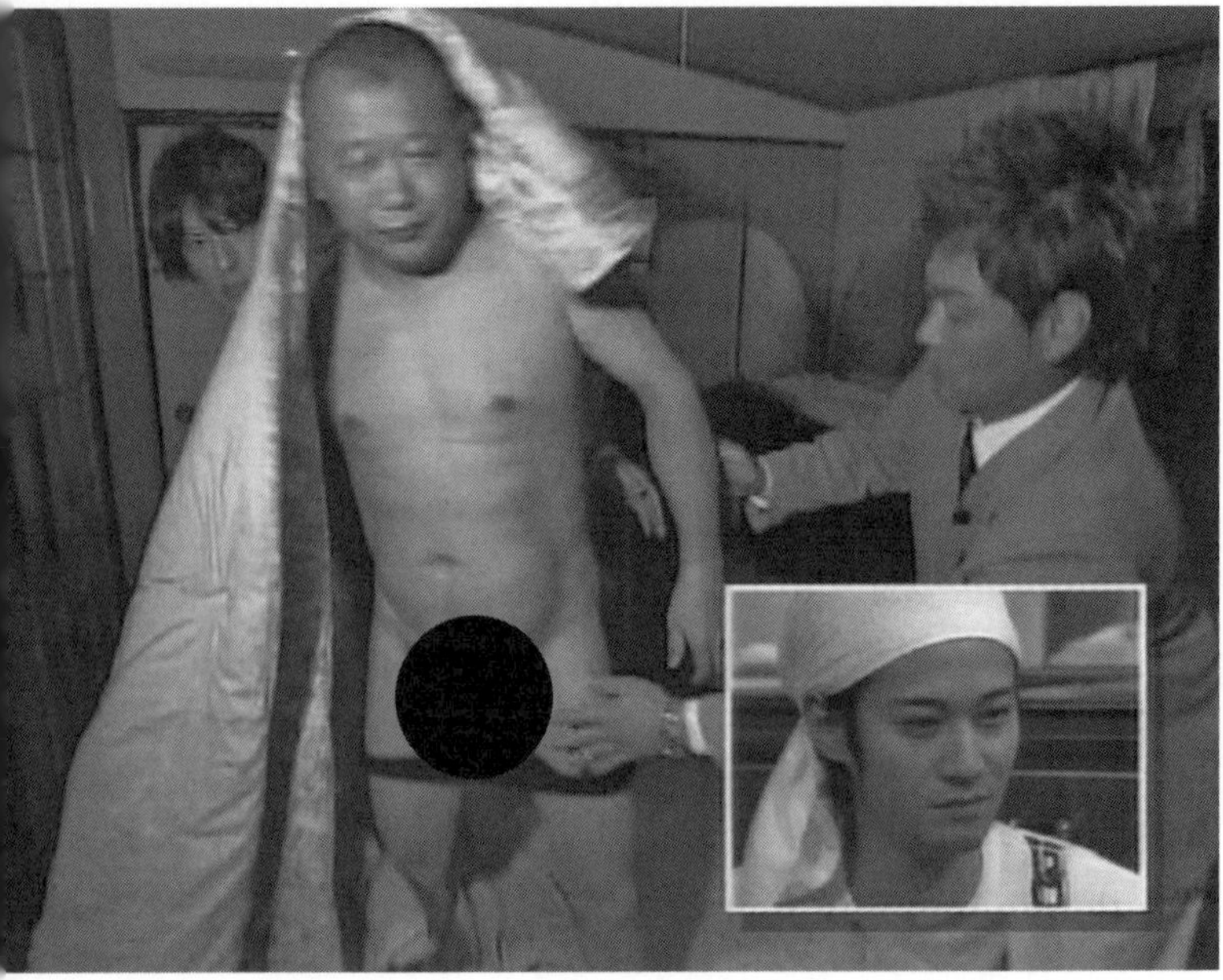

2003年にフジテレビで放送された「27時間テレビ」で、いまも語り継がれている伝説の放送事故が起きた。

タレントの笑福亭鶴瓶が、生放送中にもかかわらず泥酔して熟睡。スタジオにいた中居正広が、目を覚ますように呼びかけたところ、全裸で布団の上に立ち上がってしまう。

慌てたスタッフが座布団で局部を隠そうとしたが、時すでに遅し。全国に鶴瓶の下半身が放送されてしまった。

まさに前代未聞の失態だったが、いっぽうで、この年の27時間テレビでもっとも盛り上がるシーンとなった。

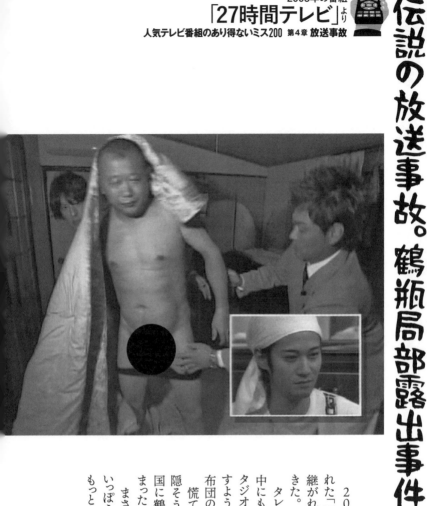

2016年の番組

「音楽の日」より

生放送なのにまさかのモザイク処理

▲歌の途中で、桑田佳祐が激しく股間をシゴきはじめた

▲すると、生放送なのに股間にモザイクが！

2016年にTBSで放送された音楽番組で珍事が起きた。桑田佳祐が「ヨシ子さん」を熱唱中に、いきなり激しく股間をシゴく動作を開始。しばらくはそのまま放映されていたが、生放送中にクレームが殺到したらしく、やがて桑田佳祐の股間にリアルタイムでモザイクがかかったのだ。生放送中にモザイクがかかるケースは珍しく、ネットでも話題が沸騰した。

2016年の番組

「5時に夢中!」より

謎すぎる乱入者「イエスキカワダ」

▲天気予報の途中で男性が乱入

▲「イエスキカワダ」と書かれた紙を広げた

2016年3月、TOKYO MX の人気番組「5時に夢中!」で放送事故が起こった。木曜レギュラーのジョナサンが、屋外で「フィジカル天気予報」のコーナーを行っていたときのこと。ひとりの男性が何かを口走りながら、「イエスキカワダ」とだけ書かれた紙を広げだしたのだ。

男性はすぐに警備員に連れ去られたが、「イエスキカワダ」という謎のフレーズに視聴者の興味が集中。いまもネットでは「どんな意味だ?」との書き込みが絶えない。

オードリー春日、IKEAのイスを破壊

▲オードリーの2人がイスを紹介

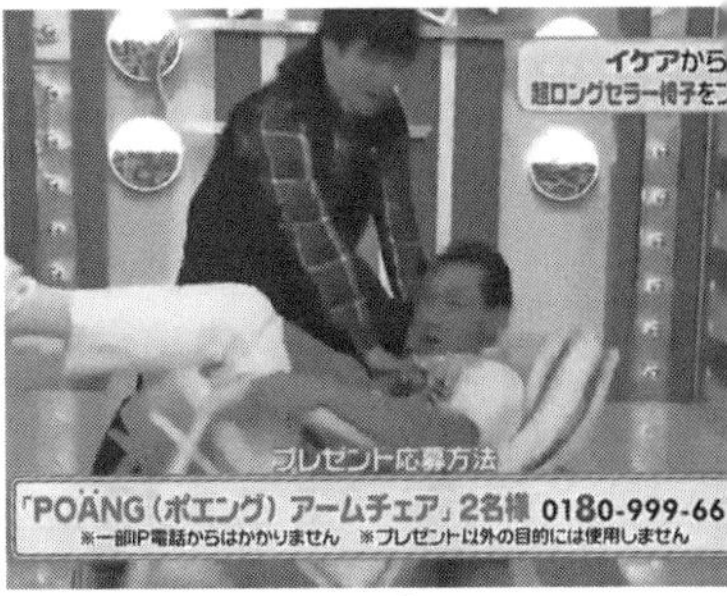

▲ガンガンにイスの上で跳びはねていたら…

▲イスの足がポッキリ折れた!

▲スタジオは騒然

お昼の人気番組「ヒルナンデス」で珍しい事故が起きた。

IKEAの特集コーナーで、アームチェアを紹介するシーン。このイスは630万回ものテストに耐えた逸品で、最高の強度をウリにしていた。

そこで、オードリー春日がイスの上で跳びはね、何度も全身を揺さぶってみたところ、なんとイスの脚がポッキリ。春日はイスから転げ落ちてしまった。

当然、スタジオの演者たちはぼうぜん。大慌てでコーナーが終わった。

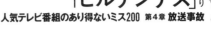

人物だけがカタカタ

2007年の番組
「おもいっきりDON!」より

▲いつものエンディング

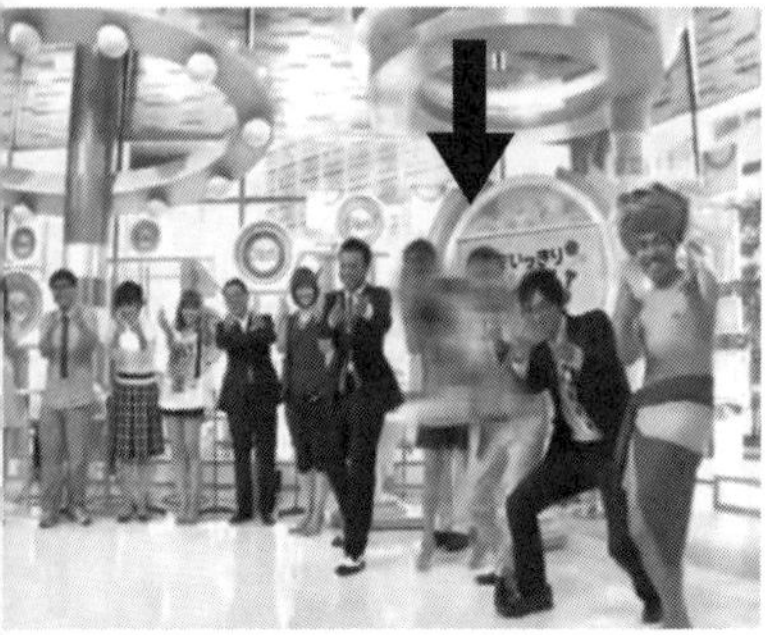
▲すると、矢印で示した
2人だけがピクピクと動き出す

▲しかし、画面がピタリと静止

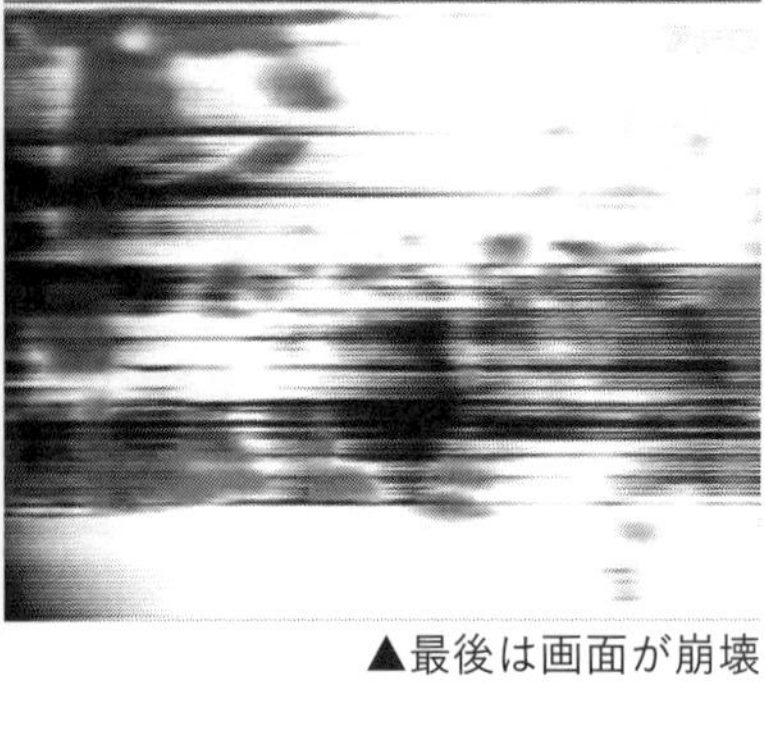
▲最後は画面が崩壊

2009年8月に放映の日本テレビ「おもいっきりDON!」で、奇妙な放送事故が起きた。いつものように生放送が終わった瞬間、画面全体がピタリと静止し、なぜか画面右側の2人だけが、「カタカタカタカタ」という音とともに激しく揺れだしたのだ。

その後、画面は完全に崩壊してCMへ移り、そのまま番組が終わってしまった。

映像がストップしてしまう放送事故は珍しくないが、なぜか映像の人物だけがカタカタと動くという風変わりな現象で、多くの視聴者に恐怖をあたえた。

放送中に人が変わった「苗山さん」

　2007年3月、能登半島で起こった地震報道で怪事件が発生した。刈谷崎原発で働く「苗山さん」なる職員に電話で話を聞いていたところ、途中で急に回線が切断。接続事故かと思ったアナウンサーが苗山さんに呼びかけると、「はい」と返事が返ってきたが、その声が、さっきまで話をしていた人物とはまったく違う声だったのだ。

　不審に思ったアナウンサーが「別の人に変わられましたか？」と尋ねたが、電話の主は「変わっておりません」と主張。うやむやのまま回線が途切れた。いまだに原因はわかっておらず、なんとも不気味な事件だった。

▲最初は普通にインタビューに答えていた苗山さん

▲途中で、まったく別人の声に変わってしまった

2006年の番組

「24時間テレビ」より

100キロマラソンスタッフ怒号事件

▲沿道を走るアンガールズの2人

▲お婆ちゃんがタッチした瞬間、スタッフの怒号が響いた

2006年、「24時間テレビ」の100キロマラソンで炎上騒動が起きた。人気お笑いコンビのアンガールズが沿道を走っていた際、道端で応援していた1人の女性が2人に近寄り何気なくタッチ。その瞬間、後方で伴走していたスタッフが女性の前で立ち止まり、「さわんないでっ!」と怒鳴ったのだ。

そのため、放送直後からネットでは「お婆さんがかわいそう」として大炎上。日本テレビは「配慮に欠けた」との謝罪コメントを出した。

2009年の番組

「ドクター・ハウス」より

ドラマの途中で「サラマンダー30秒」

2009年5月、日本テレビの深夜枠で奇妙な現象が起きた。人気海外ドラマ「ドクター・ハウス」が終わった直後、いきなり青い背景に「サラマンダー30秒」とだけ書かれた画面が表示され続けたのだ。

実はこれ、金曜ロードショーで放送予定だった映画「サラマンダー」のCMを流す予定だったのが、指示画面のみ表示されてしまったらしい。意味不明の画面にギョッとさせられる事件だった。

▲ドラマが感動的に終了

▲急に「サラマンダー30秒」

バボちゃんの中の人が丸見えに

2003年の番組「ワールドカップハイライト」より

▲CMが終わると、画面の端にバボちゃんの中の人が!

▲あわててきぐるみを着始めるスタッフ

2003年に開催された「バレーボールワールドカップ」の報道番組で、マスコットキャラであるバボちゃんの中の人が丸見えになる事件が起きた。CM中にきぐるみを脱いでリラックスしていたところ、予想よりも早く番組が再開してしまったらしい。

大慌てできぐるみを着直すスタッフの姿が妙にかわいい。

2008年の番組
「めざましテレビ」より

担当は誰なんだよ、オイッ！

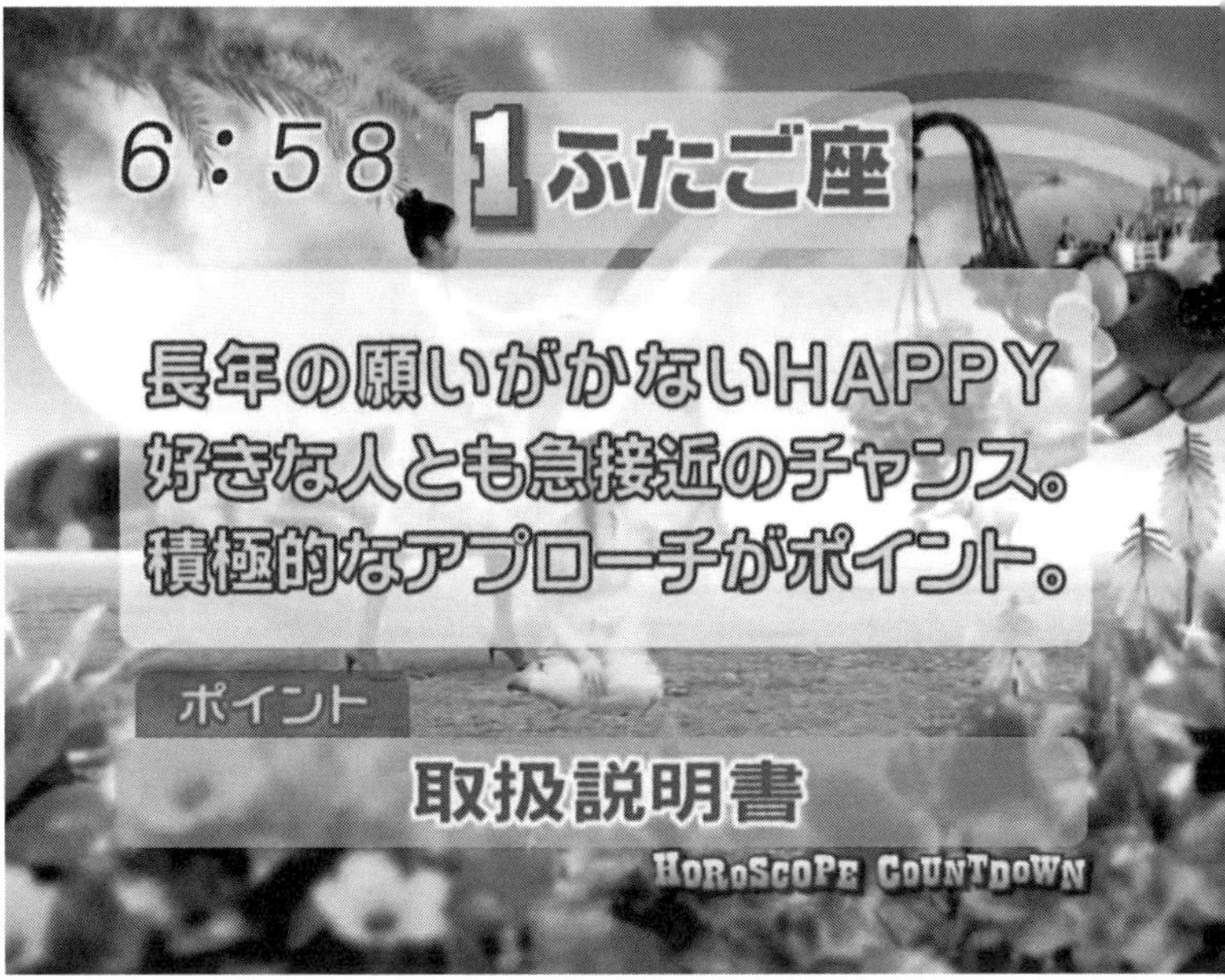
6:58
1 ふたご座
長年の願いがかないHAPPY
好きな人とも急接近のチャンス。
積極的なアプローチがポイント。
ポイント
取扱説明書
HOROSCOPE COUNTDOWN

▲星占いのコーナーで、大塚キャスターの怒声が流れてしまった

2008年、フジテレビの人気情報番組「めざましテレビ」で、トラブルが起きた。

星占いコーナーの放送中に、女子アナが「ラッキーアイテムは取扱説明書」とナレーションを入れた瞬間、メインキャスターの大塚範一氏が「担当は誰なんだよ、オイッ！」とスタッフに罵声を飛ばす声が放送されてしまったのだ。

大塚範一キャスターは、温和そうな人柄が人気だったため、あまりにもイメージと違う怒鳴り声に視聴者は驚愕。局にはクレームが殺到した。

三村が一般人にジャンプキック

▲深夜の栄を三村が自転車で爆走

▲怒った三村がジャンプキック

▲テンションが上った若者が三村に襲いかかる

▲そのままもみ合いに

2003年に放送された「げりらっパ」は、さまぁ～ずの2人がゲリラライブのように街中に現れ、生放送で様々な企画をこなすバラエティ番組だ。

その性質上、番組にはトラブルが多く、2003年末に三村マサカズが深夜の繁華街を自転車で駆け抜ける企画を行ったところ、ギャラリーの若者が殺到。数人の若者が自転車に襲いかかって転倒させたため、怒った三村がギャラリーにジャンプキックをかます様子が映し出された。

現在では放映できない企画だろう。

静岡↓玉木↓静岡↓玉木↓静岡↓玉木

▲普通にニュースが流れていたが…

▲急に静岡の町並みが

▲さらに玉木宏のアップ。しかも静止画

▲数分後に別のCMが流れだしたが…

▲またも静岡の町並みに

▲そして玉木。このループが数分にわたって続いた

2007年に静岡のローカル局が放送したニュースで怪事件が起きた。最初は普通にニュースを流していたが、急に静岡県の町並みがしばらく映り、続いてマツダのCMに登場していた玉木宏のどアップが登場。しかも、ずっと静止画のままで、玉木宏はピクりとも動かない。

その後も静岡の町並みと玉木宏のアップがくり返され、数分後にようやくニュースに復帰。リアルタイムで見ていた視聴者は、めまいを覚えたという。

カンフーくん流血事件

▲アクションを決めるカンフー君

▲泉ピン子が近づく

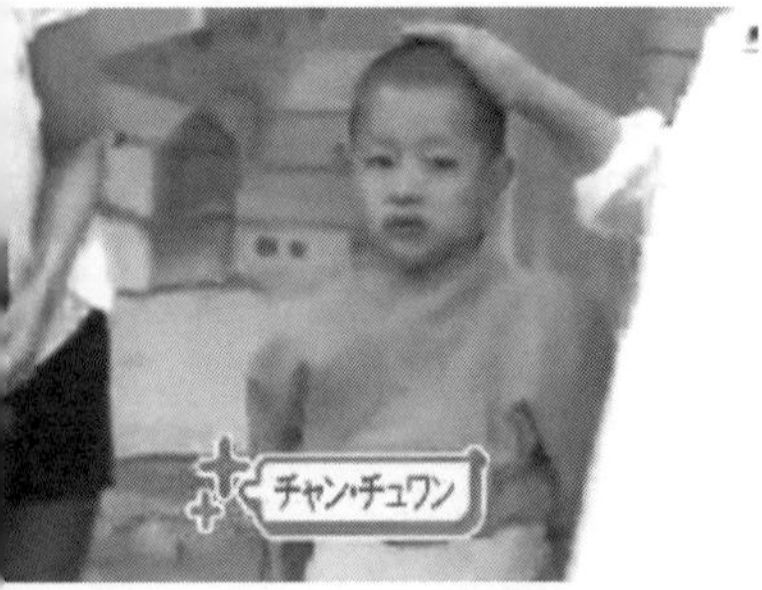

▲頭をなでなで

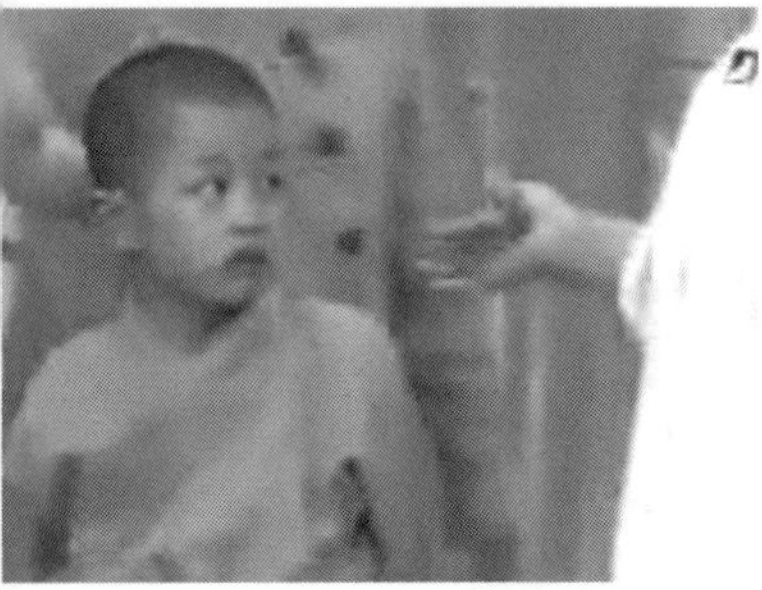
▲血がベットリ

２００８年に「王様のブランチ」で放送事故が起きた。「カンフー君」という映画の宣伝のため、主演の子役がスタジオ内で華麗なカンフーを披露。全員から喝采を浴びたが、その直後、観客席から引きつったような悲鳴が上がった。共演の泉ピン子が少年の頭をなでたところ、その手に大量の鮮血がベットリとはりついていたのだ。

あとでわかったところでは、アクション中に、少年の頭をヌンチャクが直撃していたらしい。幸いケガは浅かったようだが、泉ピン子の手が血に染まった映像は、テレビ史に残るショックシーンとしていまも語り継がれている。

観客がぬいぐるみに変身した事件

▲男性がぬいぐるみに変身

2005年に放送された「笑っていいとも」で事件が起きた。「テレフォンショッキング」でゲストの山崎邦正がトークをしていた最中に、観覧席にいた素人の男性が突然「タモリさーん！『いいとも』が年内で終了するって本当なんですか?」と大声を上げて進行を妨害。一時、客席が騒然となったが、CMが明けたあとには、その観客が座っていた席にはぬいぐるみが置かれていた。

レポーター、感電で意識不明事件

▲レポーターがトラックに近づき

▲ドアに手をつけた瞬間…

▲レポーターが倒れた!

▲苦しそうに顔をゆがめる

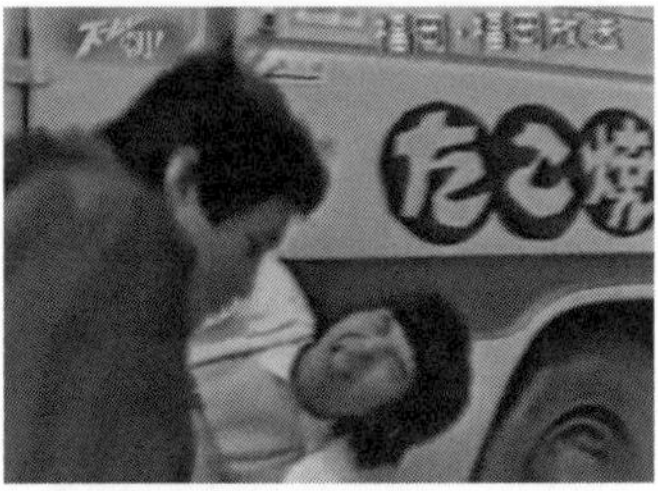

▲スタッフが助けに入ったが…

▲感電で意識を失ってしまった

1980年、朝の人気情報番組「ズームイン朝」の生放送中に、恐ろしい事故が起きた。男性レポーターが移動販売をしているたこ焼き屋のバスのドアノブを触った瞬間、恐ろしい絶叫とともに意識を失ってしまったのだ。どうやら、バス全体が漏電していたらしい。

あわててスタッフが駆け寄ったが、レポーターは意識を失って地面に倒れたまま。数分後にようやく意識をとりもどし、「徳光さんごめんなさい!」と叫んだ。一歩間違えれば命も失いかねない大事故だ。

第5章

ドキドキ

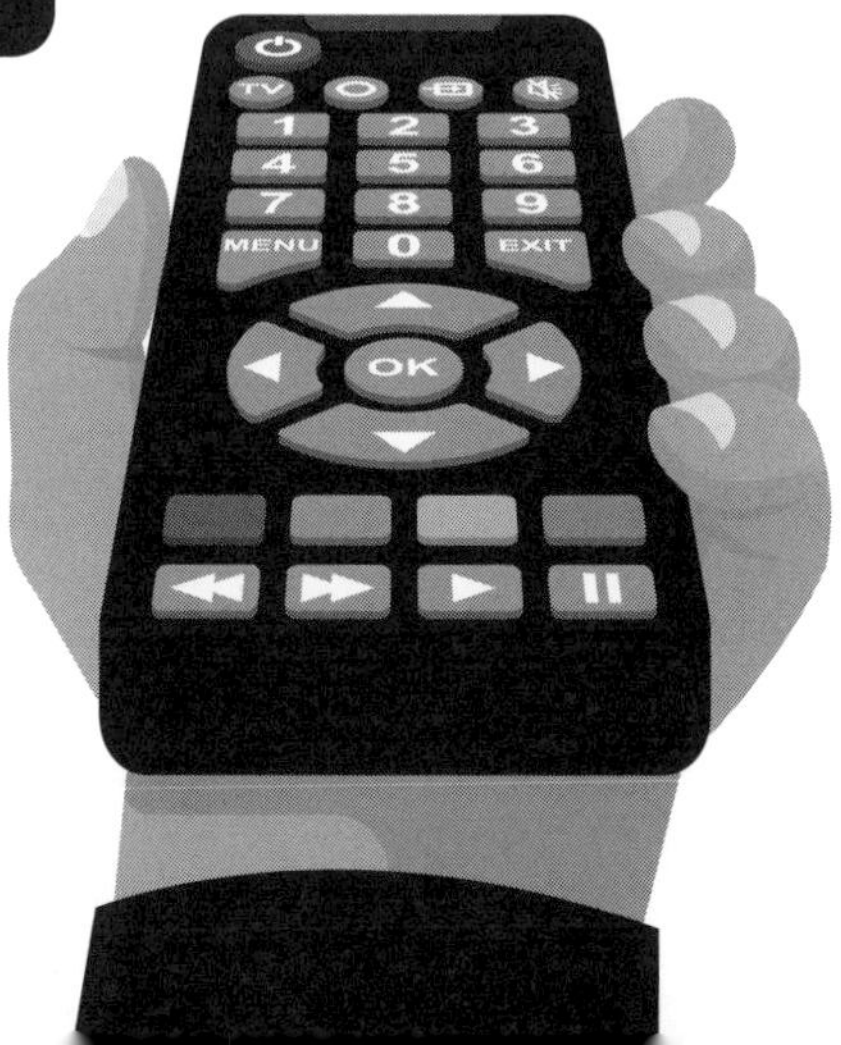

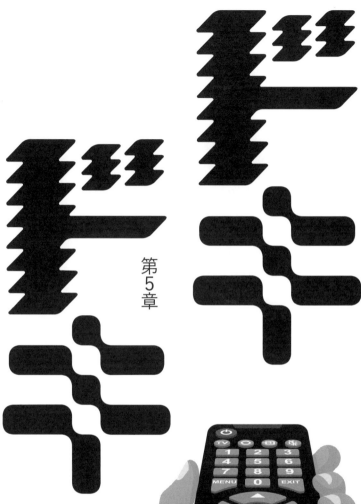

フワちゃんが海中で乳首をポロリ

▶海に飛び込んだ拍子に水着がズレて丸出し

YouTubeやツイッターではポロリの常連として知られる人気タレントのフワちゃんが、地上波のテレビ番組でもやらかしてくれた。

2020年5月にTBS系列で放送されたトークバラエティ「アイ・アム・冒険少年」の無人島脱出企画に出演したフワちゃん。さっそく魚を獲ろうと水着になって海に飛び込むと、チューブトップ水着がズリ落ち、両方の乳首が丸出しに。さすがに海から上がった映像のバストトップは「フワちゃんのアイコン」で隠してあったものの、海中での映像はボカシもなく丸見え状態で放送された。

◀海から上がった映像は隠してありました

今度は朝の生放送で乳首をポロリ

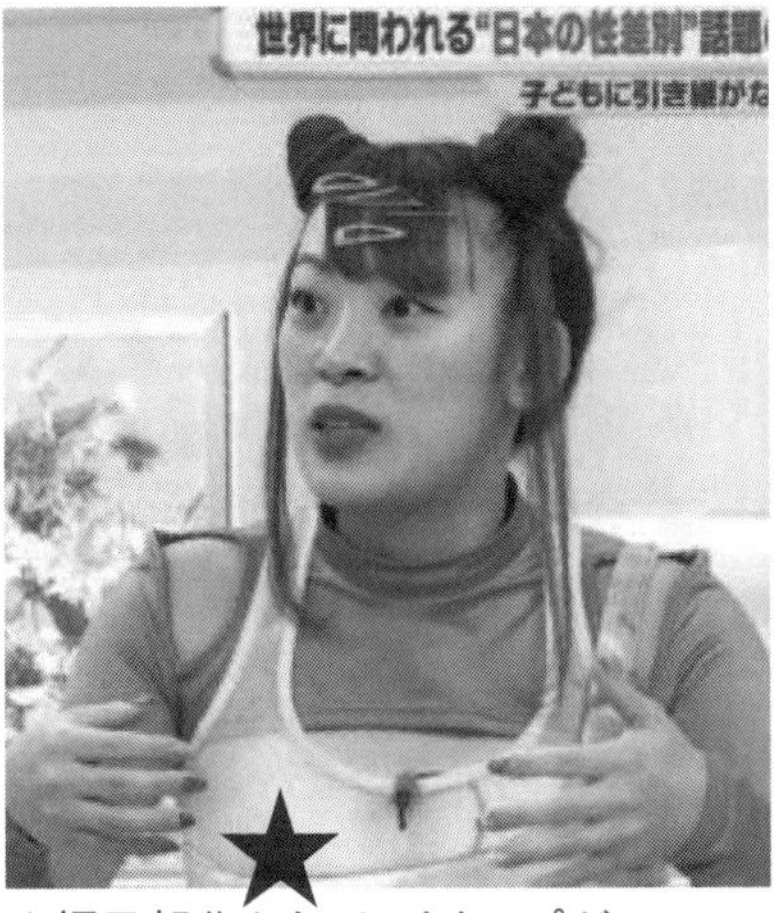

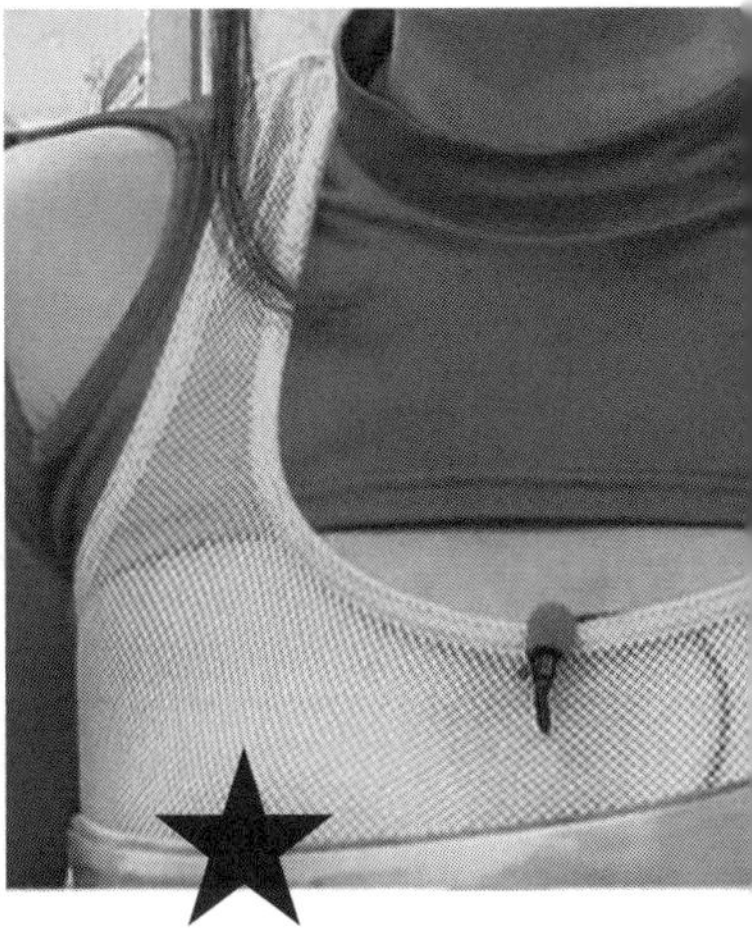

▲網目部分からバストトップが……

▲確かに振り返った海老蔵の目線はフワちゃんの胸あたり

2021年2月に放送されたTBS朝の情報番組「グッとラック!」に生出演したタレントのフワちゃん。スタジオが寒かったため、ブランケットをお腹の中に仕込んで暖をとっていたところ、ブランケットと一緒にスポブラを下に引っ張ってしまい、上からポロリ。生放送中に自ら「さっき、ちょっと見えてたらしい。本当にすみません」と、バストトップが見えていたことを謝罪した。さらに放送中にツイッターを更新。「グッとラックで乳首見えてたらしいです! 海老蔵は気づいてたけどセクハラになると思って言わなかったそうです!」と書き込んだフワちゃんに、市川海老蔵はその後ブログで「言えんわ!」と応戦した。

2015年の番組
「はやドキ!」より

お天気お姉さんの豪快なパンチラ

2015年、TBSの情報番組「はやドキ!」で、豪快なパンチラ事故が起きた。

それは、芸能コーナーが終わった直後のこと。お天気キャスターの福岡良子が「暑さ落ち着く秋日和」と書かれたボードを上げようとした瞬間、吹き出し型の突端の部分がスカートのスソに引っかかり、そのままスカートがめくれあがってしまったのだ。

あまりにユニークなハプニングだったため、しばらくネットでは「コラ画像に違いない」との意見も出たほど。なんともレアな事故だった。

陣内智則宅のキッチンにテンガ

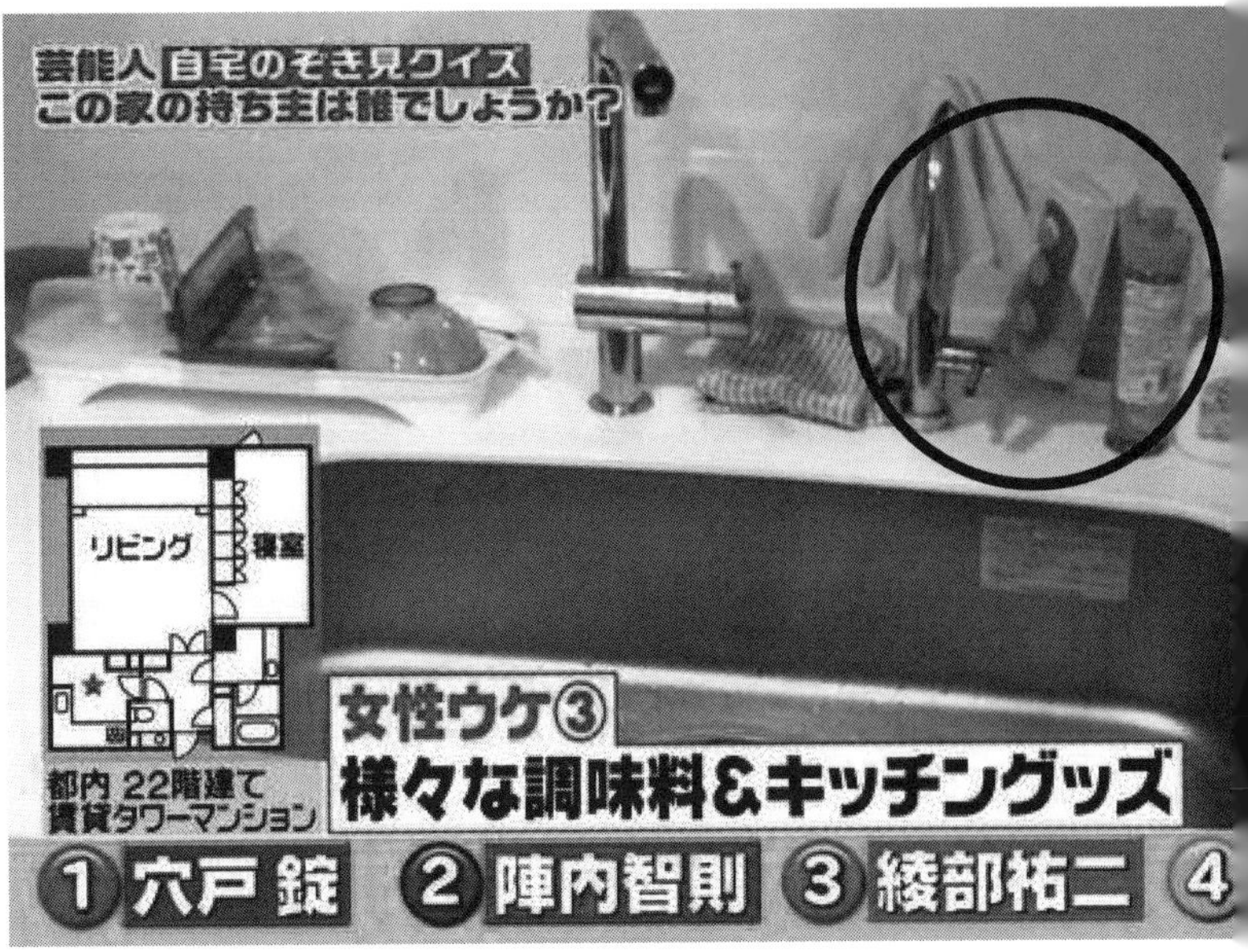

２０１４年、ＴＢＳの特番「オールスター感謝祭」で放送されたワンシーンが、ネットでちょっとした騒ぎになった。

芸能人の自宅を紹介するコーナーのなかで、お笑い芸人の陣内智則が住むタワーマンションが登場。さまざまなキッチングッズが並ぶ様子が映し出されたが、そのなかにオナホールの「テンガ」が混ざっていたのだ。

どうやら、使い終わったテンガをキッチンで洗い、そのまま干しておいたのを忘れてしまったらしい。

これに対し、ネットでは「恥ずかしすぎる」との感想が続出。まさに痛恨のミスだ。

2012年の番組

「人気歌謡」より

人気テレビ番組のあり得ないミス200 第5章 ドキドキ

見えてます

▲2012年に放送された音楽番組で、韓国の人気アイドルグループT-ARAのファヨンが、かすかに乳首を露出してしまうハプニングが発生。ネットで大騒ぎとなった

2012年の番組

「スタジオパークからこんにちは」より

人気テレビ番組のあり得ないミス200 第5章 ドキドキ

視線をクギヅケ

▲NHKの長寿トーク番組「スタジオパークからこんにちは」で、アナウンサーの下着が見えてしまうハプニングが発生。ゲストの視線がいい味を出してます

2012年の番組

「いきなり! 黄金伝説。」より

無人島生活でモデルの胸がバッチリと

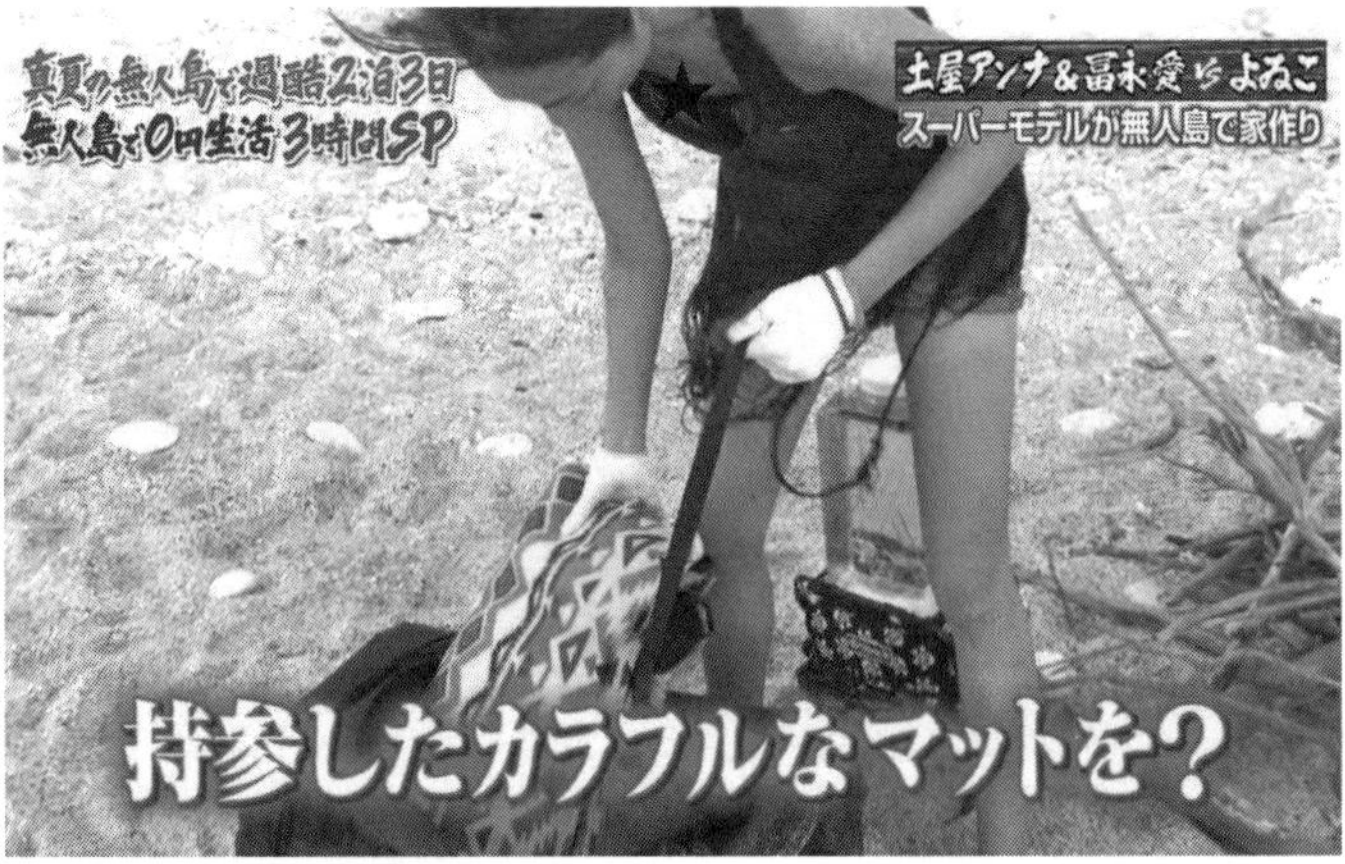
真夏の無人島で過酷2泊3日
無人島で0円生活3時間SP
土屋アンナ&冨永愛vsよゐこ
スーパーモデルが無人島で家作り
持参したカラフルなマットを?

▲冨永愛が無人島で生活する企画で…

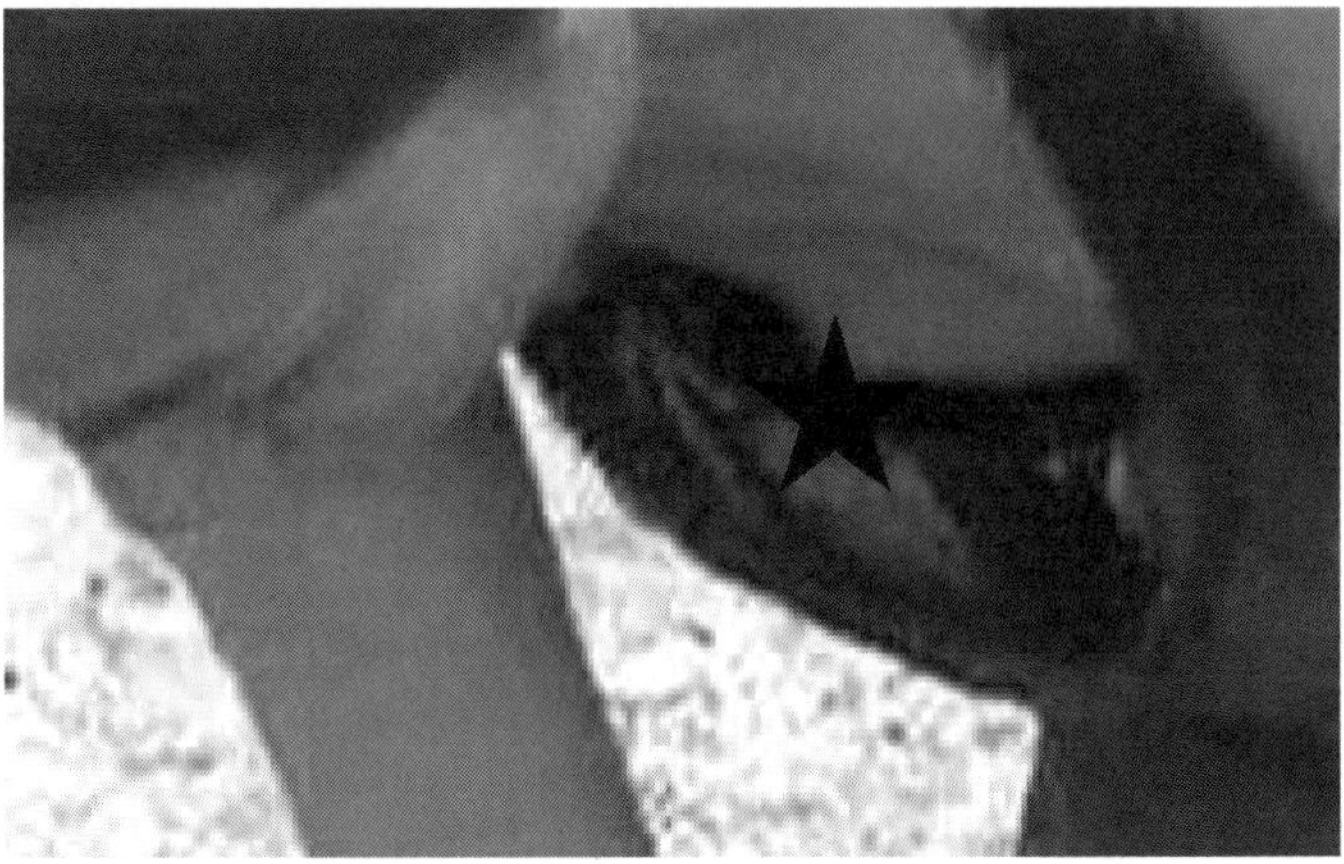

▲胸元がバッチリ映ってしまった1

2013年8月に放送されたテレビ朝日の人気バラエティ「いきなり黄金で説!」で、放送事故が起きた。

無人島で暮らす企画にモデルの冨永愛がチャレンジしていたのだが、マットを取ろうとして前かがみになった瞬間、タンクトップのすき間から乳首がハッキリと画面に映ってしまったのだ。バラエティでトップモデルの胸が映る、めずらしい放送事故である。

ブタの激しい交尾にレポータードン引き

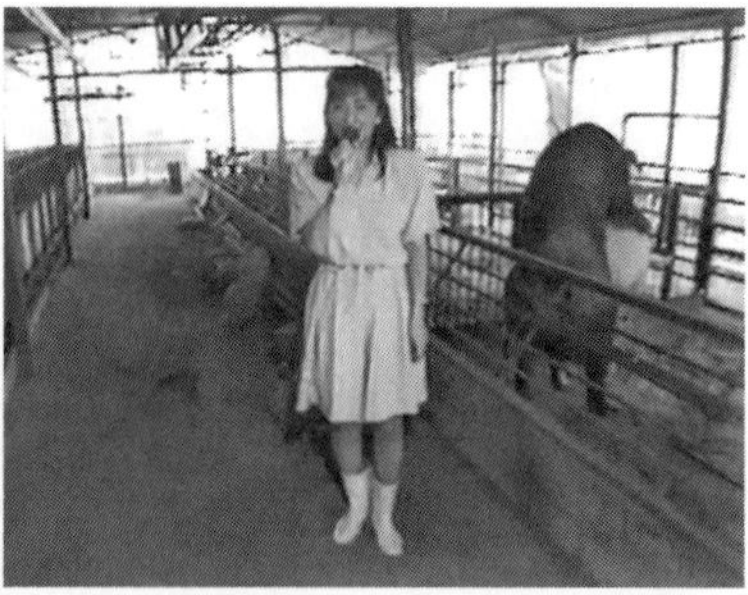
▲ブタの感染症についてレポート開始

▲同時にブタが交尾を開始

▲思わずしゃがみこんでしまうレポーター

▲レポートできなくなってしまった

1986年に放送された報道番組で、ブタの感染症に関するニュースをレポートしていたときのこと。女性レポーターが感染症の詳細を話し出すや、右にいた2匹のブタが急に激しい交尾を始めた。「ブホッブホッ」という激しい声に、思わずしゃがみこんでしまうレポーター。慌てて飼育員がブタの間に割って入ったが、交尾はいっこうに止まらず、レポーターはそのまま何も言えなくなってしまった。

なんとも珍しいハプニングだ。

2009年の番組
「ミュージックステーション」より

マッチの股間に大きな異変が……

▲マッチの股間に変化が…

▲さりげなく隠してます

2009年、テレビ朝日の音楽番組「ミュージックステーション」で異変が起きた。

番組が始まった直後のトークコーナーで、画面の右に立つ近藤真彦の股間が、妙に盛り上がり出したのだ。いかなる事態が起きていたのかは不明だが、その後、マッチはマイクを股間へ当て、さりげなくふくらみを隠していた。

カメラマンが転倒↓パンチラを記録

▲都内の公園を女性がレポート

▲いきなりカメラマンが
転んでしまった

▲慌ててレポーターが
カメラマンに駆け寄る

▲女性がカメラの前にかがみこむ

▲ようやく下着が
撮られていることに気づいた

▲「カメラ回ったままだったの？」

1986年に放送されたニュース番組で、珍しいハプニングが起きた。ある女性レポーターが都内の公園を訪れ、秋の紅葉を伝えていたときのこと。カメラマンが急にバランスを崩して転んでしまい、それに気づいたレポーターが、あわててカメラの前に駆け寄った。

が、そのときもカメラは回り続けており、なんとレポーターの下着がバッチリと記録されてしまう事態に。これに気づいたレポーターが慌てて立ち上がったが、すべては放送された後だった。

2012年の番組
「モヤモヤさまぁ～ず2」より

大竹のポロリ事故

歴史とでらうまグルメが溢れる街
愛知県名古屋市を裏ぶらり散歩

2012年、テレビ東京の人気バラエティ「モヤモヤさまぁ～ず2」で、ポロリ事故が起きた。「さまぁ～ず」の大竹一樹が露天風呂ロケでカメラに向かって大きくジャンプをした瞬間、タオルの下からイチモツがポロリと露出。スタッフがそのことに気づかず、モザイクをかけずにそのまま放送してしまったのだ。

またたくまに画像はネットで広がり、テレビ局には苦情が殺到。「視聴者や多くの方々に迷惑をかけ、深くおわびしたい」との謝罪文を発表する事態になった。

2013年の番組

「ホクトきのこ CM」より

シモネタが過ぎて放送禁止に

▲主婦の背後に要潤が出現

▲要潤が、主婦の手を股間へ

▲耳元で「立派なきのこ」とささやく

▲うっとり

2013年、ホクトが制作したキノコのCMが放送禁止になってしまった。

その内容は、主婦役の鈴木砂羽の目の前に、突如、「ホクトのきのこの精」に扮した要潤が出現。耳元で「立派なキノコ」などとささやきつつ、主婦の手を自らの股間に持っていくというもの。

要潤の股間に目線を送った鈴木砂羽が、うっとりした表情を浮かべるシーンは、かなりのセクシーさだ。

あまりにシモネタが過ぎたため、本作はすぐに放送が中止に。ネットでは残念がる声が多くあがった。

2012年の番組「ミュージックステーション」より

桑田佳祐の立ちバックに苦情が殺到

▲いきなりバックダンサーのスカートをめくる

▲さらに立ちバック

2012年、テレビ朝日の「ミュージックステーション」に桑田佳祐が出演したところ、まる子ちゃんのコスプレをしたバックダンサーたちのスカートをめくり、さらには後ろから立ちバックのようなしぐさを連発。このシーンに対して、視聴者から「見るに耐えない」「ワイセツすぎる」などの苦情が放送局に殺到し、ネットもしばらく炎上し続けた。

2011年の番組
「たかの友梨 CM」より

エリカ様のCMがエロすぎて放送中止に

▲全裸でもだえるエリカ様

▲確かにドキッとします

2011年、たかの友梨ビューティクリニックが放送したCMに対して「エロすぎる」とのクレームがつき、放送が取りやめになる事件が起きた。

CMの内容は、女優の沢尻エリカが全裸で男優とからみ合うというもの。放送コードとしてはギリギリセーフなラインだが、放送時期が東日本大震災の直後だったため、テレビ界が自粛ムードだった影響も大きいようだ。

キンタローの下着が丸見え事件

２０１３年、日本テレビの情報番組「スッキリ!」で、お笑い芸人キンタローの下着が丸見えになってしまう事故が起きた。

いつものようにAKB風の衣装で登場したキンタローが、小道具のメガネを取り出そうとスカートへ手をやったところ、袖がスカートの端に引っかかり、上にたくしあがってしまったのだ。しばらく本人はハプニングに気づかず、下着は十数秒にわたって放送され続けた。

この事故に対し、ネットでは「誰も得しないハプニングだ」といった感想があがったが、一部からは「目を細めれば前田敦子に見えなくもない」との声も出た。

2015年の番組
「ドデスカ!」より

女子アナが転倒でノーブラ確定事件

▲床に転倒する女子アナ

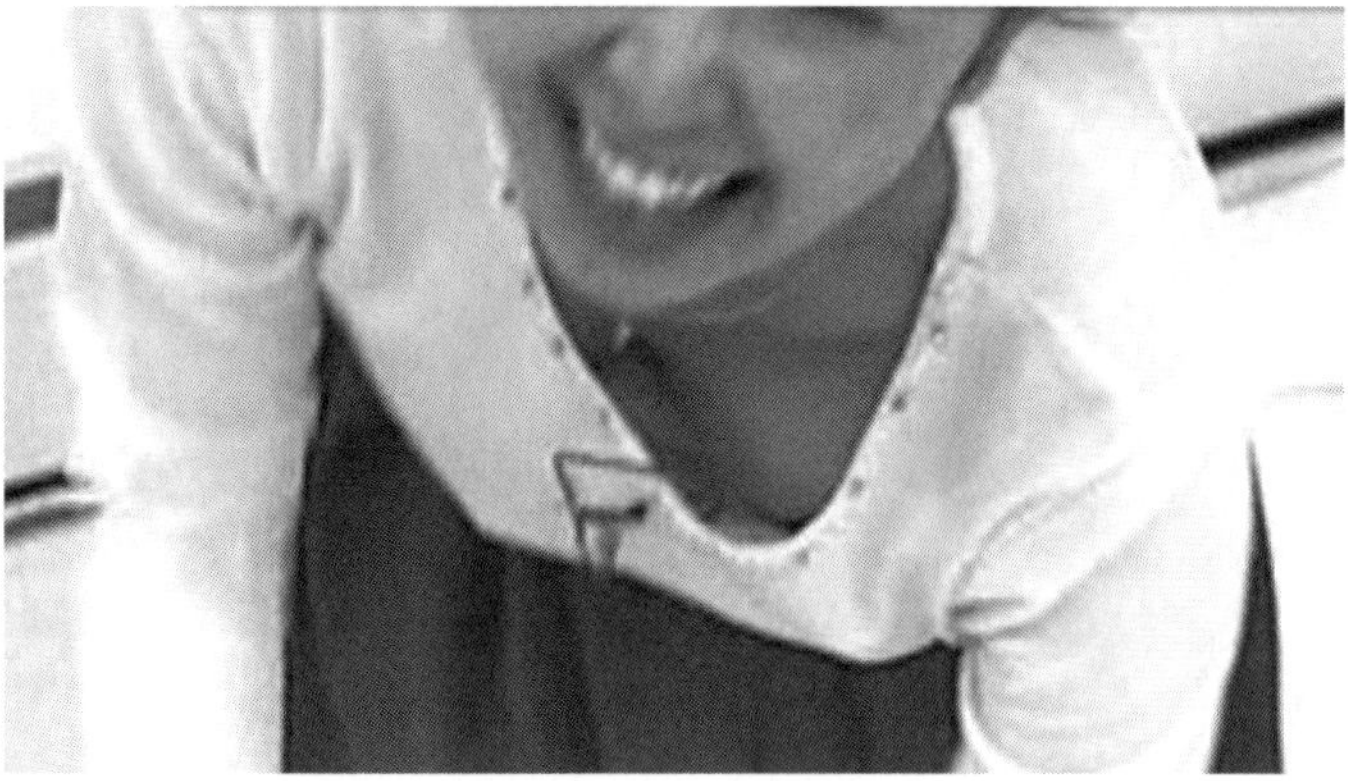

▲胸元がハッキリと

2015年、名古屋テレビ放送で放送されたニュース番組で、ハプニングが起きた。クリスマス用のおもちゃを紹介するコーナーで、同局の女子アナが転倒。と同時に、胸の奥までハッキリと見えてしまった。

なんでも、この女子アナは以前からノーブラで出演しており、これまでも何度か胸が見えそうになっていたそうだ。

1985年の番組

「毎度おさわがせします」より

過激シーンにすべて画像処理が

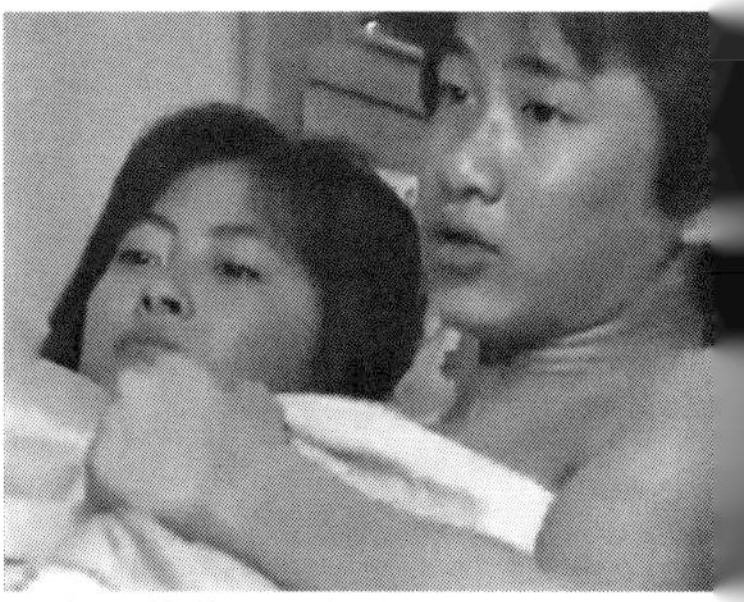

▲中山美穂のベッドシーン

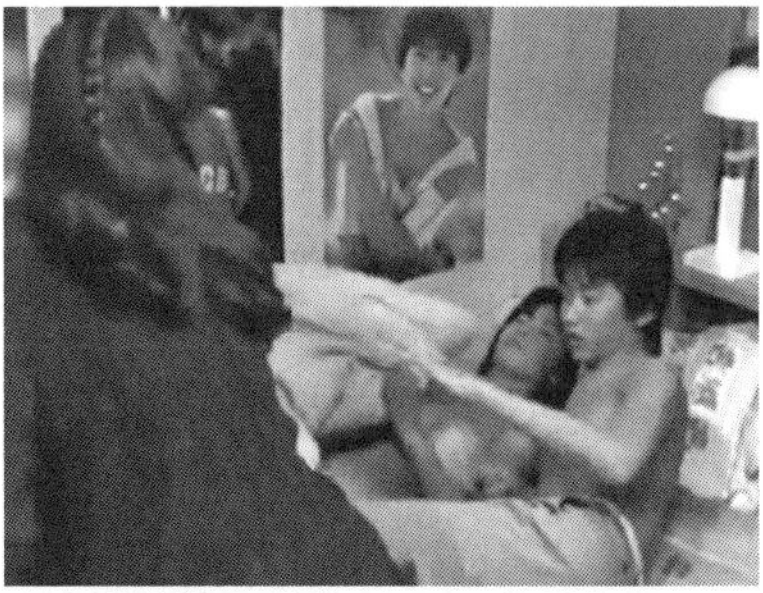

▲中山美穂の乳首がチラッと見える

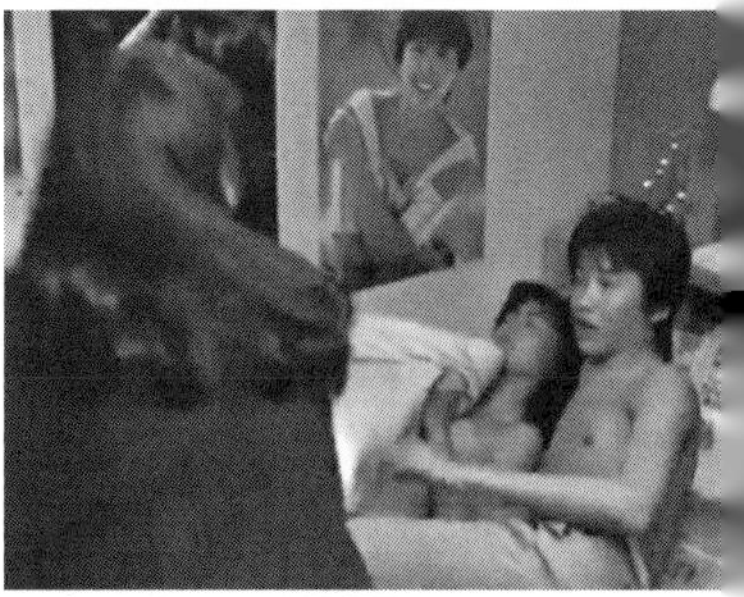

▲布団をはいだ瞬間に…

▲いまとなっては貴重なシーンです

１９８５年にＴＢＳで放送された「毎度おさわがせします」は、平凡な男子３人組が繰り広げるエッチな騒動をコミカルに描いたドラマだ。

毎週のように女性の下着や半裸シーンが登場するうえに、いまや大女優となった中山美穂もベッドシーンで乳首をさらす大熱演を見せており、当時の若者から大きな支持を受けた。

ところが、残念ながら、いま手に入るＤＶＤバージョンでは、乳首にすべて画像処理が行われており、完全版を見ることはできない。

2013年の番組

「情報ライブ ミヤネ屋」より

宮根誠司の指からませ疑惑

2013年に日本テレビで放送された「ミヤネ屋」で、予期せぬ騒動が起きた。読売テレビの川田裕美アナが司会の宮根誠司の話を聞いているシーンで、こっそりと画面の下で指をからませあっていたのだ。

このシーンがきっかけで、一部の週刊誌では宮根氏と川田アナの「不倫疑惑」を報道。ちょっとした騒ぎに発展した。

もっとも、これは、フリップボードの目隠しシールを取った宮根氏が、川田アナにこっそり手渡しただけだろう。

しかし、宮根氏の隠し子騒動の直後だったため、不倫疑惑にまで発展してしまったらしい。

2013年の番組

「朝ズバッ!」より

みのもんたのセクハラ疑惑問題

8:29
大槌町で震災後 初
災害公営住宅が完成
朝ズバッ! HP http://www.tbs.co.jp/asazuba/

▲女子アナが、みのもんたの手を振り払っている

2013年8月、朝の情報番組「朝ズバッ!」のCM明けに、司会のみのもんたがTBSの女子アナの腰回りを触っている瞬間が放送され、「セクハラ行為」として大きな問題になった。

疑惑に対してみのもんた氏は「あくまでスキンシップ」と回答。TBSも「セクハラ行為はなかったが、まぎらわしい行為だったため、今後このようなことがないよう気を付ける」として、あくまで疑惑を否定した。

その後、みのもんた氏は別の問題で番組を降板。セクハラ疑惑の真相はいまも不明のままだ。

女子アナウンサーのブラの奥が丸見え

2010年の番組
「朝ズバッ!」より

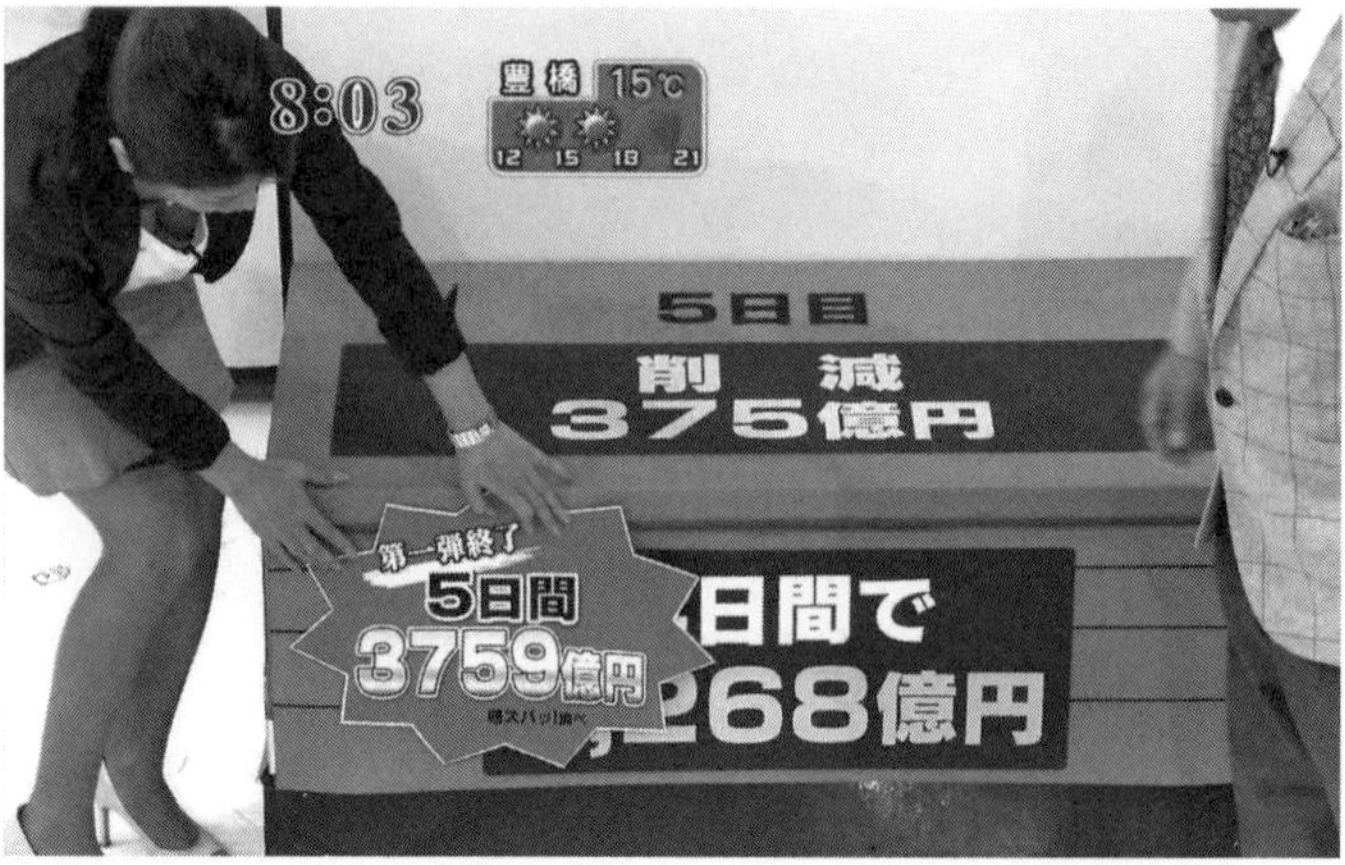

▲前かがみになった瞬間…

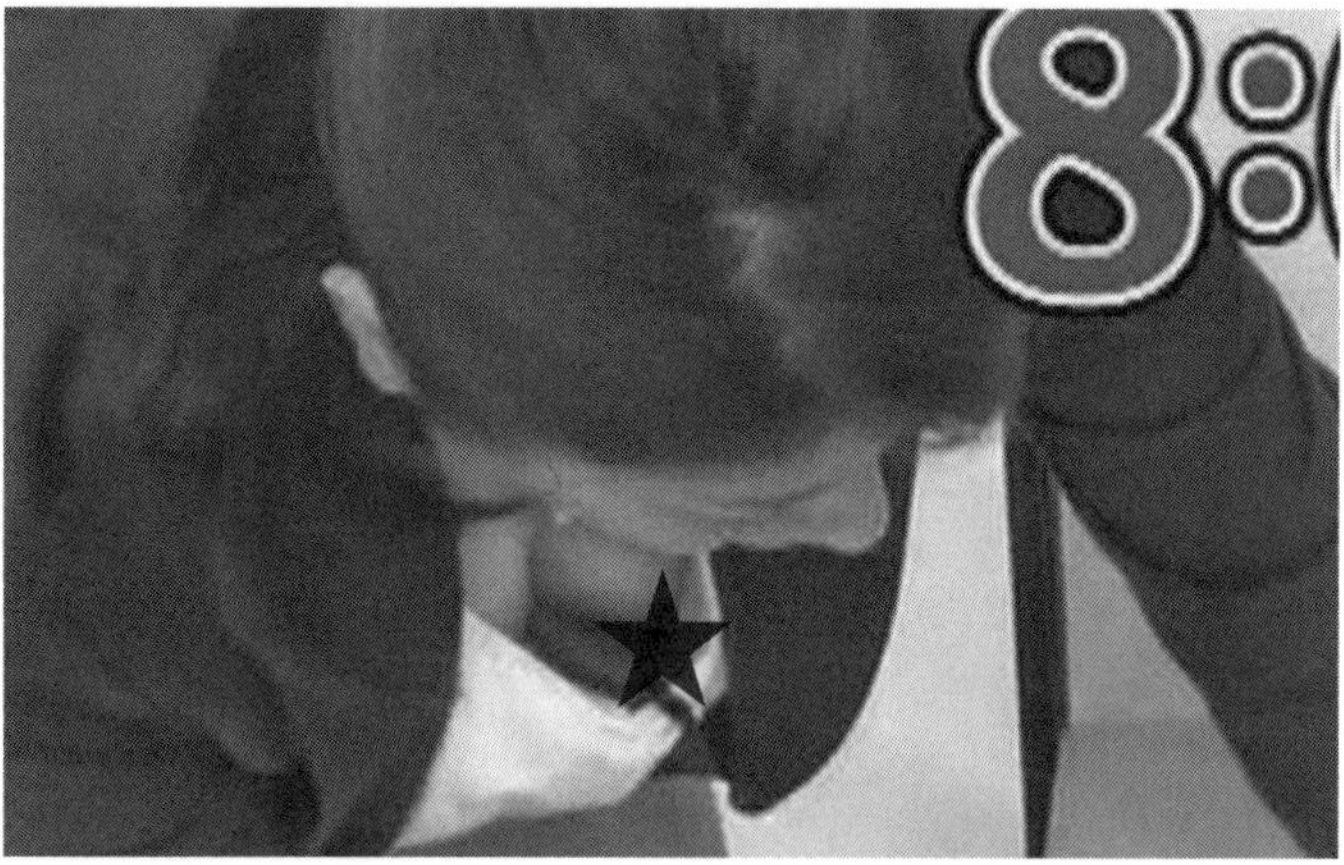

▲かなりハッキリ映ってます

2010年、TBSの情報バラエティ「朝ズバッ!」で、ハプニングが起きた。アシスタントの女子アナウンサーが、ニュース解説のボードにステッカーを貼ろうとして前かがみになった瞬間、思いっきり乳首まで見えてしまったのだ。

予期せぬハプニングに、テレビ局には「朝の番組にふさわしくない」といったクレームが相次いだそうだ。

森三中・大島のおっぱいポロリ事件

2013年の番組
「27時間テレビ」より

▲女風呂を中継をしていたら…

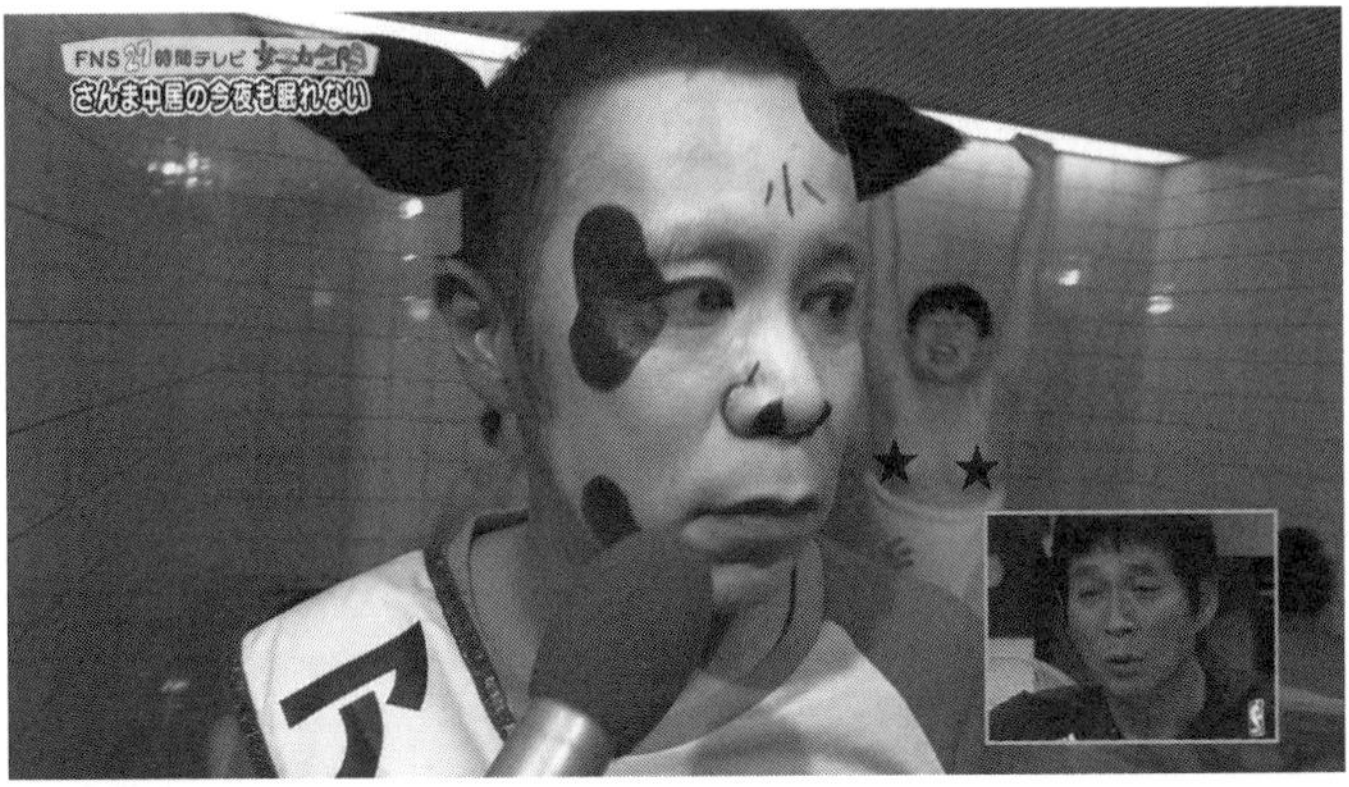

▲大島がポロリ

2013年にフジテレビで放送された「27時間テレビ」で、放送事故が起きた。

深夜の人気コーナー「さんま&中居の今夜も眠れない」で、岡村隆史が女風呂から中継を行っていたところ、森三中の大島美幸が、浴槽から勢い良く立ち上がってジャンプ。両手を高くあげた瞬間にバスタオルがずり落ちてしまった。

ネットでは「久しぶりに本物の放送事故キターー!!」と大盛り上がり。大きな話題を呼んだ。

2005年の番組
「スッキリ!!」より
人気テレビ番組のあり得ないミス200 第5章 ドキドキ

映ってますよ

9:25
アラフォー読者ヌード
撮影現場に潜入!
Yo!

▲朝の情報番組で「アラフォー女性の読者ヌード」というニュースを紹介した際、写真のトリミングを間違ったらしく、乳首がそのまま画面に映しだされてしまった

2009年の番組
「おもいッきりイイ!! テレビ」より
人気テレビ番組のあり得ないミス200 第5章 ドキドキ

ブラ透け

キレイな部屋でニューイヤーを! そし
カン
ペキ
片付け&

▲日本テレビの朝番組で、当時はまだ局アナだった夏目三久のブラが透けてしまう事件が起きた。テレビ局には指摘の電話が相次いだとか

第6章

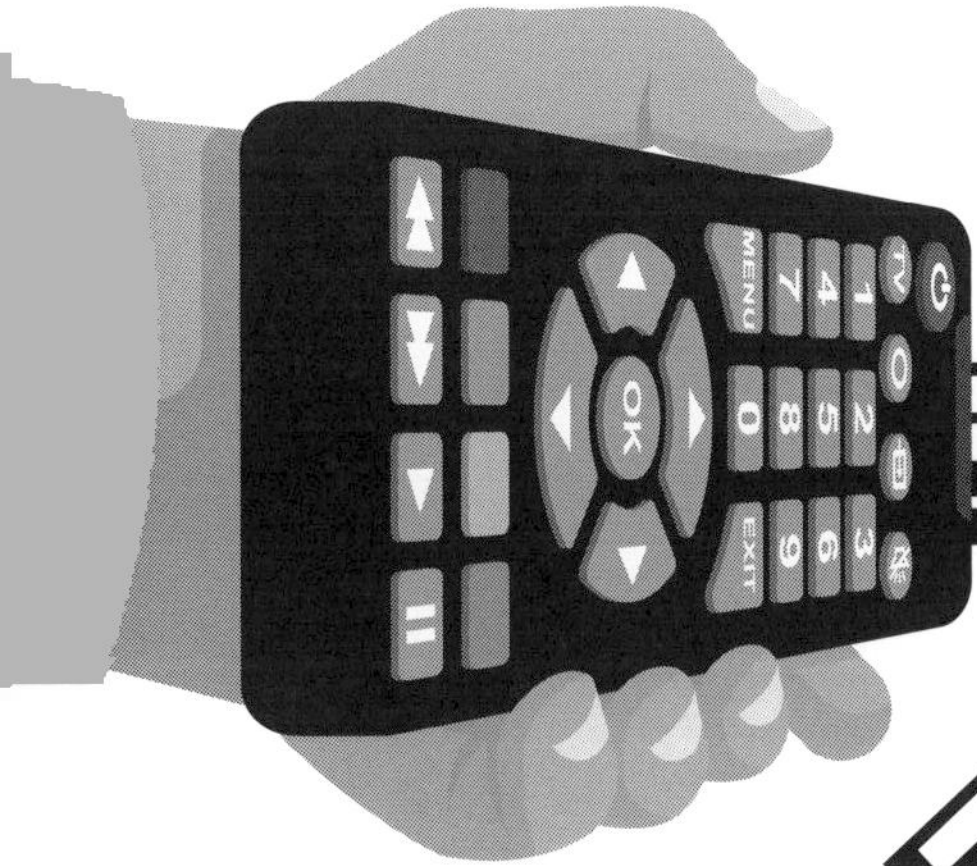

大人の事情

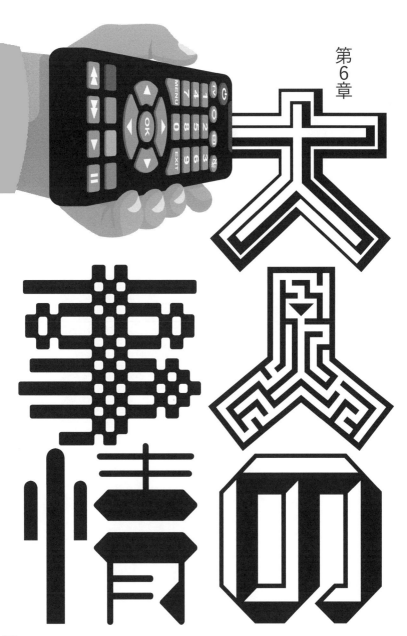

2013年の番組
「マツコの日本ボカシ話」より

ボカシがキツすぎて1話で打ち切りに

▲かなり過激な内容で、視聴者からの批判も多かったらしい

▲出演者にはみんなボカシが入る斬新な演出

2013年10月にTBSで放送された「マツコの日本ボカシ話」は、1回の放送で打ち切りが決まってしまった、伝説のトークバラエティだ。

その内容は、タレントのマツコ・デラックスが、顔出しNGの業界人と過激なトークをするというもの。マツコ以外の出演者にはすべてボカシが入る斬新な演出が話題になったが、この表現方法がTBSの内規に反することが後で判明した。

TBSは演出を変えて再開すると宣言していたが、どうしても調整がつかず、結局はお蔵入りすることになったらしい。

スポンサー6社のうち5社が撤退

▼ドラマはDVDほか有料動画配信サイトHuluで視聴可能

2009年に日テレで放送されたドラマ「銭ゲバ」で、なんとも不可思議なことが起きた。回が進むにつれ、車や家電メーカーなど当初6社あったスポンサーのうち、なんと5社がスポンサーを降りてしまったのである。

ドラマは70年代にジョージ秋山が発表した同名の異色コミックを原作に、極貧家庭に育った主人公が「金のためなら何でもするズラ」とばかり殺人を繰り返しながら金銭と名誉をつかんでいくピカレスクロマン。確かに暗く不道徳な内容だが、もっとハードな作品は他にもたくさんある。一説には、派遣切り問題を描いたことで当時の経団連会長が機嫌を損ね、忖度した関連企業が次々降板していったのだという。果たして真相は。

V系バンドの恐怖演出にクレームが殺到

▲曲が始まると逆さ吊りの男が

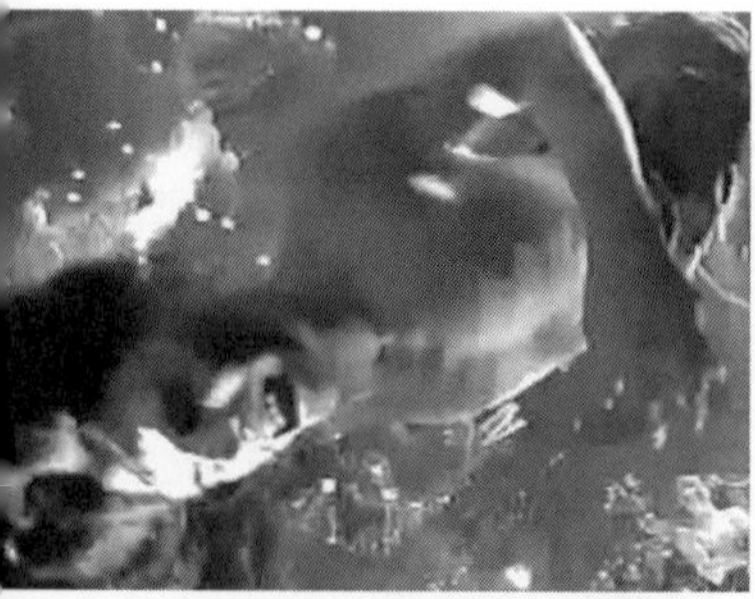

▲逆さ吊りの男も絶叫

▲壁から亡者が叫ぶ

▲確かに怖い

２０００年、テレビ朝日の「ミュージックステーション」に抗議が殺到する事件が起きた。

問題になったのは、有名ロックバンドDIR EN GREYが、「残」という曲を披露したシーン。逆さ吊りの男が暴れたり、壁にめり込んだ男が叫んだりと、凝りに凝った恐怖演出に対して「怖すぎる」とのクレームが殺到したのだ。

また、「ミュージックステーション」の前に放送された番組が「クレヨンしんちゃん」だったのも災いした。その流れで大量の小学生が恐怖シーンを目撃し、クレームの量に拍車がかかった。

マイクが逆

Let yourself go, Let myself go (#291)
Dragon Ash
突き抜けろ空へ 両手をいっぱいに広げて行こう

1999年、ＴＢＳで放送された歌番組「カウントダウンＴＶ」で、めずらしい映像が流れた。

この日のゲストは人気バンドのドラゴンアッシュ。ボーカルの降谷建志が歌い始めると、手に持つマイクの向きがまったく逆だった。

もちろん、マイクの持ち方を間違えたわけではない。「カウントダウンＴＶ」では、放送事故を防ぐためにアーティストに口パクで歌わせる演出が普通だったため、これに反抗して、あえてマイクを反対に持ったのだ。

歌番組の口パク問題を世に広めた、有名な事件である。

大人気だったアスパラマンが逮捕

▲おかっぱ頭のイラン人が登場

▲「一本いっとく?」のフレーズも人気を呼びました

2001年に放送されたアスパラドリンクのCMは、ムキムキでおかっぱ頭の外国人が「アスパラマン」を演じて大人気になった作品だ。

が、2002年、アスパラマンを演じたタレントが、実は11年にわたって不法滞在をしていたことがわかり、そのままCMもお蔵入りになってしまった。

高畑裕太の暴走に坂上忍が放送禁止発言

▲高畑裕太が際どい発言を連発

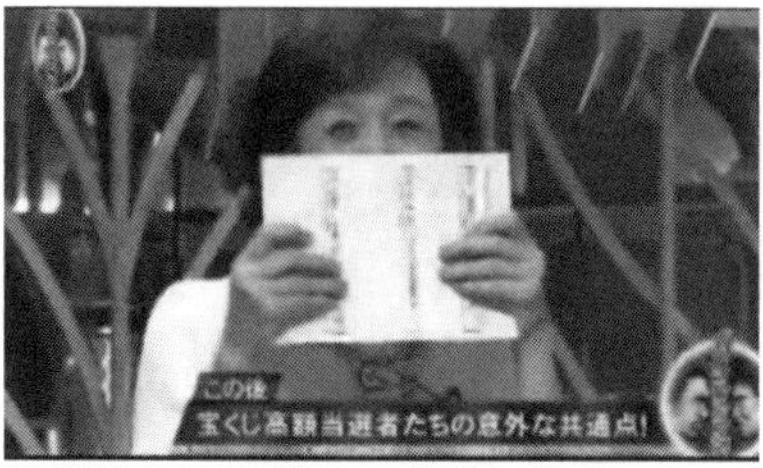

▲高畑淳子が爆笑した瞬間、CMへ

▲坂上忍が思わず放送禁止用語を

▲高畑裕太も爆笑

２０１５年にフジテレビで始まった「ダウンタウンなう」は、「ほぼ生放送」をウリにしたトークバラエティだ。実際に番組が収録されている時間よりも5分だけ遅れて放送する形式を取っており、出演者が際どい発言をしても、ギリギリで放送事故を防げるはずだった。

が、２０１５年８月に高畑裕太が出演したときのこと。高畑が「僕、性欲が強いんです」といった発言を連発したのに対し、坂上忍が「全身がチン○…」と言った瞬間に慌ててピー音が入り、そのままCMへ移動する事態に。いまとなっては、笑えない放送事故となった。

2011年の番組「外交官 黒田康作」より

外交官ドラマに大使館からクレームが

▲主人公がメキシコ大使館に乗り込むシーンが問題に

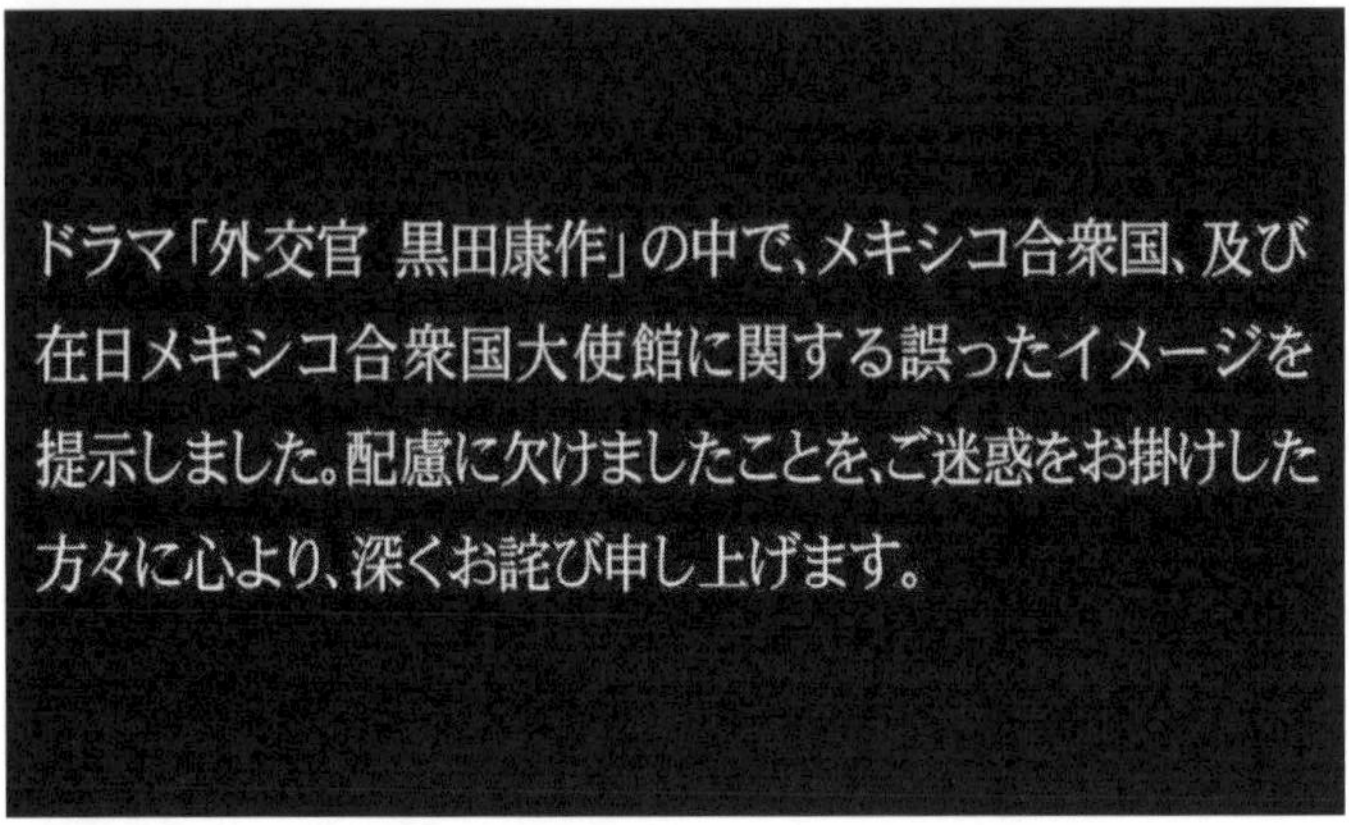
ドラマ「外交官 黒田康作」の中で、メキシコ合衆国、及び
在日メキシコ合衆国大使館に関する誤ったイメージを
提示しました。配慮に欠けましたことを、ご迷惑をお掛けした
方々に心より、深くお詫び申し上げます。

▲番組のなかで謝罪が行われた

2011年にフジテレビで放送されたドラマ「外交官 黒田康作」で、主人公がメキシコ大使館に乗り込み、極秘情報と引換えに大使館員へ交通違反のもみ消しを頼んだり、外交官特権を悪用して不法入国者をかくまうシーンが登場。これに対して、在日メキシコ大使館から「大使館のイメージを損なう」とのクレームがテレビ局に入ったため、翌週の放送では謝罪が行われることとなった。

フジテレビと浅田真央ファンがバトル

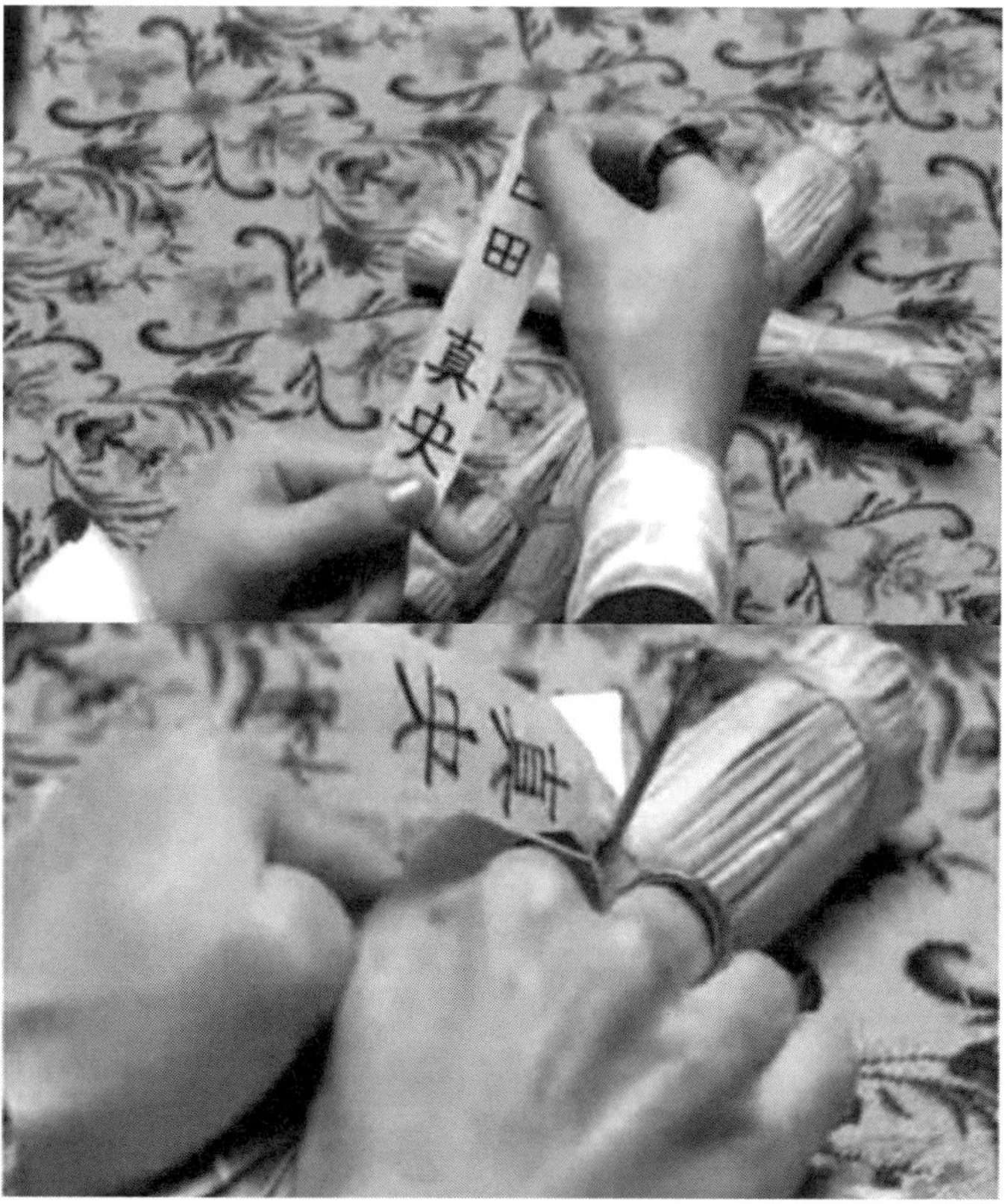

▲確かに浅田真央を連想させますが…

2009年にフジテレビで放送されたドラマ「アタシんちの男子」で、ワラ人形に釘を打つシーンが登場。その人形に「吉田真央」という名前が書かれていたため、「浅田真央を連想させる!」としてスケートファンから批判の声が出た。

もともと、浅田真央ファンのあいだでは「フジテレビは浅田真央への偏向報道が多い」との噂が根強かった。フジテレビだけ、なぜか浅田真央の変な表情の写真を使ったり、インタビューをカットするケースが多いというのだ。その真相は不明だが、フジと浅田真央ファンの確執はいまも続いている。

堀越学園を実名でディスって問題に

▲高校の出来の悪い生徒が、寺で勉強合宿に集まった

▲生徒のひとりが、女性に対して勉強を教えてもらおうとすると…

▲そこへ、元グラビアアイドルという設定の女性が登場

▲「それは無理、私、堀越だから」

2014年、宮藤官九郎が脚本を手がけた学園コメディ「ごめんね青春!」で、トラブルが起きた。

作中で、元グラビアアイドルという設定のキャラが「堀越学園の出身だから勉強ができない」という趣旨のセリフを発言したため、堀越の校長から直々にテレビ局へ抗議が行われたのだ。

堀越学園は、芸能関係の卒業生が多いことで有名な実在の学校。あくまで軽いギャグシーンだったが、本エピソードは再放送ができなくなっている。

現実の事件に似てたせいでお蔵入り

2007年の番組「セクシーボイスアンドロボ」より

▲第7話は、中年男性がハンバーグ店に立てこもる話だった

▲現実の立てこもり事件を連想させるとして放送禁止に

2007年に日本テレビで制作された「セクシーボイスアンドロボ」は、全11話の予定だったが、放送の直前に第7話がお蔵入りになってしまった。

第7話は2007年5月にオンエア予定だったが、このなかにハンバーグ店に立てこもる場面があったため、「愛知の立てこもり事件を想起させる」として直前に放映休止が決定。当日は第2話が再放送された。

ファンからは「過剰反応」との批判が多くあがり、DVDには第7話が収録されている。

ストーリーの途中でいきなり野球中継

▲「仇討ち」が合法化された世界を描くストーリー

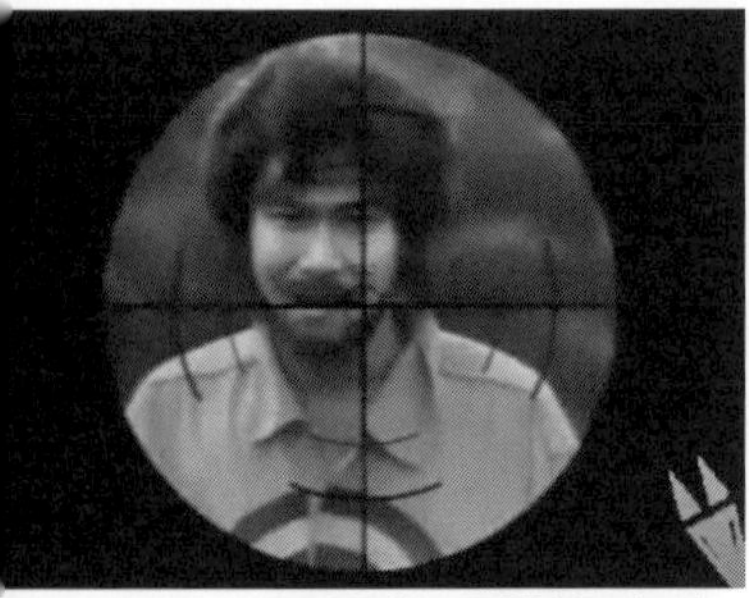

▲緊迫の展開だったが…

▲主人公が殺人犯を追い詰める

▲急に野球中継に切り替わった

２００１年にフジテレビで放送された「世にも奇妙な物語」のなかで、視聴者を激怒させる事件が起きた。

その日、番組では「仇討ショー」という物語を放送していた。身内を殺された主人公が、殺人犯を自分で追い詰めていく緊迫のストーリーだ。

が、主人公が殺人犯を殺すシーンになったところで、いきなり『ヤクルト×阪神』の優勝決定戦の生中継がインサート。そのまま試合が流れ続けたのだ。

この事態に、テレビ局にはクレームが殺到。ファンからは「世にも奇妙な物語史上最大の悪夢」と評された。

安藤美姫の出演回がなぜかお蔵入りに

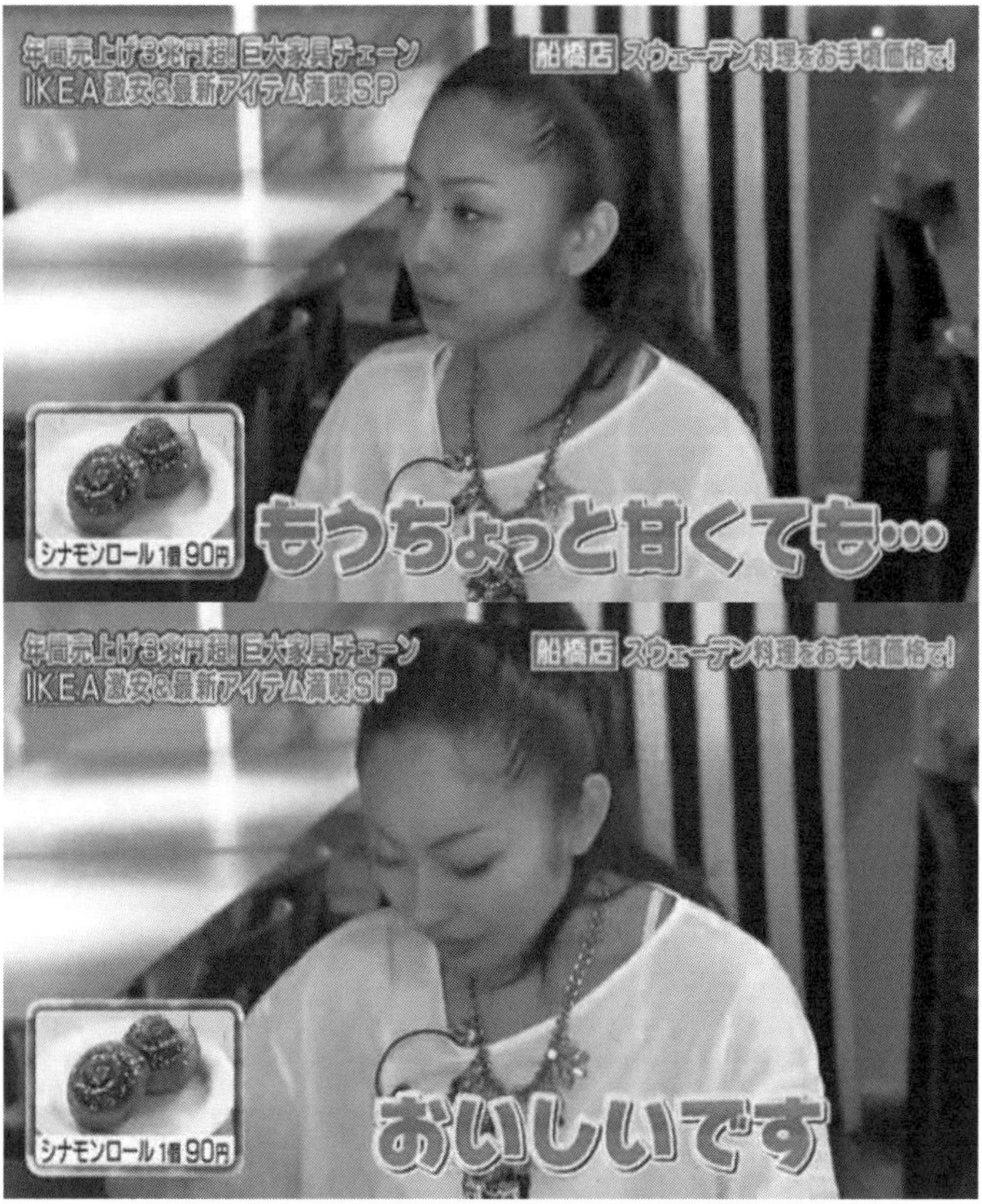

▲確かに、予告編の試食シーンはぎこちない印象でしたが…

2014年7月、フジテレビのバラエティ「おじゃマップ」で、次回予告として放送されたシーンのオンエアがなかったとして問題になった。事前の放送では、安藤美姫がショッピングモールに登場すると予告されていたのに、なぜかまったく別の企画がオンエアされたのだ。

その理由は不明だが、一説には安藤美姫の試食シーンに愛想がなかってせいで、スポンサーが怒ってしまったのだとか。この処置に対し視聴者からはクレームが殺到。BPO審議に発展しかねない大問題となった。

坂上忍のマネージャータテ読み仕込み事件

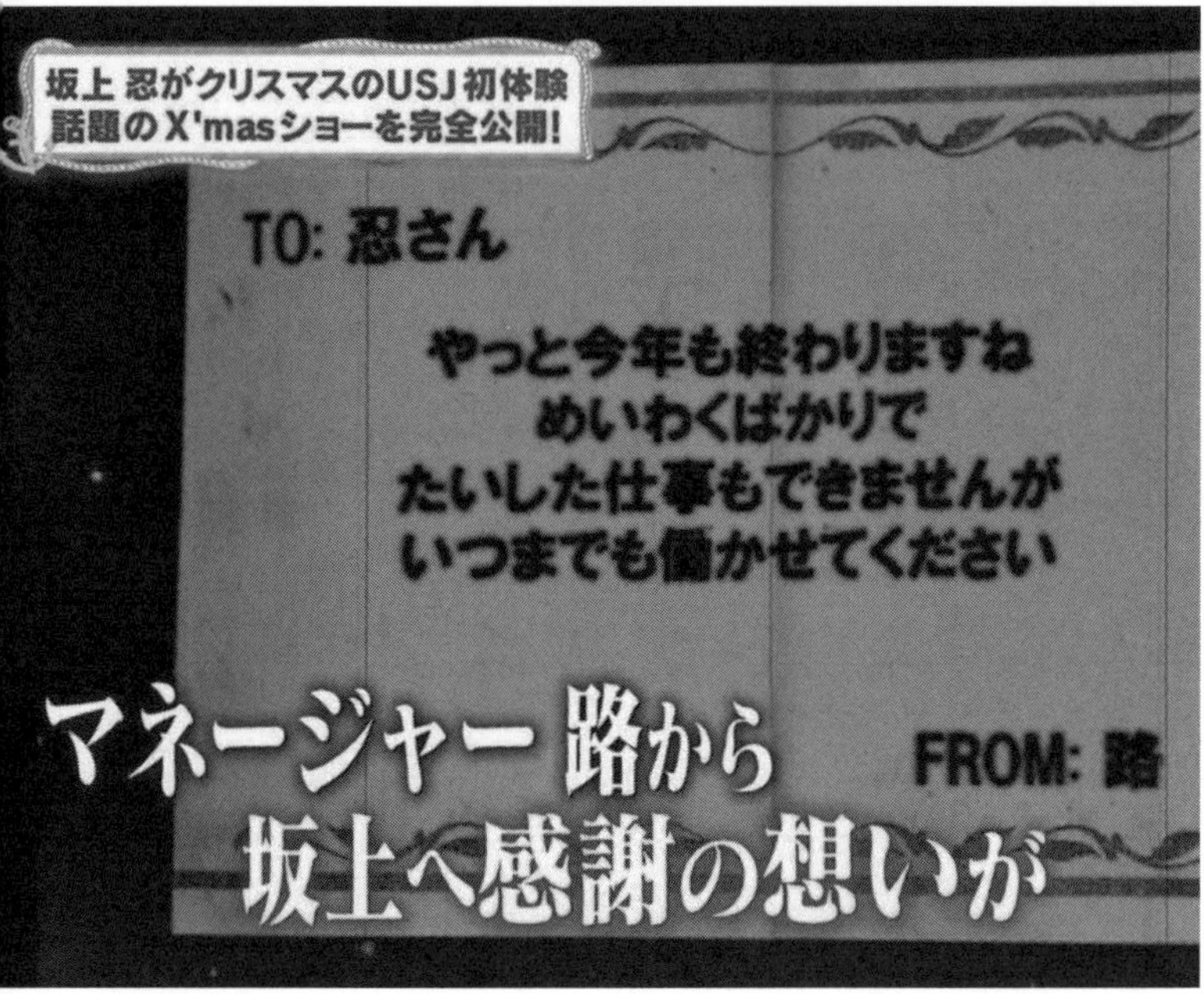
坂上 忍がクリスマスのUSJ初体験
話題のX'masショーを完全公開!
TO: 忍さん
やっと今年も終わりますね
めいわくばかりで
たいした仕事もできませんが
いつまでも働かせてください
FROM: 路
マネージャー 路から
坂上へ感謝の想いが

２０１４年、フジテレビのお昼の情報バラエティ「バイキング」で、ちょっと変わった事件が起きた。

この日は「ＵＳＪスペシャル」と銘打ち、司会の坂上忍のためにクリスマスショーを再現するという企画だった。その中で、担当マネージャーから「感謝のメッセージ」がサプライズで登場。その感動的な内容に、思わず坂上忍も涙を流した。

が、後にこのメッセージに対し、ネットで指摘が出た。メッセージをタテ読みすると「やめたい」という文章が現れるというのだ。

この「タテ読み」、番組内では特に触れられなかったため、マネージャーが独断で仕込んだ可能性が高い。本気で辞めたいのかは不明だが。

2010年の番組「お元気ですか 日本列島」より

タイトルバックが意味深すぎる件

▲被災地の映像に「お元気ですか」

▲なんだかギリギリの映像です

NHKの情報番組「お元気ですか 日本列島」は、定期的にオープニング映像が「なんかモヤモヤする」として話題になる。被災地の映像に「お元気ですか」のタイトルをかぶせてみたり、巨大な男根を使った祭りをバックにしてみたりと、どうも狙っているとしか思えない映像が多いからだ。

もちろん、意図的なものではないと思うが…。

番組スタッフの飲酒運転で打ち切りに

2003年に日本テレビで始まった「雲と波と少年と」は、桜井幸子と進藤晶子が司会を務めた、癒し系のバラエティ番組だ。

しかし、第1回が放送された翌日の2003年1月に、メイン企画のひとつである「屋久島便り」の制作スタッフが飲酒運転による事故を起こし、相手を死傷させてしまった。この問題が原因で「屋久島便り」は1回の放送で打ち切りに。さらに、番組そのものも、6回だけで終了することになってしまった。

軽いギャグが問題になって打ち切りに

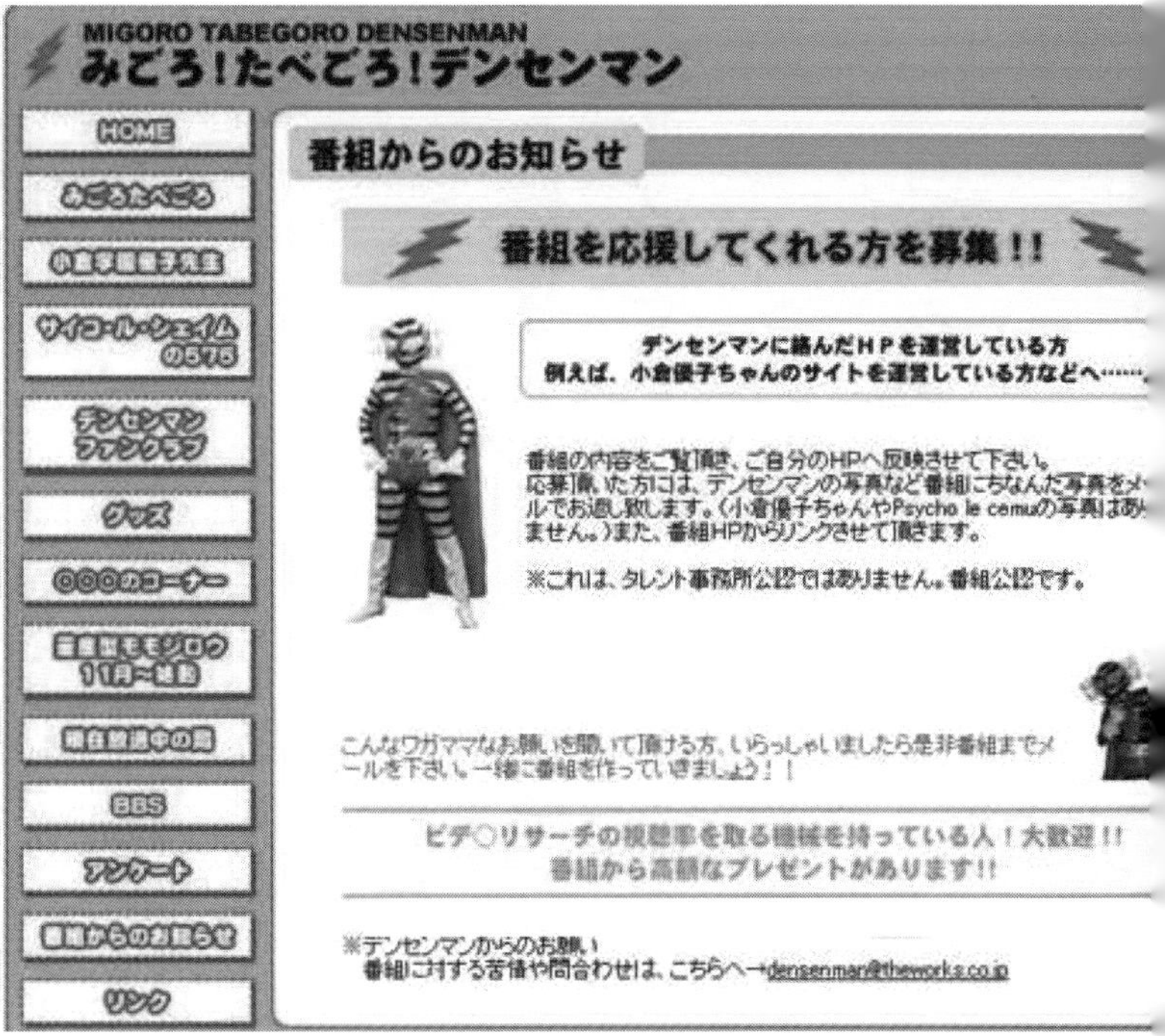
MIGORO TABEGORO DENSENMAN
みごろ!たべごろ!デンセンマン
HOME
みごろたべごろ
サイコ・ル・シェイムの575
デンセンマンファンクラブ
グッズ
○○○のコーナー
BBS
アンケート
番組からのお知らせ
リンク
番組からのお知らせ
番組を応援してくれる方を募集!!
デンセンマンに絡んだHPを運営している方
例えば、小倉優子ちゃんのサイトを運営している方などへ……
番組の内容をご覧頂き、ご自分のHPへ反映させて下さい。
ませんu。)また、番組HPからリンクさせて頂きます。
※これは、タレント事務所公認ではありません。番組公認です。
こんなワガママなお願いを聞いて頂ける方、いらっしゃいましたら是非番組までメールを下さい。一緒に番組を作っていきましょう!!
ビデ○リサーチの視聴率を取る機械を持っている人！大歓迎!!
番組から高額なプレゼントがあります!!
※デンセンマンからのお願い
番組に対する苦情や問合わせは、こちらへ→densenman@theworks.co.jp

2003年にテレビ朝日で放送された「みごろ！ たべごろ！ デンセンマン」は、多数のグラビアアイドルが出演して人気を呼んだバラエティだ。

日曜早朝の放送にもかかわらず高い視聴率を得た番組だったが、同年10月下旬にトラブルが起きた。番組スタッフが、公式サイトに「番組を応援してくれる方を募集!! ビデ○リサーチの視聴率を取る機械を持っている人！ 大歓迎」といったギャグを書き込んだところ、テレビ朝日が「不適切である」として番組を打ち切ってしまったのだ。

軽いギャグが大事になった珍しい事件だ。

将棋の解説中にいきなり告白

▲普通に将棋の解説をしていたが…

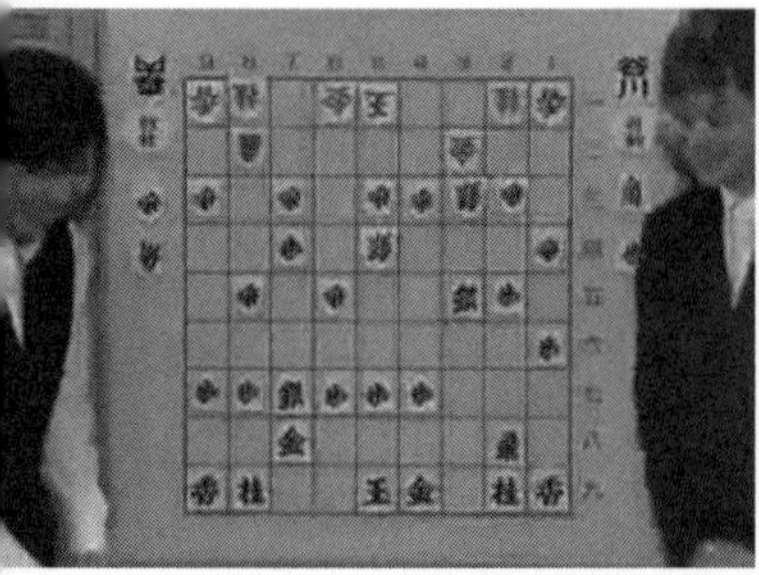

▲女流棋士は苦笑

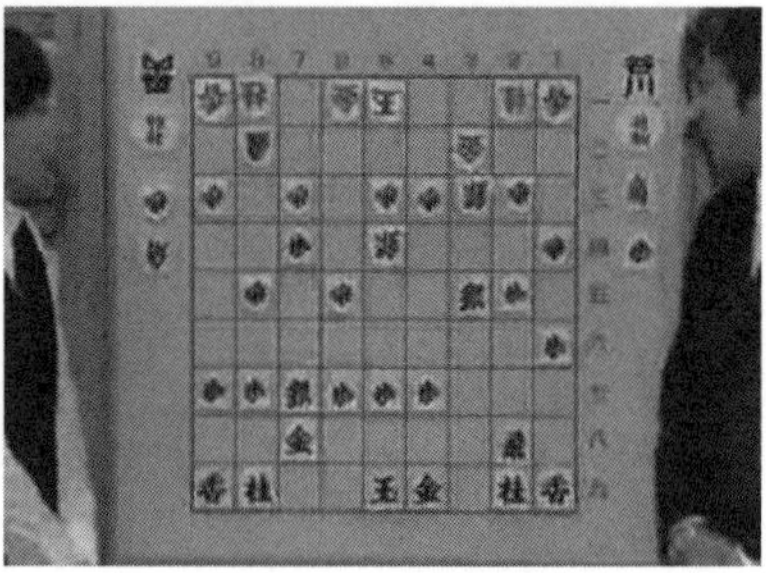

▲いきなり「矢内さんをあきらめます」と告白

▲現場は気まずい空気に

２００６年に放送された、第64期名人戦第1局の解説番組でのこと。山崎隆之八段の解説に対して、女流棋士の矢内理絵子が「断言してしまって大丈夫ですか?」と返したところ、山崎棋士がしばらくためらったあとで「これで当たらなかったら…矢内さんをあきらめます」と急な告白。現場に気まずい空気が流れた。

山崎棋士の告白は実らなかったが、それから6年後、矢内棋士の結婚が決定。婚約パーティーに現れた山崎棋士は、壇上で再び「あきらめます」と発言して喝采を浴びた。

2003年の番組
「競艇レジャーチャンネル」より

アナウンサーの爆笑で実況できず

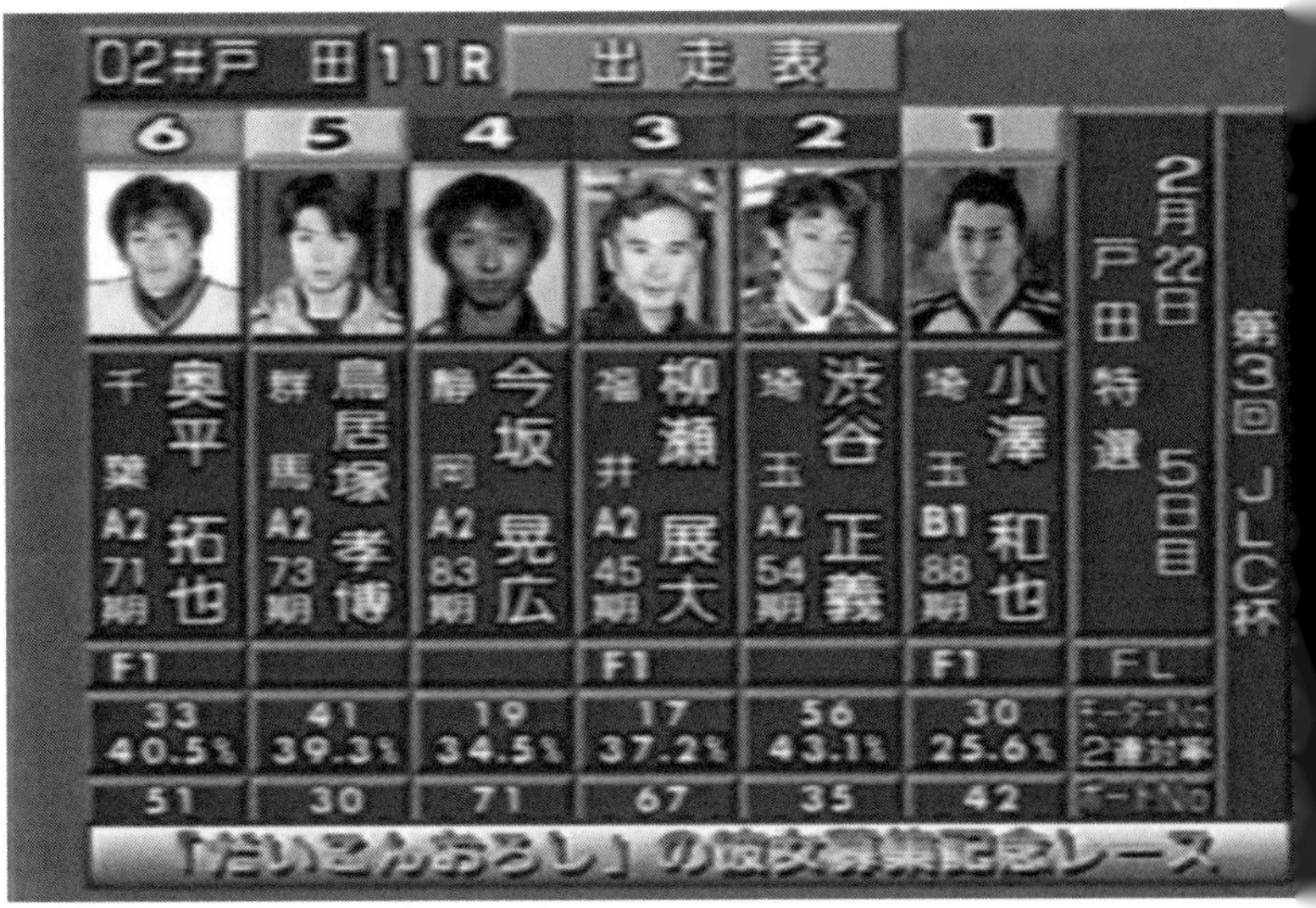

▲笑ってしまう気持ちはよくわかります

2003年2月、戸田競艇の冠協賛レースでハプニングが起きた。「冠協賛レース」とは、協賛金さえ支払えば、一般人でもレース名が決められるシステムだ。

この日のレースにつけられた名前は、「『だいこんおろし』の彼女募集記念レース」。群馬に住む独身男性が、彼女を探すために協賛金を払ったらしい。

冠協賛レースでは、冒頭に協賛者からのメッセージを読み上げねばならない。その時の実況は、以下のようなものだ。

『第11レースのタイトルは「だいこんおろし」の彼女募集記念レースとなっています。(中略)人柄は良いのになぜか女性に縁が無い。ここいらで、人生というレースで万舟を取って欲しい。なお、だいこんおろしさんについて詳しく知りたい方は(笑)ご覧のアドレスまでアクセスして下さい。』

なんともいえないメッセージに、実況を担当した小田桐奈緒美アナウンサーが途中から爆笑。笑いをこらえるのに必死になり、アナウンスが15秒も途絶える事態になってしまった。

その後も笑いは引かず、レース情報の解説も半笑いの状態に。競艇史に残る珍実況になってしまった。

2005年の番組「女王の教室」より

過激な内容にスポンサーがクレジット自粛

▲第1話ではCM前に提供クレジットがあったが

▲第5話からは何も表示されずにCMへ

2005年に放送されたドラマ「女王の教室」は、天海祐希が演じる鬼教師が「人もうらやむような幸せな暮らしができる人はこの中の6%」「特権階級が望んでいるのは、生徒が愚かでいてくれること」といった厳しいセリフを生徒にぶつける様子が人気を呼んだヒット作だ。

が、過激なセリフに一部の親が抗議を行ったため、第5話からスポンサーが提供クレジットを取りやめる事態に。ファンからは、逆に「過剰反応だ」とのクレームが出た。

第7章

不謹慎

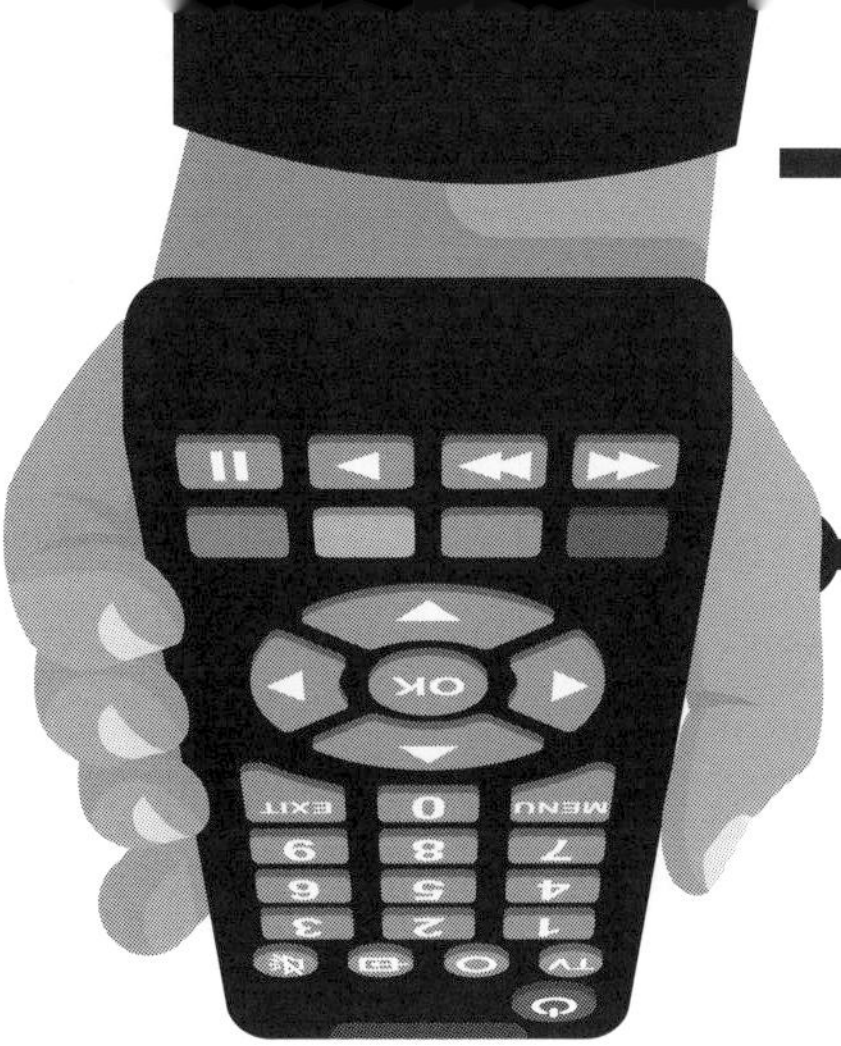

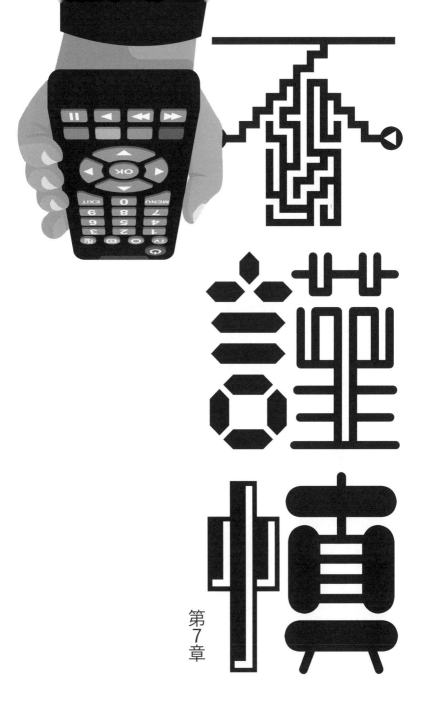

1986年の番組
「おはようナイスデイ」より

3億円強奪事件発生！↓キャスター大爆笑

▲報道センターへ中継をつなぐ

▲キャスターが大爆笑

▲笑いがおさまらない

▲あわてて司会者が謝る

1986年、有楽町の三菱銀行で現金輸送車が襲われ、3億円が強奪される大事件が発生。翌朝のニュースで大きく報道された。

ところが、フジテレビの「おはようナイスデイ」では、3億円事件のニュースで報道センターへ画面が切り替わった瞬間、うまく中継が切り替わらなかったせいで、キャスターの露木茂氏が豪快に笑う様子が延々と流れることに。普段なら凡ミスとして処理されるところだが、事件の深刻さとの落差が大きかったため、フジテレビには大量のクレームが殺到したという。

スマホのCMでいじめを助長？

▲会話する女子学生

▲「連絡の電話をするね」

▲「あ、いいよ。キャリアが違うと電話代がかかっちゃうから」

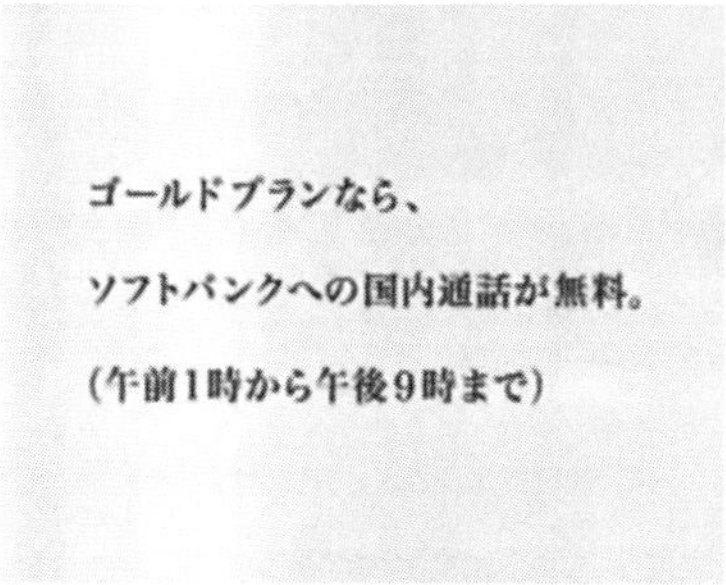
ゴールドプランなら、
ソフトバンクへの国内通話が無料。
（午前1時から午後9時まで）

▲この描写が問題になった

２００６年にソフトバンクが制作したＣＭが、大きな騒ぎになった。

その内容は、４人の女子学生が会話しているシーンで、そのうち１人だけがソフトバンクに加入していなかったため、連絡の電話をもらえないというもの。

この描写に対し、視聴者から「仲間はずれを助長する」との意見がＪＡＲＯに殺到。苦情の電話は１日２５０件にものぼったという。

いまから思うと過剰反応な感じも強いが、その後ＣＭはすぐに打ち切られてしまった。

神聖な仏像をいじったせいでお蔵入りに

1988年の番組
「ドデカホーン CM」より

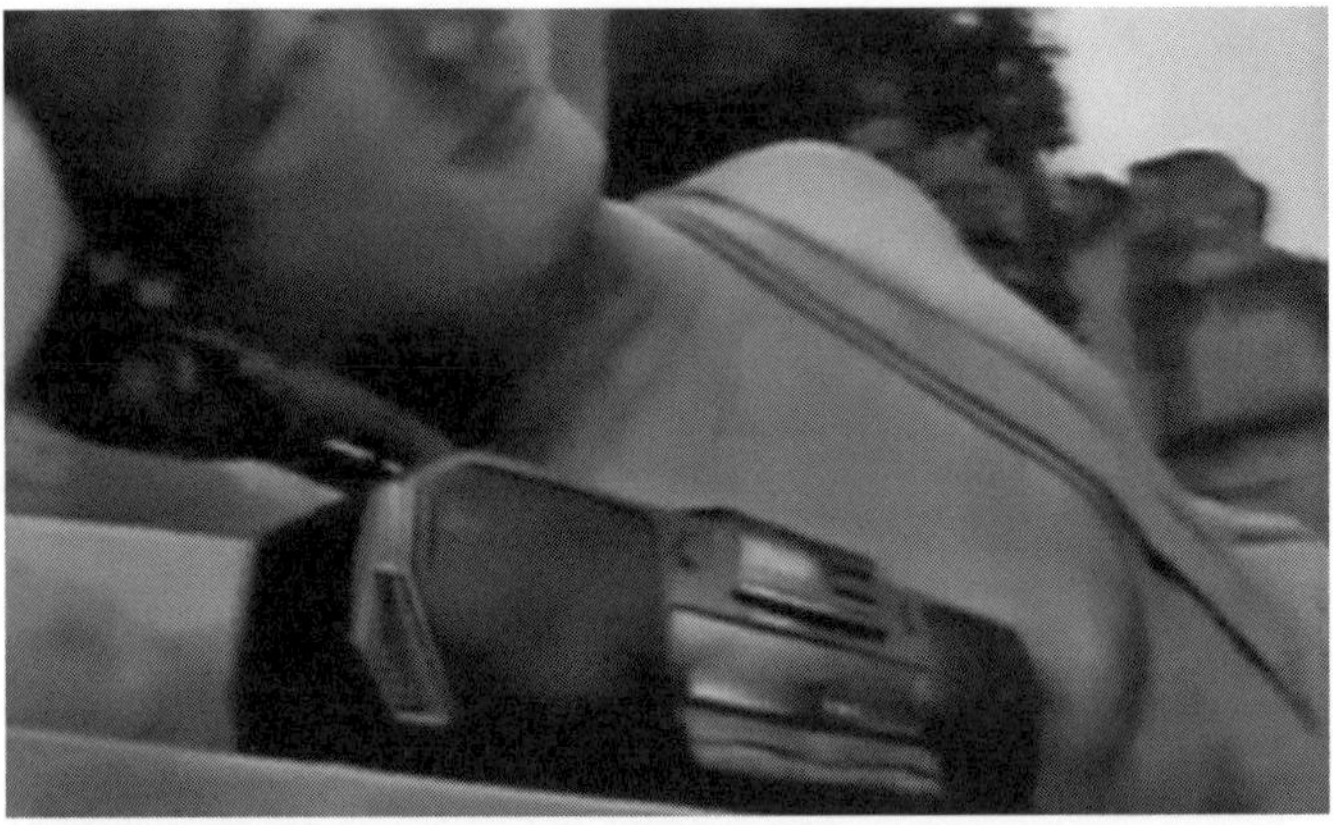

▲お釈迦様に向かって重低音が鳴り響く

▲この描写にタイ政府が激怒

1988年、ソニーから発売されたラジカセ「ドデカホーン」のCMが放送禁止になった。

その内容は、横になったお釈迦様の銅像に対して、ドデカホーンが重低音を響かせるというものだ。横になったお釈迦様は、タイでは非常に神聖な存在だったため、この描写に対してタイ政府が激怒。メーカーにクレームを入れたため、すぐに放送中止が決まった。

1988年の番組
「タンスにゴン CM」より

おじいちゃん、また死んだふりしてる〜

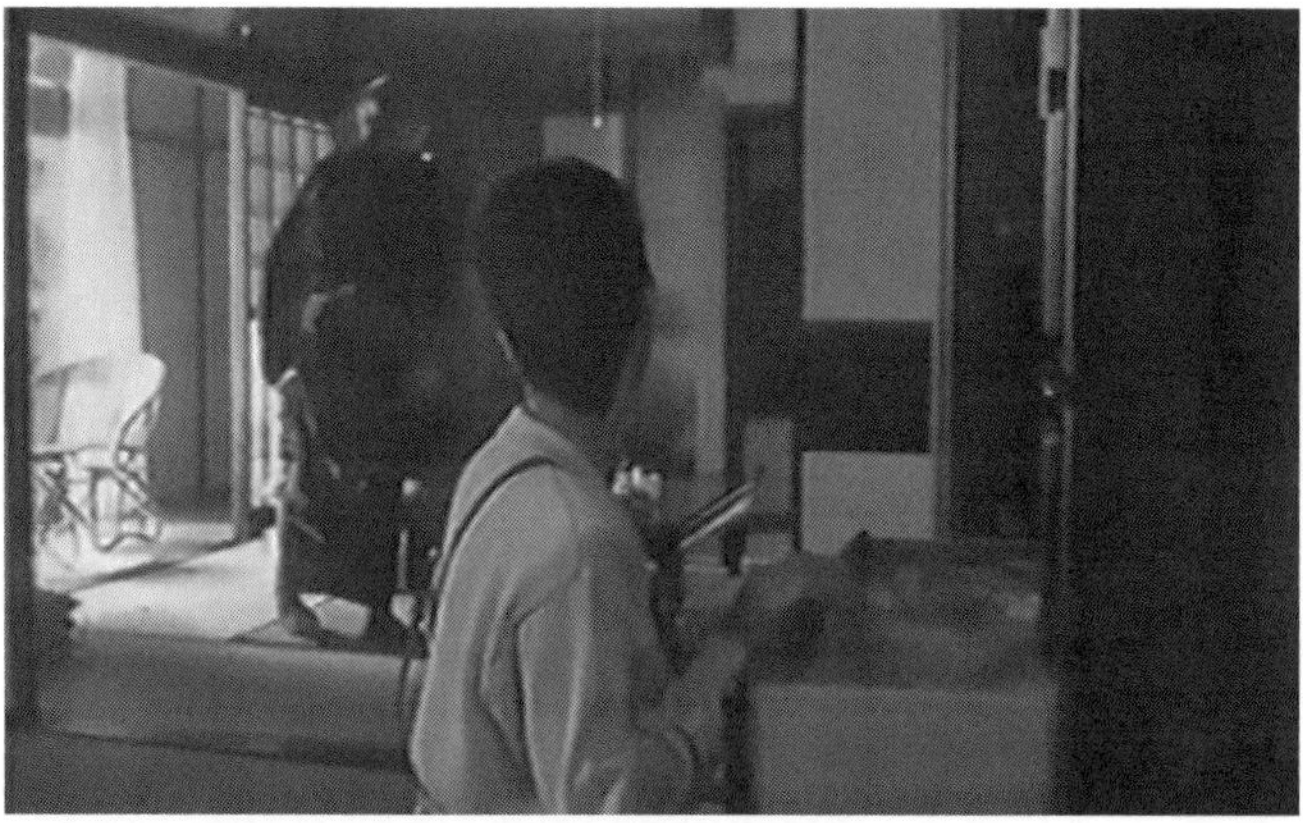

▲「おじいちゃん、タンスにゴン買ってきて」

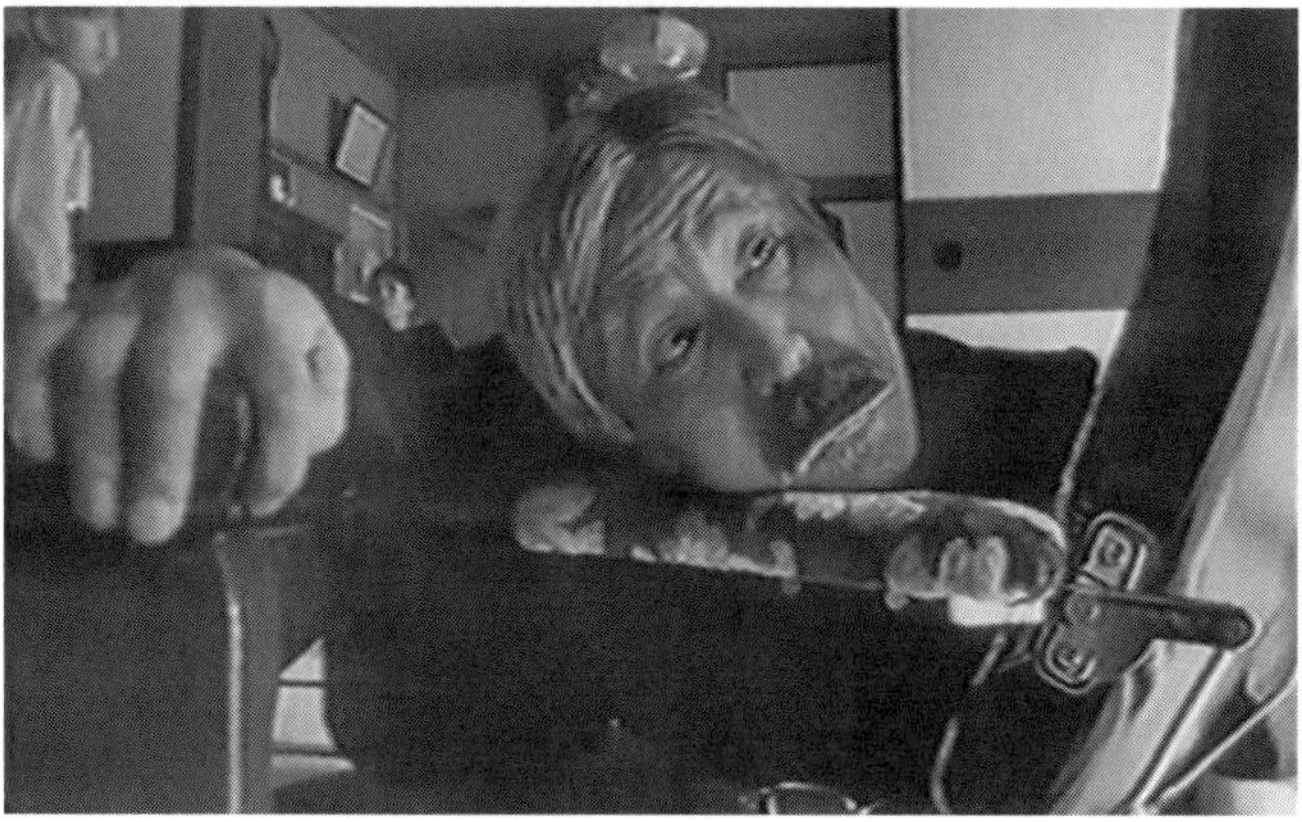

▲「おじいちゃん、また死んだふりしてる〜」

1988年、「タンスにゴン」のCMが問題になった。

物議をかもしたのは、娘から「タンスにゴンを買ってきて」と頼まれたおじいちゃんが、急にその場に倒れて死んだふりをするシーン。それを見た孫が「おじいちゃん、また死んだふりしてる〜」とつぶやくセリフに対し、「不謹慎だ」「老人虐待だ」などのクレームが多く出たため、セリフを「おじいちゃん、また寝たふりしてる〜」に差し替えることとなった。

ゴミを投げる描写に猛クレームが

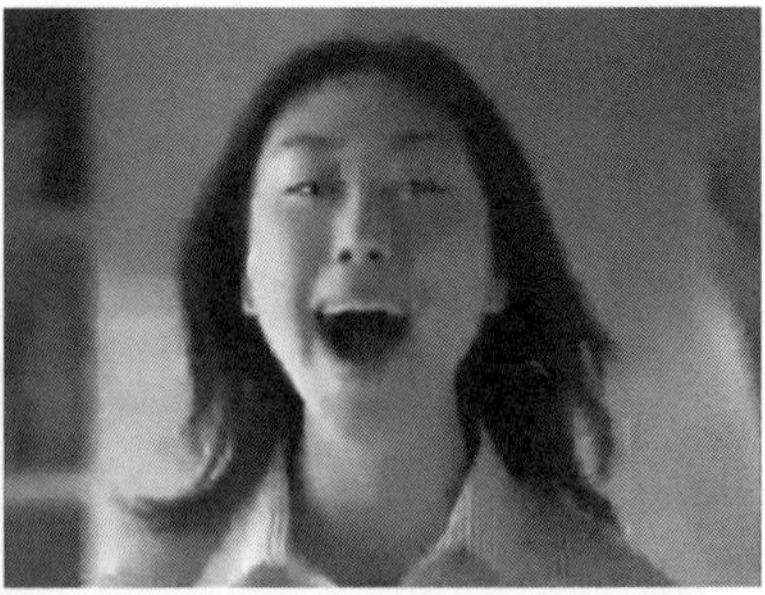

▲リステリンでスッキリした女性が…

▲ゴミ袋を大きく振りかぶって

▲投げた!

▲この描写が大問題に

2008年に制作されたリステリンのCMは、2回も表現の変更があった作品だ。

　まず問題になったのは、疲れきった様子の女性が「まだ水曜日か…」とつぶやくシーン。これに対して、「水曜日を楽しみにしている人もいる」とのクレームがつき、セリフがカットされた。

　さらに、その後で女性がゴミを放り投げて収集車へ放り込むシーンにも「倫理的に問題がある」とのクレームが。結局は、すべてのシーンを再撮影して、差し替えバージョンを放送することになった。CM制作も大変である。

2008年の番組

「イーモバイル CM」より

オバマ大統領をサルに見立てて放送禁止

▲サルが「チェンジ!」と演説。完全にオバマ大統領です

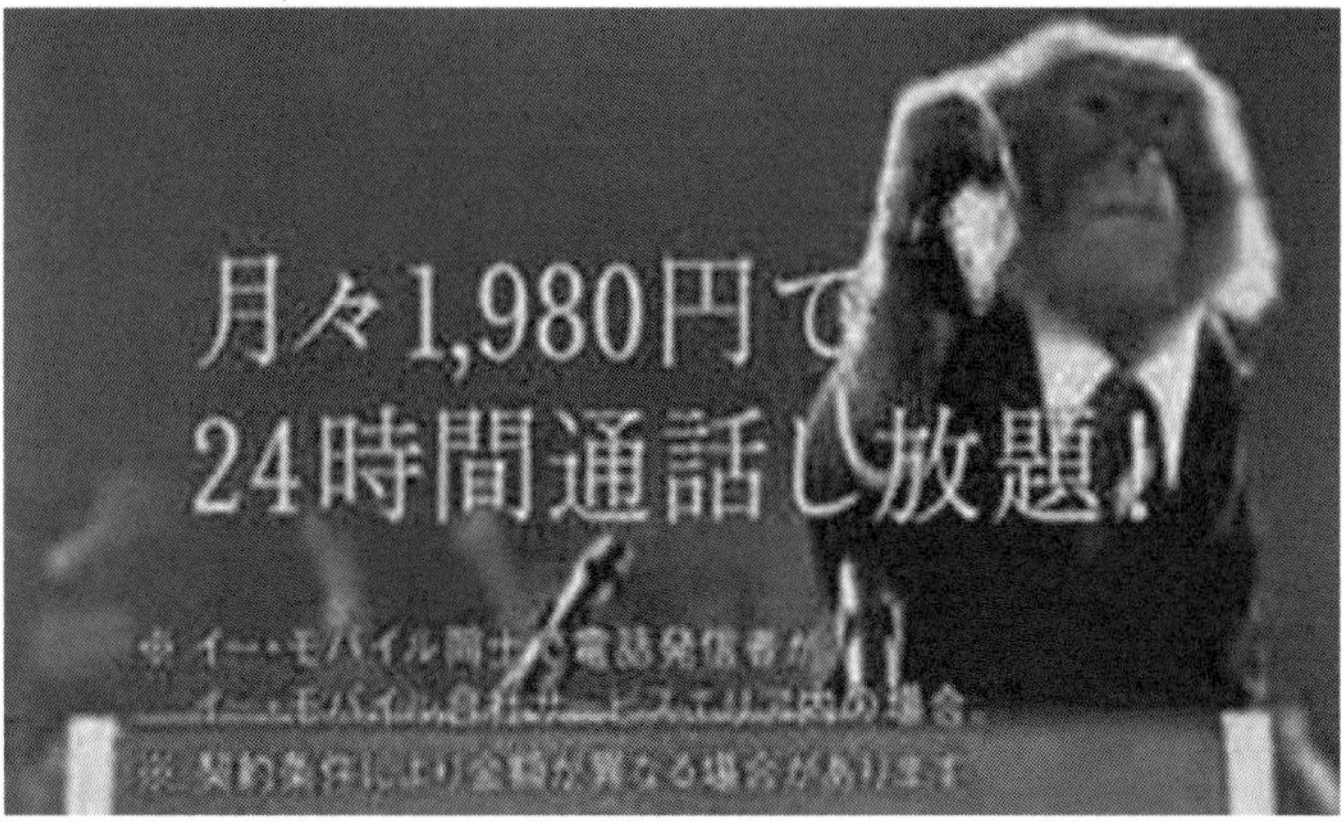

▲この描写が「人種差別だ」と大問題に

2008年、オバマ大統領をサルに見立てたCMが放送され、すぐに放送禁止に追い込まれた。

その内容は、スーツを着たサルが演説台に立ち、「チェンジ!」と叫ぶというもの。確かにオバマ大統領を模しているのは間違いない。

この描写に対し、「人種差別に当たる」という批判がネットから続出。すぐに放送中止が決まった。

劇団ひとりのモノマネが大炎上した件

2011年、フジテレビで放送された「笑っていいとも!」の特番で、炎上騒動が起きた。

タレントがモノマネを披露するコーナーのなかで、お笑い芸人の劇団ひとりがブータン国王のモノマネを披露。国王の扮装をしたまま鼻をほじる仕草などをしたために、視聴者からは「国交断絶されるレベル」や「こういうのは気分悪いわ」といった怒りの声が放送局に殺到したという。

もともとブータン国王は親日派として有名だったため、視聴者の怒りに火を注いでしまったらしい。

女性蔑視だとのクレーム殺到の問題CM

1993年の番組
「アサヒドーカメラ」より

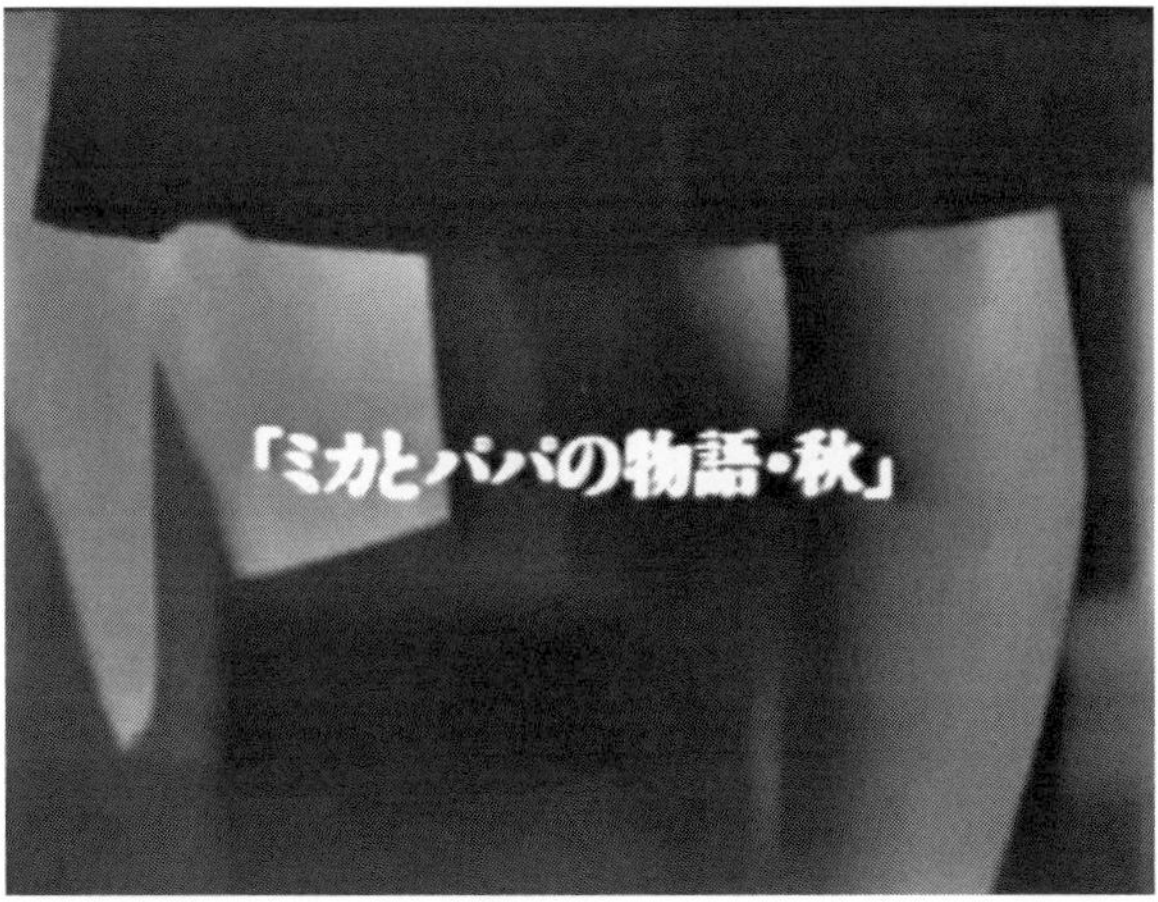

▲女性が「パパ」に何かを買ってもらう相談をしている

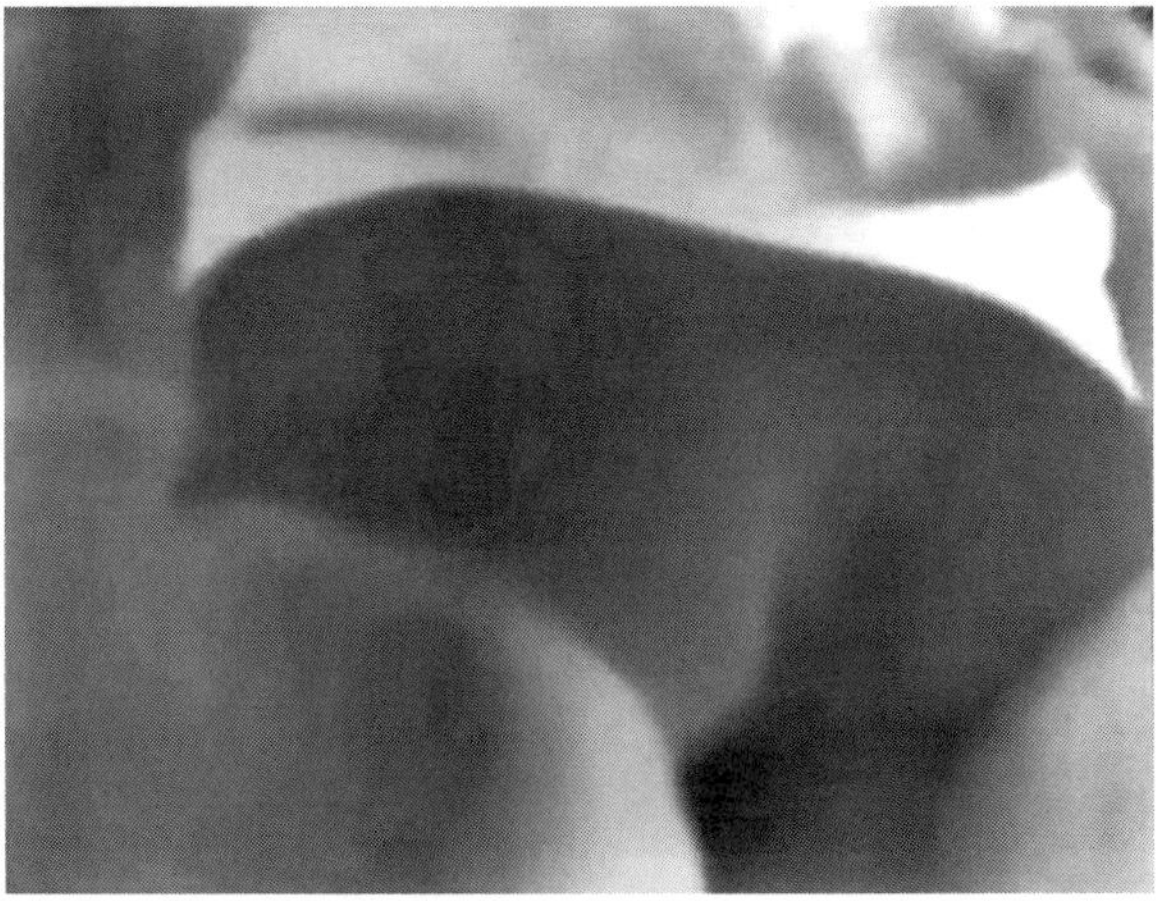

▲ブルマのアップが続く演出も問題視された

1993年、名古屋のアサヒドーカメラが制作したローカルCMに抗議が殺到した。その内容は、ミカという名の女性が「パパ」に欲しいものをねだるというもの。さらに画面には延々と女性のブルマが映しだされていたため、某婦人団体から「不倫を連想させる」「女性蔑視だ」との抗議が殺到する騒ぎになった。ただし、放送禁止にまではいたっていない。

おかしのCMが不倫ネタで大炎上

2013年の番組「うす焼えびせん CM」より

▲夫がえびせんを買ってきた

▲うれしそうに受け取る妻

▲しかし、そのままホテルへ行き…

▲不倫相手とせんべいを食べる

２０１３年、「うす焼きえびせん」のCMが放送禁止になった。

その内容は、仕事で伊勢に出張した男が、土産で「うす焼きえびせん」を購入。それを受け取った妻が、せんべいを持ってホテルへ出向き、不倫相手と思われる男性と一緒に食べるというものだ。

この描写に対し、視聴者から「不倫を連想させる！」とのクレームが殺到。すぐに放送が打ち切りとなった。

やはり、世間は不倫ネタに厳しいようだ。

痛々しすぎる映像にクレームが殺到

1997年の番組
「公共広告機構 CM」より

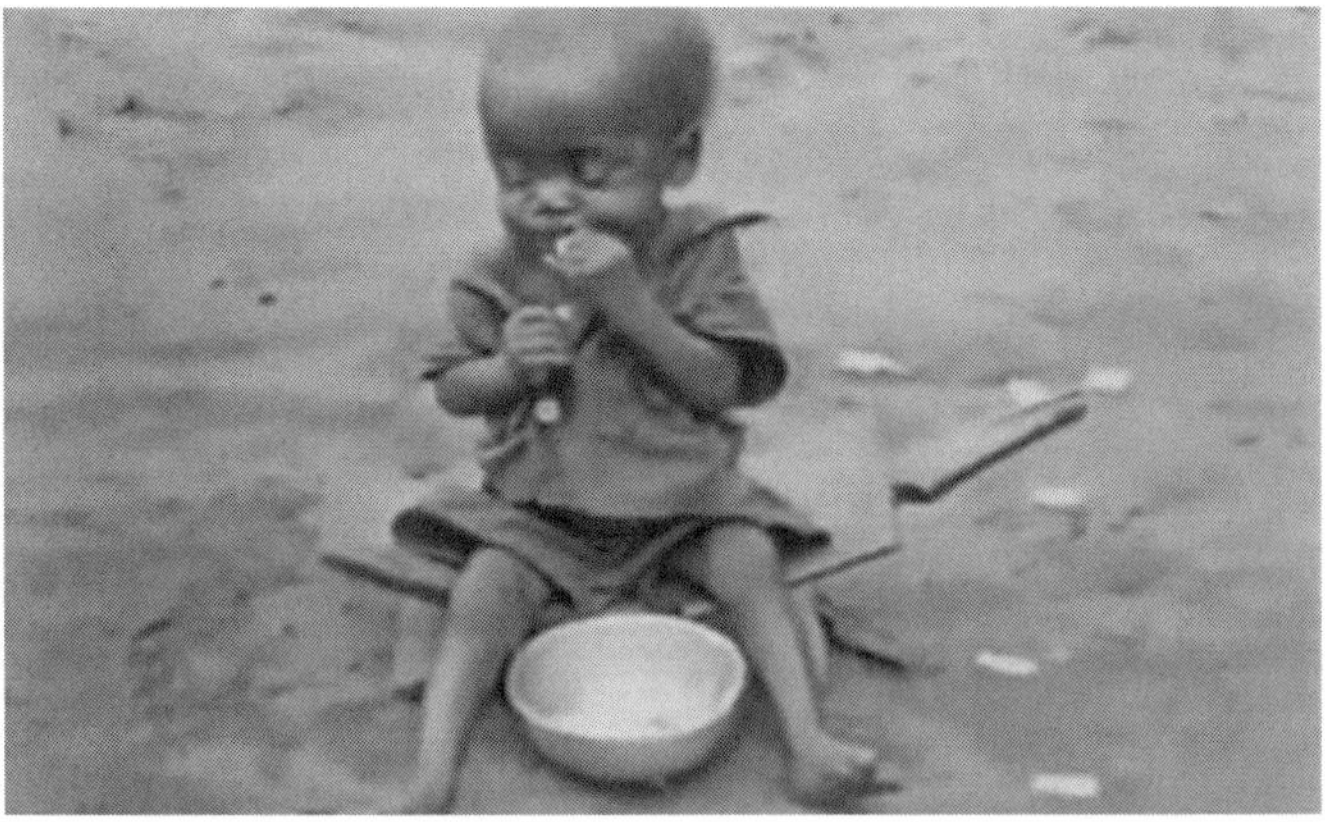

▲小さな子が少ない食料を食べ続ける

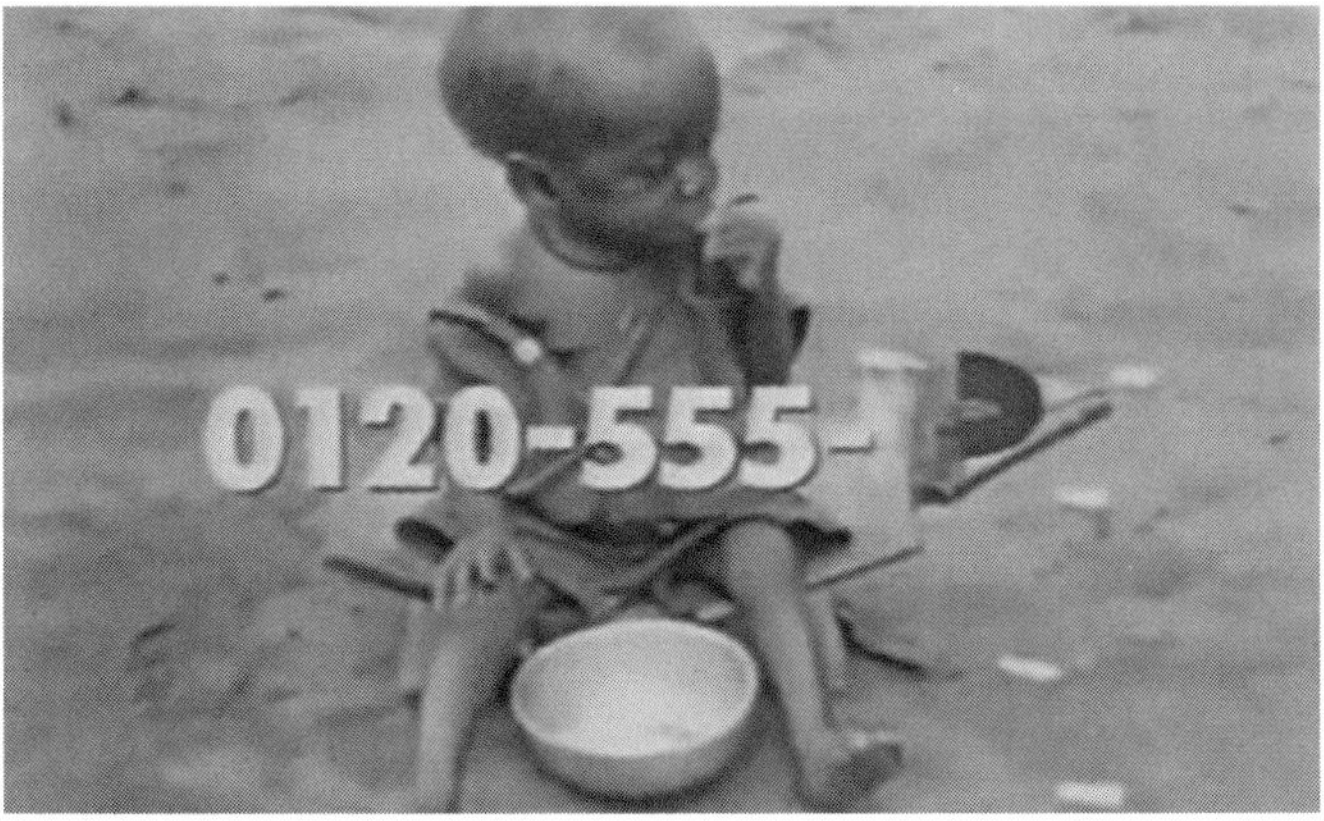

▲確かに痛々しい映像です

1997年に公共広告機構が制作したCMに、視聴者から苦情が殺到した。

その内容は、貧しい国に住む小さな子供が、皿に入った少ない食料を口に運ぶ映像が流れ続けるというもの。貧しい国の現実を訴える貴重な作品だが、一部の視聴者から「見た目とBGMが怖い」「痛々しくて見ていられない」とのクレームが寄せられた。ただし、放送中止にはならずに済んでいる。

CMのマネをして小学生が大ケガ

▲閉店間際の洋服店に
3人の女性があらわれ…

▲シャッターをのぞきこむ

買いたい時には、
閉まってる。

▲まだ覗きこむ

カタログショッピングの
ニッセン

▲通販の宣伝でした

1995年、ニッセンのCMが事故を引き起こして、社会問題になった。

石田えりや田嶋陽子が閉店間際の洋服店に現れ、閉まっていくシャッターをひたすら覗き込むというユニークな内容だったが、放送スタートから間もなく、福岡県の小学生がCMの真似をして首をはさまれる事故が発生。幸いにも命に別状はなかったが、CMの演出が問題視されることとなった。

その後、CMには「良い子はマネをしないでください」というテロップが挿入されて放送が続けられた。

2014年の番組
「明日、ママがいない」より

児童虐待の描写が国会でも問題に

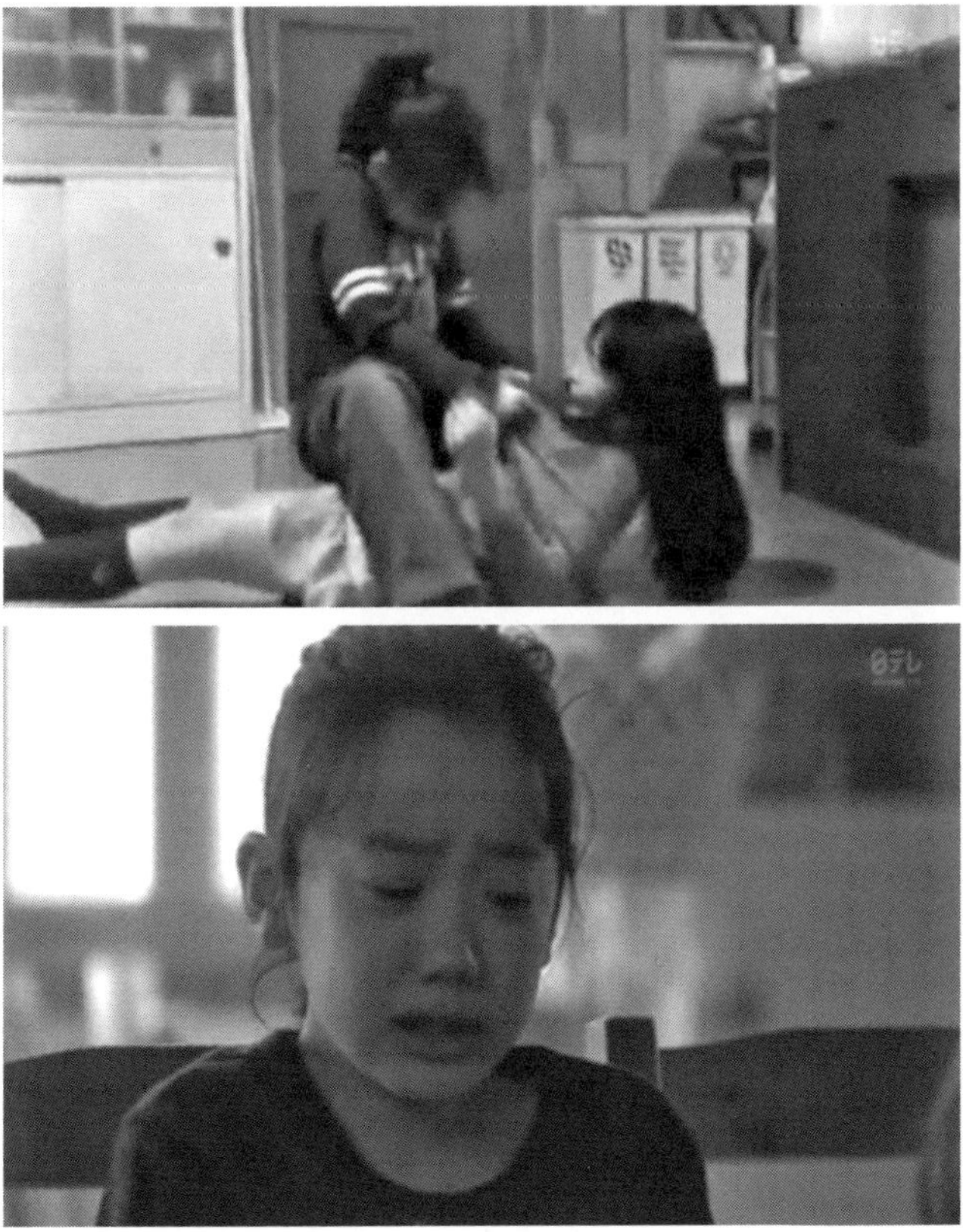

▲子供同士が殴りあう過激な描写が多かった

2014年に日本テレビで放送された「明日、ママがいない」は、赤ちゃんポストに預けられた少女が、施設でたくましく生き抜く姿を描いたドラマだ。

が、赤ちゃんポストに預けられていた子供が「ポスト」と呼ばれたり、施設長が子どもに暴言を吐き、さらには泣くことを強要したりといった過激な描写が社会問題に。国会でも「児童養護施設の子供に悪影響がある」と議論される事態になった。

この騒ぎに対し、ドラマの全スポンサーが降板を表明。CM提供を取りやめてしまったため、ドラマは中盤からマイルドな表現に差し替えれらた。

震災を扱ったドラマで「津波ラッキー」

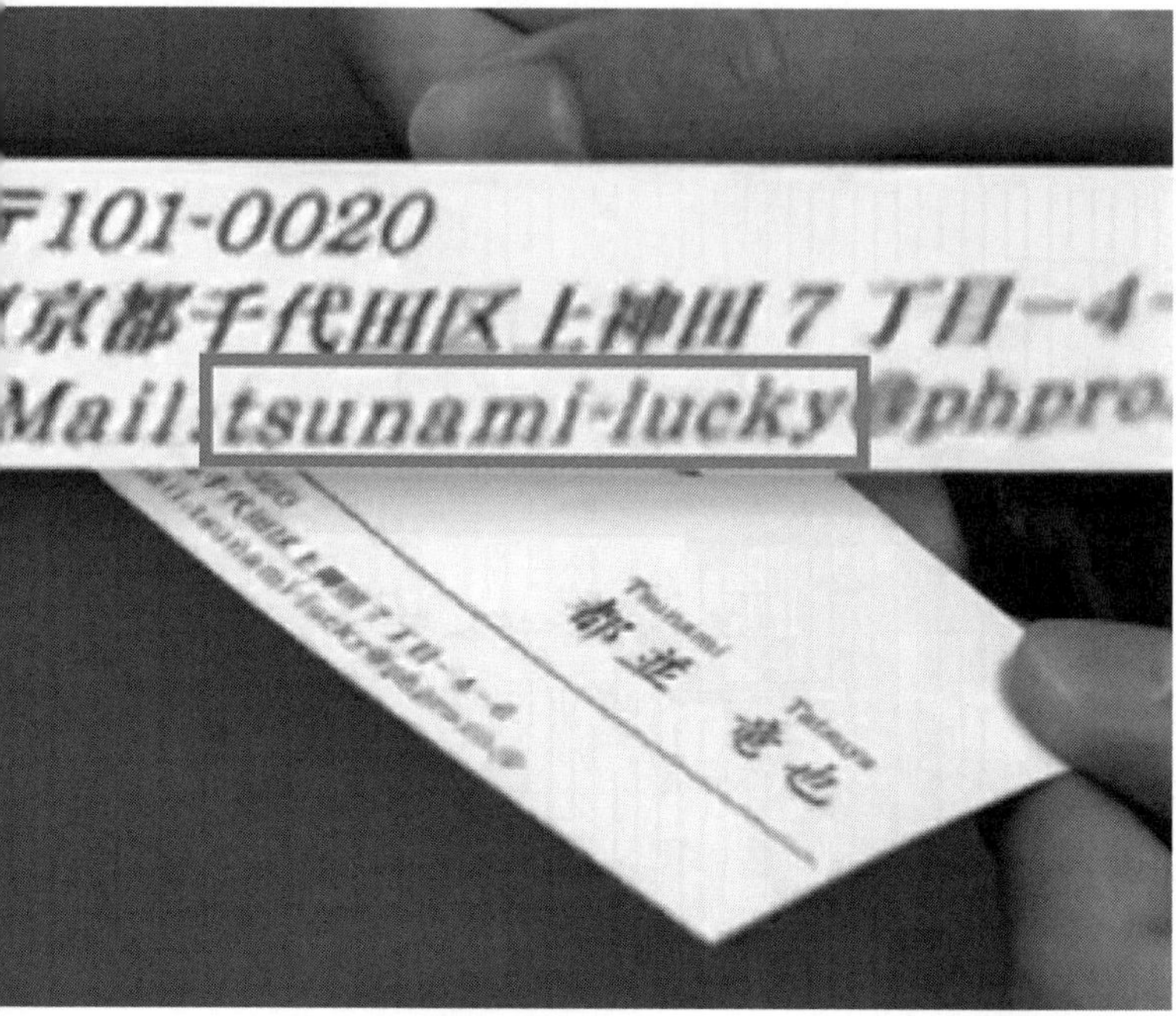

２０１４年にフジテレビで放送されたドラマ「最高の離婚」で、炎上騒動が起きた。第10話に登場する都並竜也（つなみたつや）というキャラが差し出す名刺に、「tsunami-lucky」（つなみラッキー）と書かれていたからだ。

もちろん、普通なら何も問題はない。しかし、このドラマは、主役の２人が東日本大震災をきっかけに出会う設定だったため、「名刺のアドレスが『津波ラッキー』のように読める」との指摘が殺到。大きなバッシングが巻き起こった。

スタッフに悪意があったわけではないが、確かにモヤッとするミスではある。

2011年の番組

「花ざかりの君たちへ」より

原爆のコードネームTシャツが大炎上

2011年にフジテレビで放送されたドラマ「花ざかりの君たちへ」で、主演の前田敦子が「LITTLE BOY」と表記されたTシャツを着て登場したため、多くの視聴者から非難を浴びることとなった。

というのも、「LITTLE BOY」は広島に落とされた原爆のコードネーム。しかも、このシーンが放送されたのが原爆忌の翌日だったため、騒ぎになってしまったのだ。

この反応を受けて、広島県は放送局に配慮を要請。フジテレビが謝罪する事態になった。

女優が放送禁止用語→アナウンサーが謝罪

▲CM明けでカトパンが謝罪

フジテレビ昼の生放送「笑っていいとも」で、放送禁止用語が飛び出すハプニングがあった。

2009年3月4日、人気コーナー「テレホンショッキング」に出演したのは女優の毬谷友子。信頼していた家政婦が窃盗で捕まったことにショックを受け、しばらく活動を休止していた彼女。10年振りに舞台で復帰する話題から、その場で練習方法を披露する流れに。と、観客がシーンとなったことでパニクったのか「なんか(私が)キチ○イみたい」と放送禁止用語を口走ってしまったのだ。それも2度。

特に差別的な意味で使われたわけではないが、この4文字はメディアで使用が自粛されている、いわゆる放送禁止用語。コーナーが終わると、CMをはさんで、番組の加藤綾子アナが「不適切な発言がありました」と頭を下げた。

2015年の番組
「ゴゴスマ」より
人気テレビ番組のあり得ないミス200 第7章 不謹慎

殺しますよ

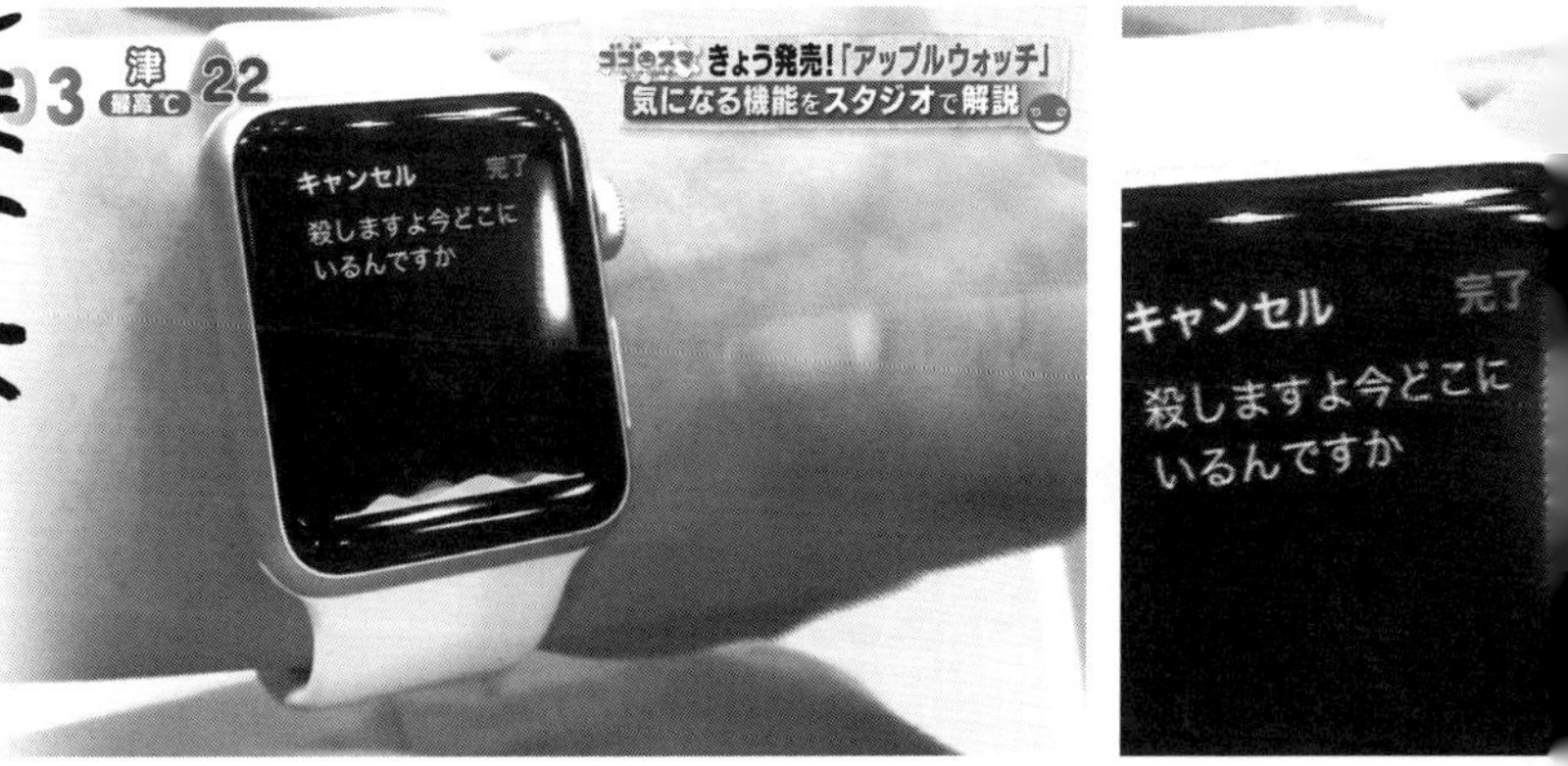

▲TBSの情報番組がアップルウォッチを紹介したところ、思わぬハプニングが起きた。アナウンサーが「マイクのところを押しますよ」と発声したところ、アップルウォッチが「殺しますよ今どこにいるんですか」と誤認識したのだ。怖すぎる

2013年の番組
「S-ジャパネット」より
人気テレビ番組のあり得ないミス200 第7章 不謹慎

うんこ女

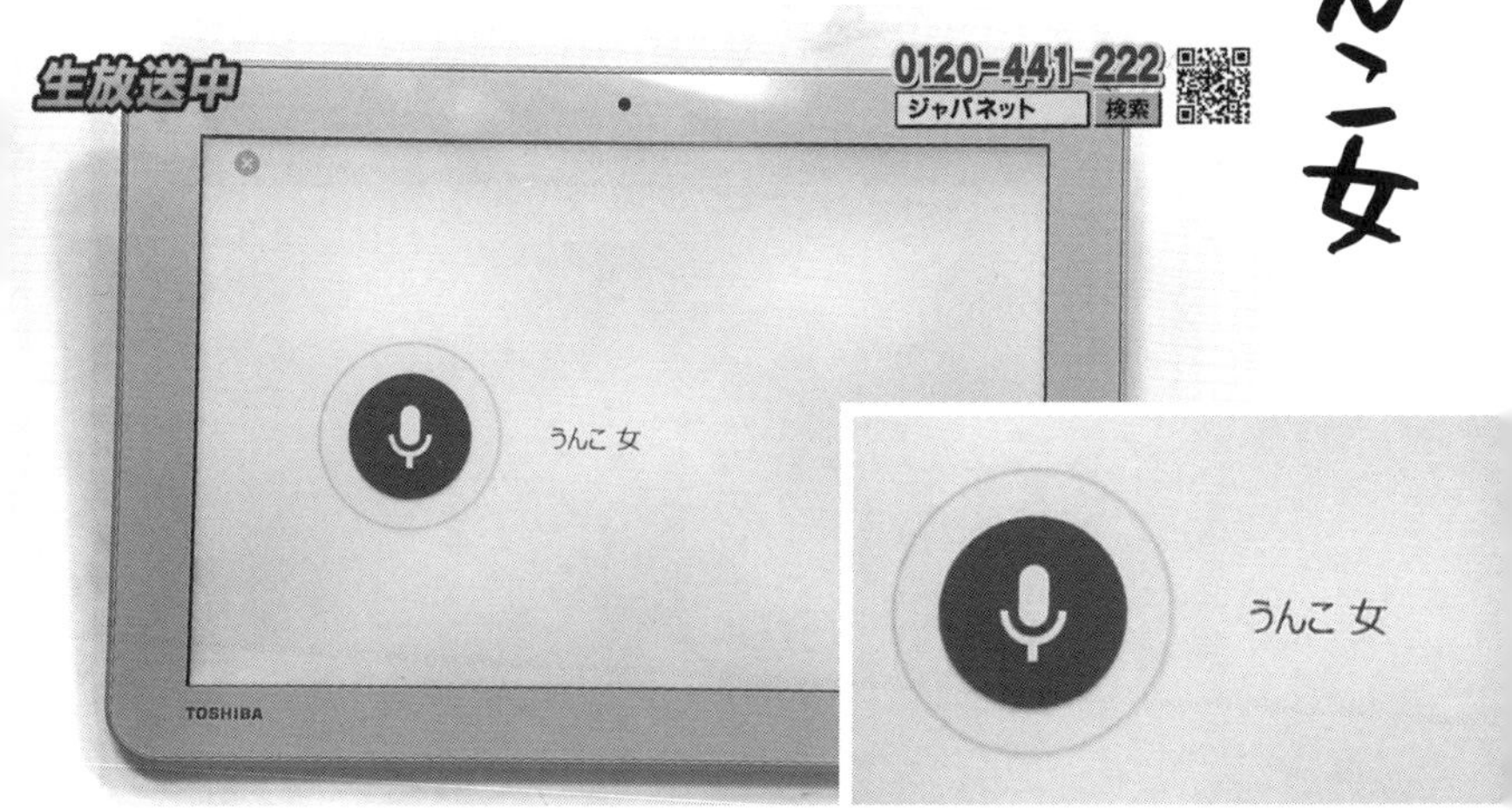

▲こちらはGoogleの音声認識が起こしたハプニングだ。テレビ通販でAndroidのタブレットを紹介したところ、間違って「うんこ女」と表示されてしまった

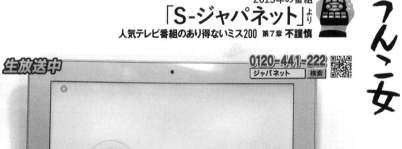

キャッチフレーズが実は差別語だった

2015年にフジテレビで放送された「27時間テレビ」に、視聴者から意外なツッコミが入った。番組のキャッチフレーズだった「DO HONKY」が、白人を差別するスラングだというのだ。

実際、英和中辞典にも「honky」は「白人の意（黒人が軽蔑的に用いる）」と説明されており、視聴者からの指摘は事実である。

が、もちろん制作者に差別の意図があったわけではない。「本気を出す」という意味で「DO HONKY」と表記しただけなのだが、それが偶然にも差別語になってしまったらしい。

2003年の番組「ワンナイR&R」より

王監督をシモネタでいじって大炎上

fdh
おしりスッキリ!!
『王シュレット!』

２００３年３月、フジテレビのバラエティ番組「ワンナイＲ＆Ｒ」が大炎上した。

番組内の「ジャパネットはかた」のコーナーで、山口智充と宮迫博之が、王監督の顔の模型を便器内にしかけたウォシュレット（王シュレット）を売り込む内容のコントを放送。多くのファンから苦情が殺到したのはもちろん、当時のダイエーホークスのオーナー代行が激怒し、「フジテレビ系列には日本シリーズを放映させない」との決定を下す事態にまで発展した。

さらに、会社のイメージが悪化したとして、ウォシュレットを扱うＴＯＴＯやジャパネットがフジテレビへのスポンサー提供をストップ。しばらくはＡＣジャパンの広告が流れることとなった。

テレビ史上最大の「風評被害」事件

１９９２年2月にテレビ朝日で放送された「ニュースステーション」で大騒動が起きた。「汚染地の苦悩 農作物は安全か?」と題した特集で、民間の環境コンサルティング企業が「所沢市の野菜からダイオキシンが検出された」とセンセーショナルに報道。この放送を受けて、埼玉県産の農作物が半値以下に下落する被害が出たのだ。

そこで、すぐさま埼玉県が事実確認を行ったところ、野菜のダイオキシン濃度はきわめて低かったことが判明。当時の首相も安全宣言を行う事態になり、最終的にはテレビ朝日も、番組内で不手際があった事を認めるにいたった。

この事件が原因で、一般的にも「風評被害」という言葉が広まり、いまでは普通に使われるようになっている。

2006年の番組
「ぴーかんバディ!」より

危険過ぎるダイエットを紹介して謝罪

番組で紹介した調理法による
「白いんげん豆を使用したダイエット法」は
お止めいただきますよう
お願い申し上げます

▲番組内で長時間の謝罪放送が行われた

2006年、TBSの情報番組「ぴーかんバディ!」で、「白インゲンを使ったダイエット法」を紹介したところ、視聴者から激しい嘔吐や下痢などを訴える苦情が650件以上も寄せられた。実はインゲン豆にふくまれるレクチンには胃や腸の粘膜の炎症を引き起こす作用があったのだ。

この問題が引き金となり、番組は3ヶ月後に終了した。

ドキュメンタリーに超高速サブリミナル

1995年5月、ＴＢＳが放映したオウム真理教についてのドキュメンタリーで、30分の1秒というハイスピードのサブリミナルカットが放映された。

カットは麻原彰晃の顔や、キリスト教のユダ（裏切り者の象徴）など、いずれも場面とは無関係なものだった。

ＴＢＳは「映像表現」と説明したが、非難が集中したため、日本民間放送連盟が、サブリミナルの使用禁止を明文化。郵政省はＴＢＳに対して「厳重注意」の行政指導を行い、ＴＢＳのほうも「視聴者が感知できない映像の使用はアンフェアであっ

▲普通のインタビューシーンで…

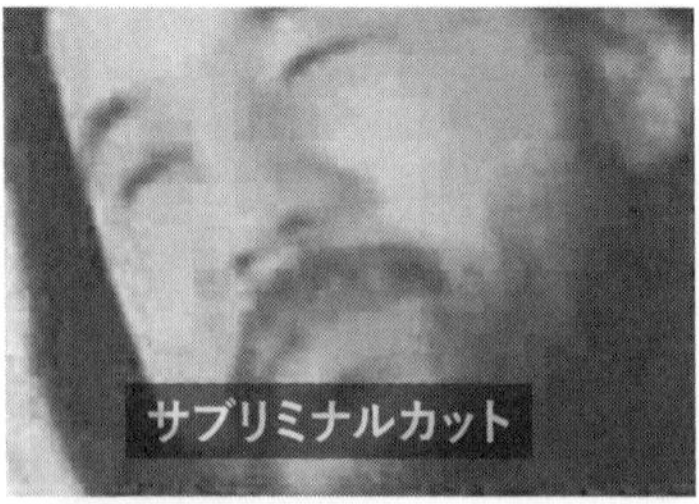

▲唐突に麻原の映像が

▲何事もなかったように次のシーンへ

▲別のインタビューシーンでも…

▲転がるナイフのシーンに切り替わる

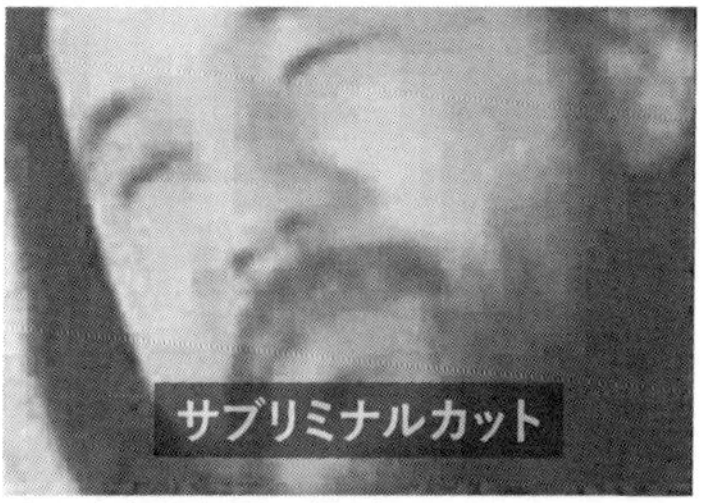

▲いきなり麻原の顔が

▲上祐史浩が語るシーンには…

▲村井秀夫の刺殺シーンでは…

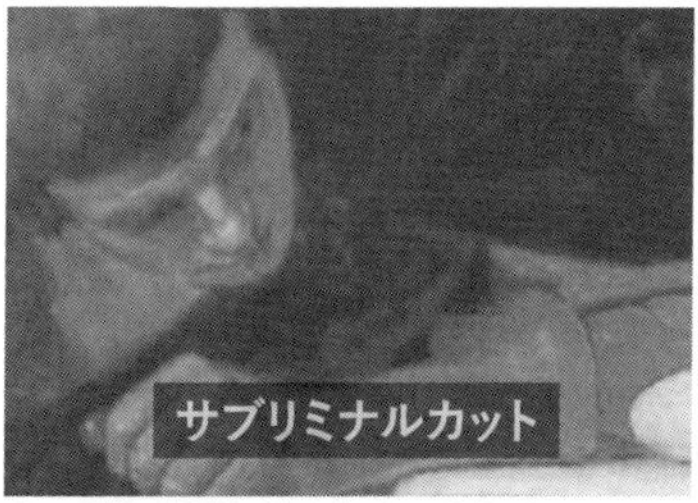

▲ユダの映像がはさみこまれた

▲なぜか上祐史浩の顔がインサート

た」と謝罪した。

本来、サブリミナルとは人間が知覚できないレベルの映像を指すが、ここで使われた映像は、かろうじて「何かヘンなものが見えた」と感じられるレベルで、多くの視聴者から「気分が悪くなった」との感想があいつぎ、90年代の代表的なトラウマ表現の1つとなった。

この事件以後、テレビ局の規制が厳しくなり、映像の変更が行われる番組もあったが、その後もアニメやバラエティにサブリミナルが確認され、何度か問題視されている。

1999年の番組
「カップヌードル CM」より

子豚の両親がカップヌードルに

視聴者のクレームによって放送中止に追い込まれたうちのひとつに、日清カップヌードルポーク味のCMがある。

いきなり、草原の1本道を「ママー」と泣きながら走る子豚の姿が映し出される。何があったのかと思えば、その先にはポーク味のカップヌードルを運ぶ荷車。変わり果てた姿で出荷される母親なのか。そこに「まるまるポーク味」と商品カットが入り、最後にダメ押し。荷車にBIGのカップヌードルが増え、「パパも〜」と子豚の声がかぶさる

放送後に「子供がショックを受けた」などのクレームが押し寄せ、即刻、放送中止になった。

▶確かに悲しすぎる

2005年の番組

「カップヌードル CM」より

スジ違いのクレームで放送中止

◀どう見ても平和を願い、皆に悲しい現実を訴えている内容だが

ユニークなCMに定評のある日清のカップヌードル。2004年から、「おいしさを感じる気持ちに垣根（BORDER）がないように、人々の心にも垣根がなければいいのに」との願いを込め、地球上に存在する垣根や、そこから生まれる問題を描いた「BORDERシリーズ」CMが誕生する。2005年にオンエアされた少年編は、戦地で生まれ、戦力として戦わざるを得ない少年兵を映し、「世界には30万人以上の少年兵が存在している。僕たちは何ができるのだろうか？」というテロップで訴えた感動作だった。

が、一部の視聴者から「子どもに銃を持たせるなんて」「戦争や少年兵を認めるような内容」とのクレームが入り放送中止に。

悪徳政治家の胸にブルーリボンバッジが

2015年8月にTBSで放送されたドラマ「月曜ゴールデンSP八剱貴志(やつるぎたかし)」で、炎上騒動が起きた。贈収賄事件で逮捕される悪徳政治家が、胸にブルーリボンバッジをつけていたからだ。

ご存じのとおり、ブルーリボンバッジは北朝鮮による拉致被害者の救出を祈るシンボル。被害者の救出運動に対して悪い印象がつくとして、視聴者からTBSへクレームが殺到したという。

TBSは翌月にミスを認め、公式サイトへ「全く他意はありません」との謝罪を発表。しかし、経緯などの説明が何もなかったため、さらに炎上することとなった。

放送禁止

第8章

「吉本とジャニーズが揉めてる」

ダウンタウンの松本人志が唯一出演したドラマが、中居正広とW主演した「伝説の教師」である。

やる気のない若手教師・中居と、数多くの学校を渡り歩いてきたスゴ腕と噂の破天荒教師・松本が荒れた高校を立て直していくストーリーで、平均視聴率19.1%、最高視聴率26.1%を記録。作中のアドリブかどうかわからない2人のやりとりが評判で、今なお語り草になっている。

が、VHSでリリースされたものの、再放送されたことはなく、配信はもちろんDVDにもなっていない。松本本人がバラエティ番組で話したのは「吉本とジャニーズが(利権で)揉めてる」のが原因とか。つまりお金の問題のようだ。

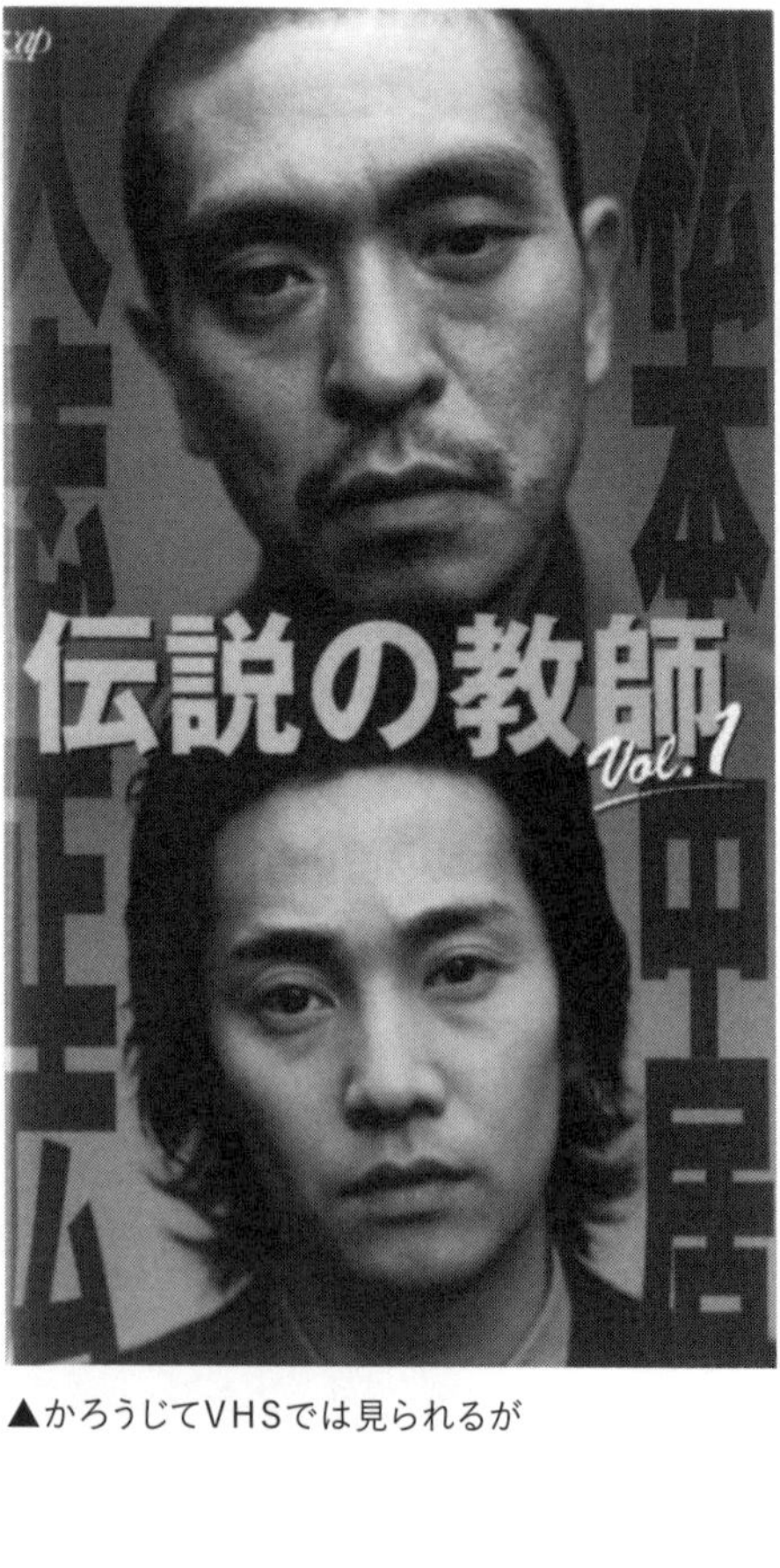

▲かろうじてVHSでは見られるが

町ロケで抗議→番組打ち切り

テレビ大阪で放送されていた「フットボール汗」は、その前年にM−1グランプリで優勝したフットボールアワーがMCを担当する深夜バラエティだ。

ところが2004年の12月、『のんちゃんの100人とキス』なるコーナーでトラブルが起きる。名古屋市内のロケで、のんちゃんこと岩尾望が一般の女性にキスを迫ったシーンを撮影。番組スタッフが後日オンエア確認を行ったところ、その女性の彼氏を名乗る人物が激怒し、抗議。それをきっかけに、放送は打ち切りとなってしまったのである。さらに女性がはBPO（放送倫理・番組向上機構 ）に訴え、テレビ大阪は人権侵害を指摘された。

▲フットボールアワーの初の冠番組だった

1988年の番組「とんぼ」より

問題になったのはセリフか暴力シーンか

▼現在は動画配信サービスParaviでも視聴できる

長渕剛主演のドラマ「とんぼ」は、ヤクザである主人公と所属組織との抗争を主軸に、間違っていることに対し真正面からぶつかっていく激しい男の生きざま描いた傑作で、平均18%という高視聴率を記録した。

しかし、ヤクザが主人公という設定や過激な暴力シーンのせいか、地上波での再放送は行われておらず、2006年にDVD-BOXの発売がアナウンスされたものの直前になって制作・発売元であるTBSによって発売中止が決定。セリフに問題があったとか、出演者の利権関係がクリアできなかったなど様々な憶測が流れたが、いまもなお理由は明かされていない。

ところが2019年になって突然、DVD-BOXとBlu-rayBOXが発売された。

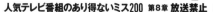

殺人犯がドラマに影響を受けたと供述し封印

木村拓哉が連続ドラマ単独初主演したのが「ギフト」だ。記憶喪失の青年の葛藤を描く社会派サスペンスで、平均19%の高視聴率を叩きだした。

ところが1998年1月に発生した栃木女性教師刺殺事件で、加害者の少年がバタフライナイフを凶器に使用。本作の主人公が振り回していたのがカッコ良かったなどと供述したこと。さらに、東京都江東区で中学3年生の少年がバタフライナイフで警察官を襲撃する事件も起きたために当時発売されていたVHSは全巻が発売禁止となり、一度も再放送がされたことはない。

しかし2019年になり、20年近く封印されていた「ギフト」が、DVDとBlu-rayで発売、ようやく見られるようになった。

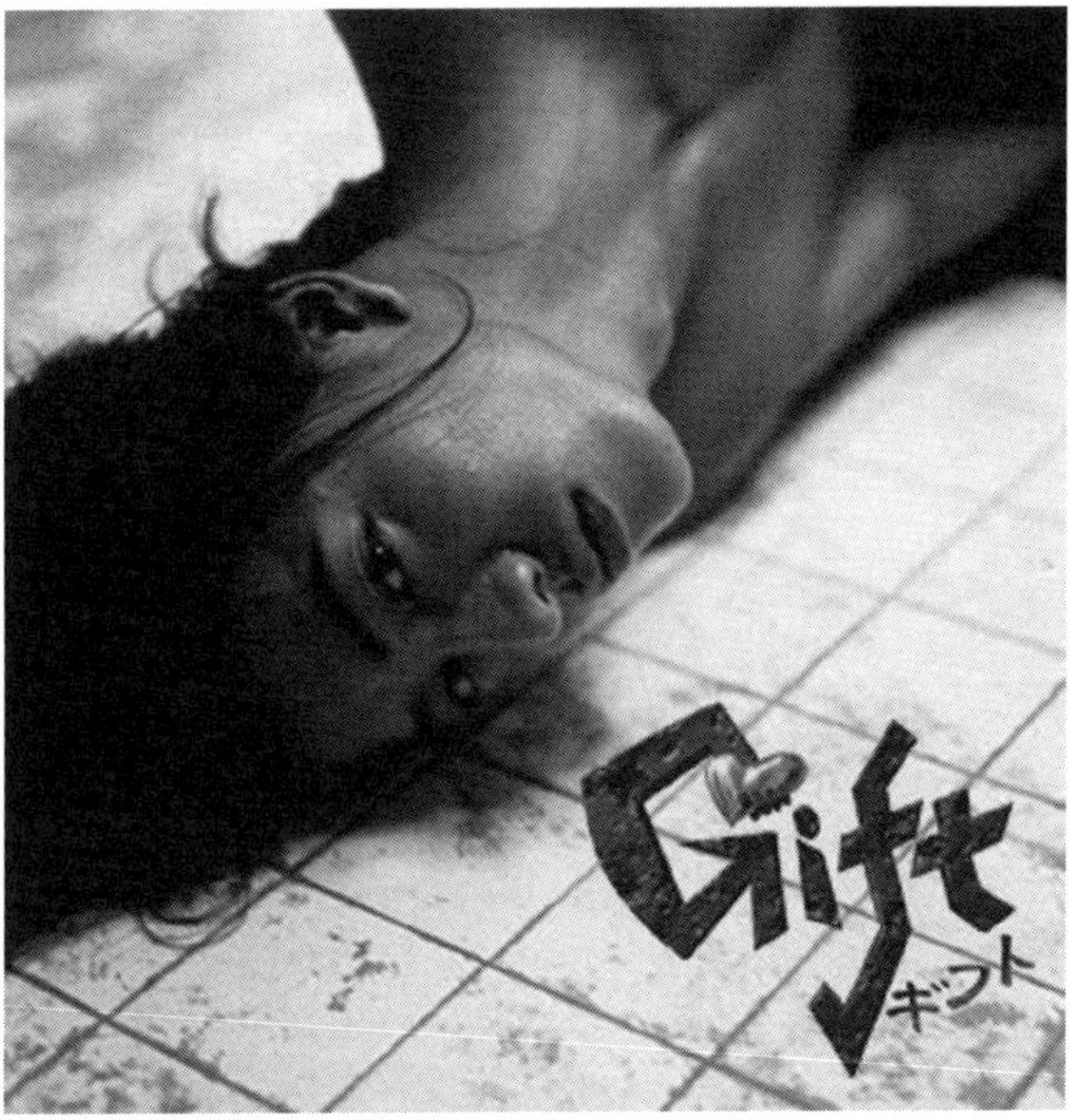

▲DVD-BOX、Blu-rayBOXが発売されている

1985年〜1986年の番組
「禁じられたマリコ」より

主演女優の自殺で30年以上もお蔵入り

▶当時は複雑な家庭環境に置かれた十代女性アイドルが運命に翻弄されるドラマが全盛だった

「禁じられたマリコ」は、1985年から1986年にかけて当時の人気アイドル岡田有希子主演で放映されたテレビドラマである。

父親が理不尽に殺されてしまったことから超能力を発揮してしまうことに苦悩するヒロインが、いつしか謎の組織から命を狙われるサイコホラーサスペンスだ。

80年代の大映ドラマ黄金期の流れを汲む作品だが、再放送はおろか、ソフト化されておらず、現在、見ることができない。理由は明確。放送終了3カ月後の1986年4月8日、ヒロインだった岡田有希子が18歳の若さで自殺してしまったからだ。

TBSは1986年4月半ばから再放送を予定していたが、急遽中止。以降、再放送は行われていない。

2015年の番組
「3B juniorの星くず商事」より

出演者がヘリウム吸引で意識不明↓打ち切り

▲事故はマスコミで大きく報じられた

▲テレビ朝日の常務や広報局長が事故の経緯を説明、謝罪

女性タレント14人〜26人で構成されたアイドルグループ3B juniorの初冠番組「3B juniorの星くず商事」は、個々のスキルアップを目指し、メンバーが様々なことに挑戦する深夜バラエティだった。

ところが2015年1月の収録中、メンバーの1人(当時12歳)が声を変えるパーティーグッズ(ヘリウム使用)を吸引して倒れる事故が発生。救急搬送されたメンバーは脳空気塞栓症と診断され入院する騒ぎに。原因は、ガスを一気に大量吸引したことで、グッズには「大人用」との注意書きがあったという。

警察は「ヘリウムガスの危険性が一般に周知されておらず、番組スタッフが事件を予見することは困難」だとして刑事事件としての立件を断念したが、番組は打ち切られた。

出演者の不祥事で再放送できず

▶現在はDVD-BOXが発売。視聴は可能だ

1998年にTBSで放送された「聖者の行進」は、茨城県水戸市で発覚した知的障害者に対する暴行・強姦事件をベースに野島伸司が脚本を手がけた意欲作である。

しかし、暴力やレイプなど過激な場面があり、視聴者からの苦情が殺到。スポンサーの製薬会社が降板したり、自動車メーカーが提供クレジットの表示を自粛する事態に発展した。

それでも視聴者の支持は高く、11話中9話の視聴率は20%を超えたものの、放送終了後に主演のいしだ壱成や酒井法子が不祥事を起こしたことから、地上波や映像配信サービスでの再放送は行われていない。

1995年の番組
「金田一少年の事件簿」より

トリック流用↓エピソード欠番

◀番組はソフト化されているが、第1話が見られるのは初期のＶＨＳのみ（トラブル発覚後は欠番）

1995年に日本テレビで放送された「金田一少年の事件簿」は、名探偵・金田一耕助の孫、金田《きんだ》一一《いちはじめ》が様々な難事件を解決する推理ドラマで、平均視聴率23・9%を記録。第2シリーズや劇場版まで作られたが、現在、視聴不可能なエピソードが存在する。

欠番となっているのは第1シリーズの第1話「異人館村殺人事件」で、作中のトリックが島田荘司氏の小説「占星術殺人事件」と酷似。後にトリックの使用許可を得たものの、島田氏は「占星術殺人事件」のドラマ化は許可しないと発言しており、このエピソードのソフト化は見送られた。

1993年の番組
「悪魔のKISS」より

常盤貴子の事務所が版権を買い取り封印

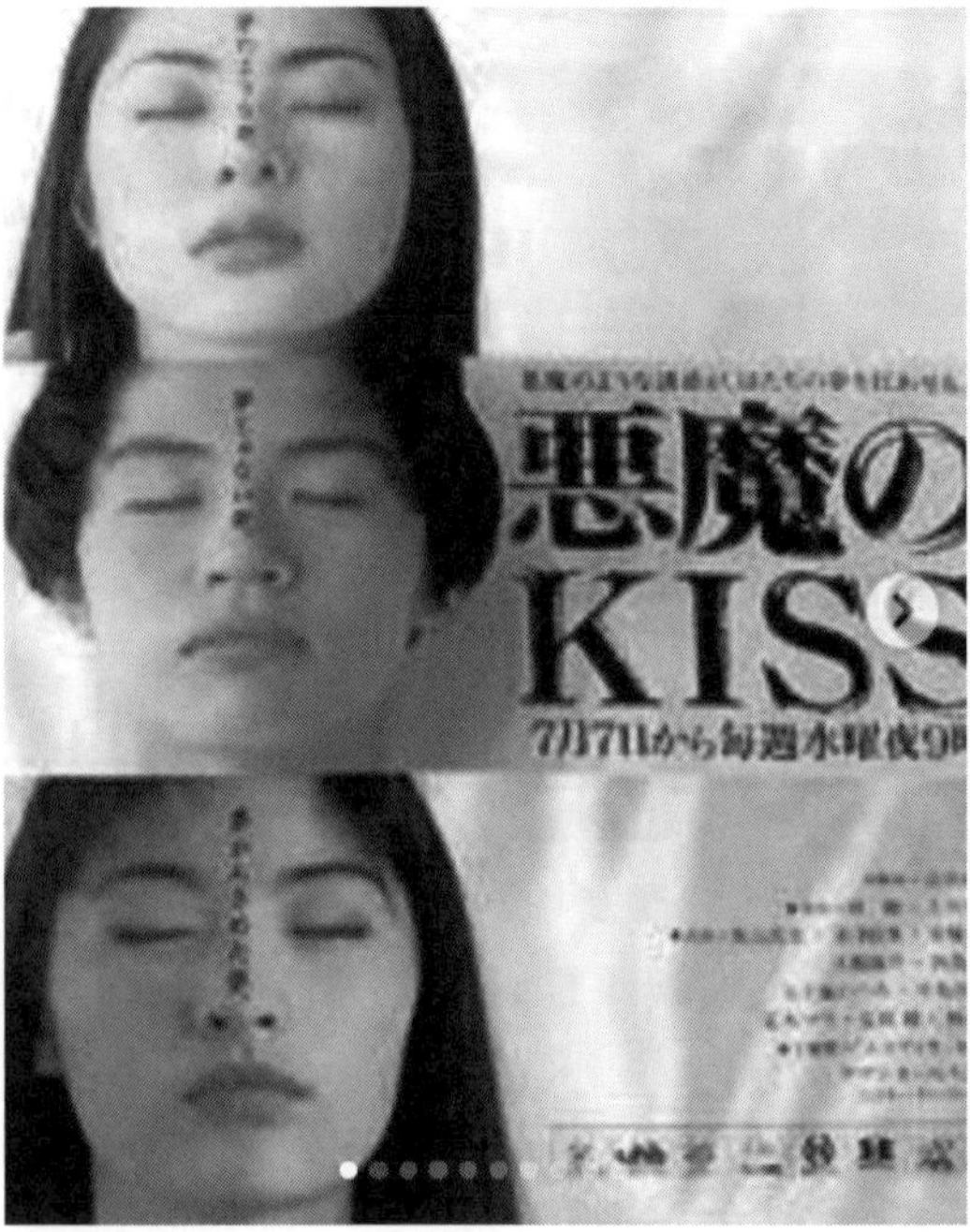

▶奥山佳恵、深津絵里、常盤貴子の3人がヒロインを演じたドラマのキャッチコピーは「悪魔のような誘惑が、はたちの夢を狂わせる。」

1993年にフジテレビで放送されたドラマ「悪魔のKISS」は、田舎から上京した3人の若い女性がセックス地獄・宗教地獄・借金地獄に墜ちていく様を描いたサスペンスだ。主演の1人に抜擢されたのがまだ無名時代の常盤貴子で、ファッションヘルスで働く場面のヌード姿が話題となり、女優としてブライクするきっかけとなった作品でもある。

その後、トップ女優になった常盤貴子のイメージを守ろうと事務所が版権を買い取ったため、それ以前に行われた1度目の再放送ではヌードシーンはカットされなかったが、2回目はカットしての放送となった。が、新興宗教活動の裏舞台やサラ金地獄から性風俗産業への陥穽、さらには血しぶき舞う過激な暴力描写も多く、再放送やソフト化は見送られている。

2005年の番組

「海猿 UMIZARU EVOLUTION」より

原作者とのトラブルで続編は絶望的

◀いまだ熱いファンが多い「海猿」だが…

映画版に続き、伊藤英明を主人公に海上保安大学校の若き潜水士候補生らの友情や恋、挫折、試練などを描いて大ヒットしたテレビドラマ「海猿 UMIZARU EVOLUTION」。その後、3作の映画が製作されたものの、2012年に原作者の佐藤秀峰氏が、アポなしの突撃取材や関連書籍が無許可で販売されたことを理由にフジテレビとの新規取引停止を発表。2015年には和解したが、2017年11月28日、佐藤氏が「同年10月末で本作実写版の全ての契約が終了し、今後テレビやインターネットで放送・配信されることは永久に無い」とツイート。既存の作品はソフト化されているものの、ファン待望の続編はいまのところ無理のようだ。

1994年〜1995年の番組「家なき子」より

いじめシーンが現在のコンプラに合わず

▶映画になり続編も放送されたが再放送は封印

「同情するなら金をくれ!」と、当時12歳の安達祐実が叫ぶせりふが流行語大賞に選ばれるほど大ヒットした「家なき子」。貧しい家庭に生まれた少女を主人公に、家庭内暴力や学校でのいじめを受けながらも強く生きる姿を描いた感動作で、最高視聴率37.2%を記録し、劇場版や続編も作られた。

ところが、現在にいたるまで再放送は一度もない。安達祐実演じるヒロインがいじめを受ける描写が、現在では過激すぎると判断されてしまうからだ。加え、貧困家庭への差別意識を助長しかねないとの心配もあり、再放送もソフト化も実現していない。

裸が不愉快のクレーム↓タキシードで温泉

▼画質は悪いが、タキシードを
着たまま温泉に浸かりラ王を食べる
椎名桔平の「温泉タキシード編」

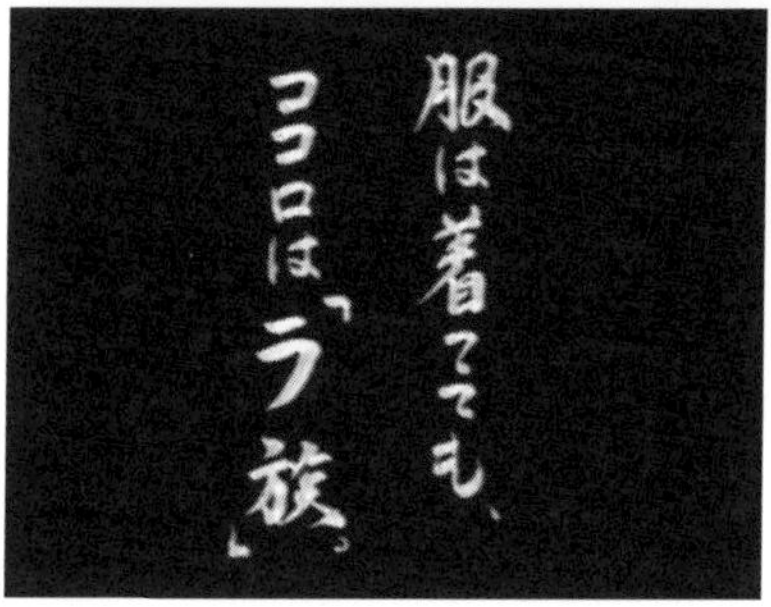

▲真っ裸の椎名桔平が
ラ王を食べながらジャンプ台を
滑り降り、空に飛び出す
「スキージャンプ編」

日清食品から発売されているノンフライ麺が特徴のカップラーメン(および袋入りインスタントラーメン)シリーズ「ラ王」。ユニークなCMにも定評があるが、中には視聴者からのクレームで放送を自粛したものもある。

1998年、俳優の椎名桔平を起用。「ラ族」をテーマに、様々なシチュエーションで全裸のままラ王を食べるというシリーズが放送されたが、長野オリンピックにあわせ、全裸でスキージャンプを敢行する「スキージャンプ編」に、不快とする声があがり放送自粛に。だが、この意見に対するようにスーツ着用のまま温泉に入ってラ王を食べる「温泉タキシード編」を放送した。

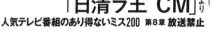

2007年の番組「ライフ」より

いじめシーンが過激すぎて封印作品に

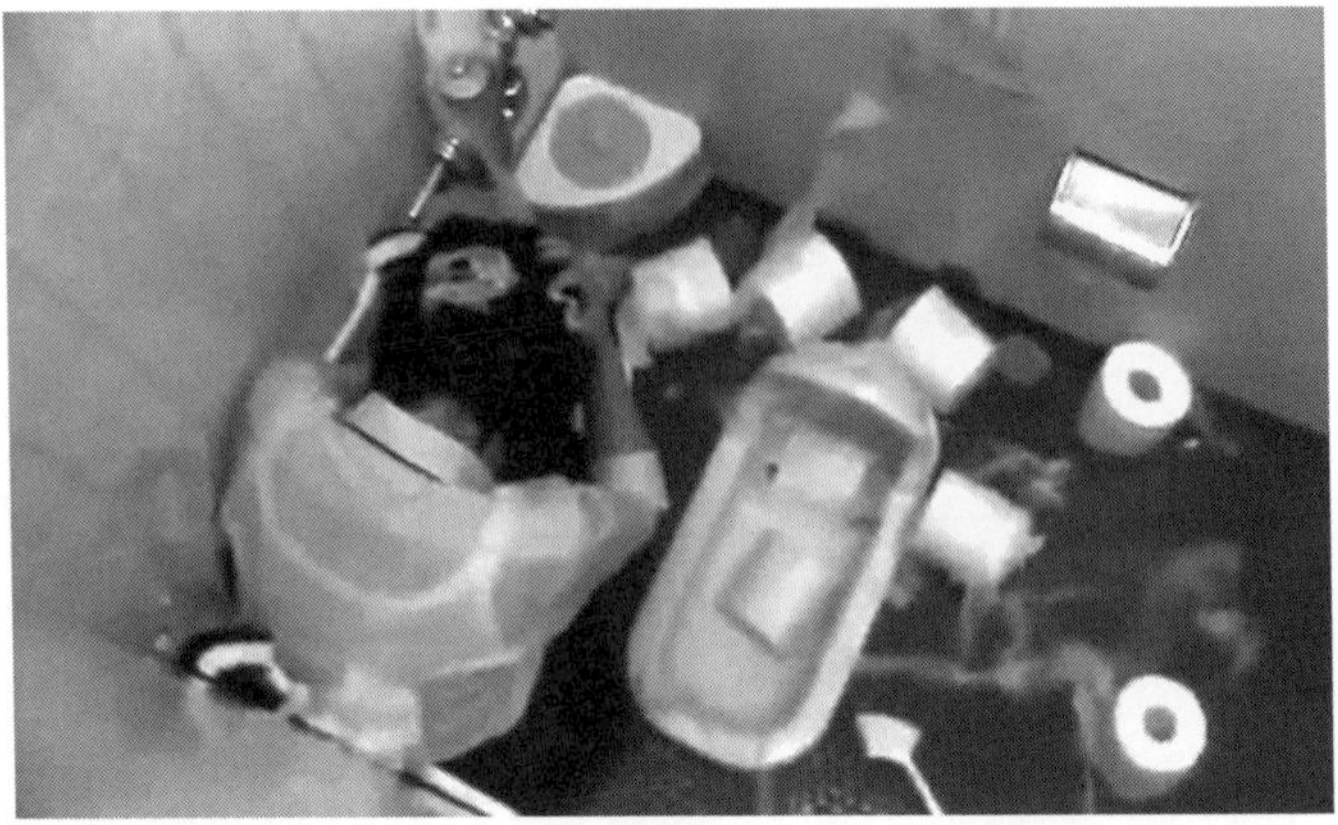

▲主人公がトイレでボコボコにされる

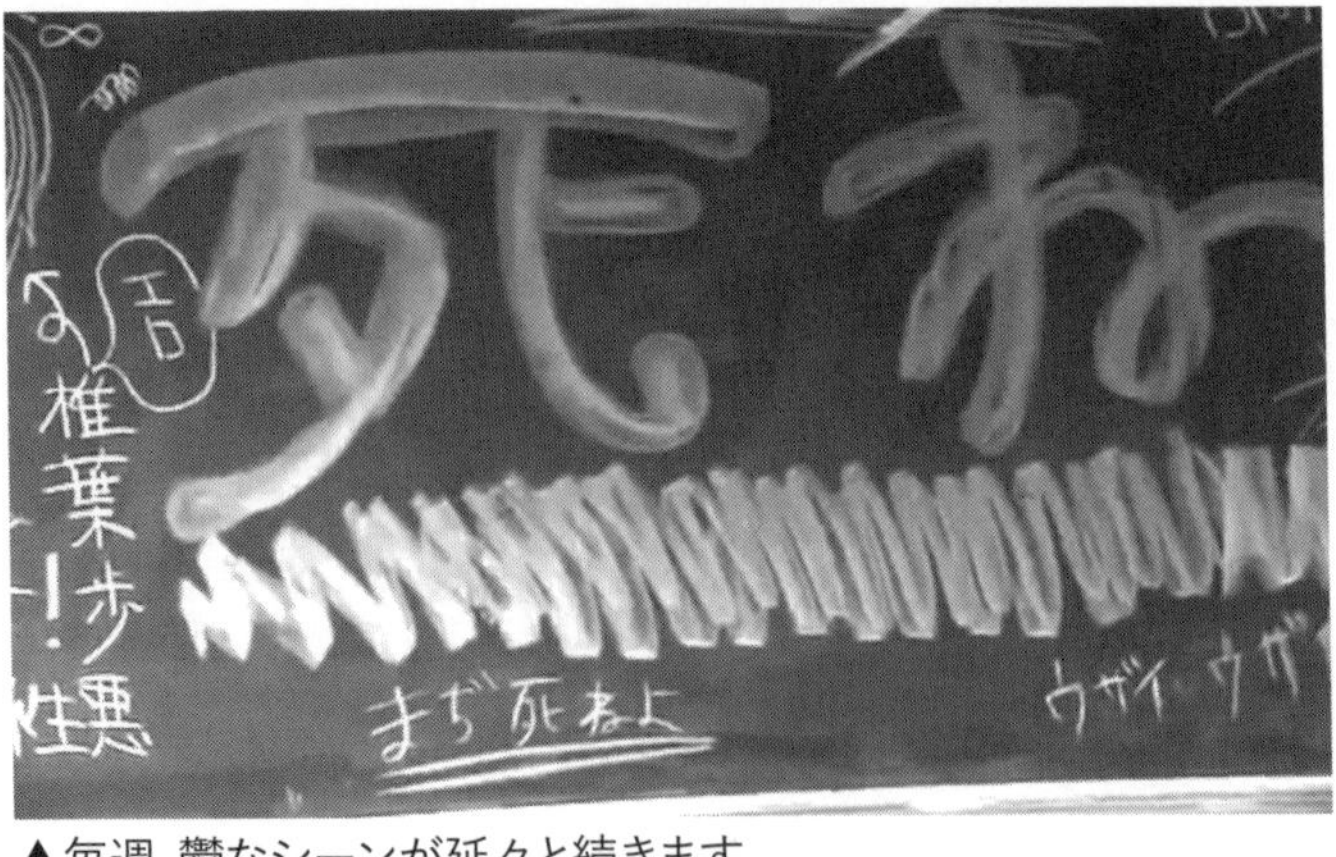

▲毎週、鬱なシーンが延々と続きます

2007年にフジテレビで放送された「ライフ」は、高校生の主人公が、壮絶ないじめを受ける姿を描く青春ドラマだ。

若い世代からは大きな評価を得た作品だったが、いっぽうで30代以上の親世代からは、「いじめシーンが過激すぎる」として2000件を超える抗議が殺到。放送倫理・番組向上機構 にも批判の声が多く届いたため、以降は再放送ができなくなってしまった。

2000年の番組
「フードファイト」より

不幸が重なって封印された大ヒット作

▲主人公が食いまくる姿が大人気に

2000年に日本テレビで放送された「フードファイト」は、大食漢の主人公が、さまざまな大食いバトルに挑む設定のドラマだ。平均視聴率が17%を超え、スペシャル版も大ヒットを呼んだ作品だったが、作中に最強のボスが登場した直後に放送がストップ。その後は再放送すらされなくなってしまった。

本作が封印された理由は、第一に現実の世界で死亡事故が起きたことが大きい。2002年に愛知県の中学生がパンの早食い競争をしてのどに詰まらせ、命を落としてしまったのだ。

これで大食いへの風当たりが強くなったうえに、さらに出演者の不祥事も続いた。まず2001年には、いしだ壱成が大麻所持で逮捕。続いて2007年には第8話のゲストだった羽賀研二が詐欺罪で捕まってしまう。

これらの要因が重なり、本作は一気に黒歴史化。いまも続編を望む声は少なくないのだが…。

「相棒」の知られざる封印エピソード

▲図書館員の協力を得る主人公

▲利用者の個人情報を抜き出した。このシーンが大問題に

大人気シリーズ「相棒」には、実は再放送が不可能になった封印エピソードがある。

問題になったのは、2004年に放送されたシーズン3の第7話「夢を喰らう女」で、主人公が図書館司書から閲覧者の個人情報を聞きだすシーン。この描写に対し、日本図書館協会から『図書館員の守秘義務違反だ』との抗議があったため、テレビ朝日は謝罪を表明したうえで、エピソードそのものをお蔵入りにしたのだ。

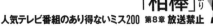

2006年の番組
「トップキャスター」より

細木数子をパロディにして大騒ぎに

生直撃!
宮部天花に迫る
CNB
▲占い師の詐欺行為を暴く内容だったが…

地獄に堕ちますよ!
▲その占い師が、モロに細木数子だった

2006年に放送された「トップキャスター」は、天海祐希が有名ニュースキャスターを演じるヒットドラマだ。

軽快なコメディとして人気が高かったが、第3話でトラブルが起きた。主人公が占い師の詐欺行為をスクープする内容だったのだが、そこに登場する占い師が、当時フジテレビに出演していた細木数子にそっくりだったのだ。

細木数子からの抗議を受けたドラマスタッフは謝罪を行い、このエピソードはDVD入りされなかった。

1994年の番組
「テブラコードるす CM」より

首を縄でしめる描写にクレーム殺到

▲赤い袋に拘束された所ジョージ

▲首を縄で縛られたまま通話

1994年、サンヨーが発売した電話機器「テブラコードるす」のCMが放送禁止になった。

タレントの所ジョージが、赤い袋のなかに拘束されたまま電話の子機を使う内容だったが、首を縄で縛られた描写に対して視聴者から「残酷だ!」といった指摘が殺到。電話を持たずに通話ができる機能を表現したCMだったが、すぐに放送が取りやめになった。

参加者が両足麻痺の重体に

▲大玉を受け止める競技で、参加者が大ケガを負った

１９９５年からＴＢＳでスタートした「筋肉番付」は、素人やアスリートが様々なオリジナルの競技にチャレンジするスポーツ番組だ。

海外でも高い人気を呼んだ番組だが、２００２年に大事故が起きた。坂の頂上から転がり落ちる大玉を受け止める、「ロックアタック」という種目を撮影していたところ、挑戦した東海大学の学生が、落ちてくる玉を受け止めきれずに転倒。意識不明・両足麻痺の重体になったのだ。

この事件が問題となり、番組は打ち切りに。しかし、その後継番組である「SASUKE」でも何度か参加者が大怪我を負う事件が起きており、いまも各方面からの批判が絶えない。

1989年の番組
「はいすくーる落書」より

大ヒットしたのに封印された不遇作

▲不良の描写にクレームがついた

1989年にTBSで放送された「はいすくーる落書」は、工業高校を舞台に、熱血の女教師とヤンキー生徒の関係を描いた学園ドラマだ。

平均視聴率が20％を超えたヒット作だが、一部の工業高校関係者から、「工業高校に対するイメージが悪くなった」との抗議が殺到。放送から20年以上が過ぎたいまになっても、再放送が行われず、DVD化も見送られている。

浅野忠信の演技が怖すぎて放送禁止に

▲ドライブを楽しむカップルの前に、いきなり浅野忠信が登場

▲表情が怖い

▲おびえるカップル

▲逃げるカップルを、浅野忠信が追いかける

▲浅野忠信がカップルに電灯を当てる

▲狂気の表情

2000年、ゼロックス社が浅野忠信をメインに数本のシリーズCMを作ったが、内容が過激だったため、すべてが放送中止になってしまった。

その内容は、浅野忠信が唐突に一般人の前に出現、ニタニタと笑いながら「プリンタどう?」と意味不明のことを言いながら追い詰めていくというもの。

浅野忠信のサイコっぷりが恐ろしく、すぐに放送禁止が決まってしまった。

1996年の番組
「スカイライン CM」より

セックスを連想させるとして放送中止に

▲牧瀬里穂が画面にあらわれて…

▲このフレーズにクレームがついた

1996年、日産スカイラインのCMが炎上した。タレントの牧瀬里穂が、カメラに向かって車のキーを投げつけ、「男だったら乗ってみな」と叫ぶシーンに対して、「セックスを想像させる」とのクレームがついたのだ。

そのため、同CMはしばらく放送中止になったが、「キメたかったら乗ってみな」のセリフに差し替えられて再放送された。いま見ると、まったく過激な表現とは思えないが…。

かわいいCMがまさかの放送禁止

1998年の番組
「ごはんがススムくん CM」より

▲ご飯をほおばるススムくん

▲急に3D CGに切り替わる

1998年に放送された「ごはんがススムくん」シリーズのCMが、まさかの放送中止に追い込まれた。

CMの前半は、かわいらしいススムくんがパクパクとご飯をほおばる描写が続くのだが、後半になるとトーンが一転。急にススムくんが3DCGになり、恐ろしい顔になってしまう。

前半と後半の落差がユニークなCMだが、一部の視聴者から「怖すぎる!」との苦情が寄せられたため、放送を取りやめてしまったようだ。

受験生の気持ちを逆なでして放送禁止に

1989年の番組「渋谷ゼミナール CM」より

▼学生が「みんなおちた♪」と楽しそうに歌う

▲確かに、予備校の宣伝でこの表現はマズい

1989年、渋谷ゼミナールが制作したCMが、スタートから数日で放送禁止に追い込まれた。

問題になったのは、巨大な浴場で学生たちが背中を流しながら「おちた おちた みんなおちた」「おちた おちた きれいにおちた」などと楽しそうに歌うシーンだ。これが多くの受験生から大不評を買ってしまい、JAROなどへ批判が殺到。すぐに放送禁止が決まった。

1992年の番組
「JUNGLE」より

不気味すぎるアイキャッチに抗議殺到

▲心臓の鼓動音にあわせて、
ハートマークが点滅をくり返す

▲ハートがどんどん腐っていく。不気味

1992年、フジテレビの深夜枠「JOCX-TV2」が放送した冒頭のアイキャッチ映像が、「不気味すぎる!」として大炎上した。

その内容は、心臓の鼓動とともにハートマークが点滅し、少しずつ腐っていくというもの。あまりにも意味不明な映像だったため、ネットでは「エイズの比喩では?」といった意見も現れ、なかば都市伝説化。炎上したあとも映像は採用され、1年にわたって放送され続けた。

2001年の番組

「チャイルドマザー」より

育児を放棄する親が怖すぎて放送禁止に

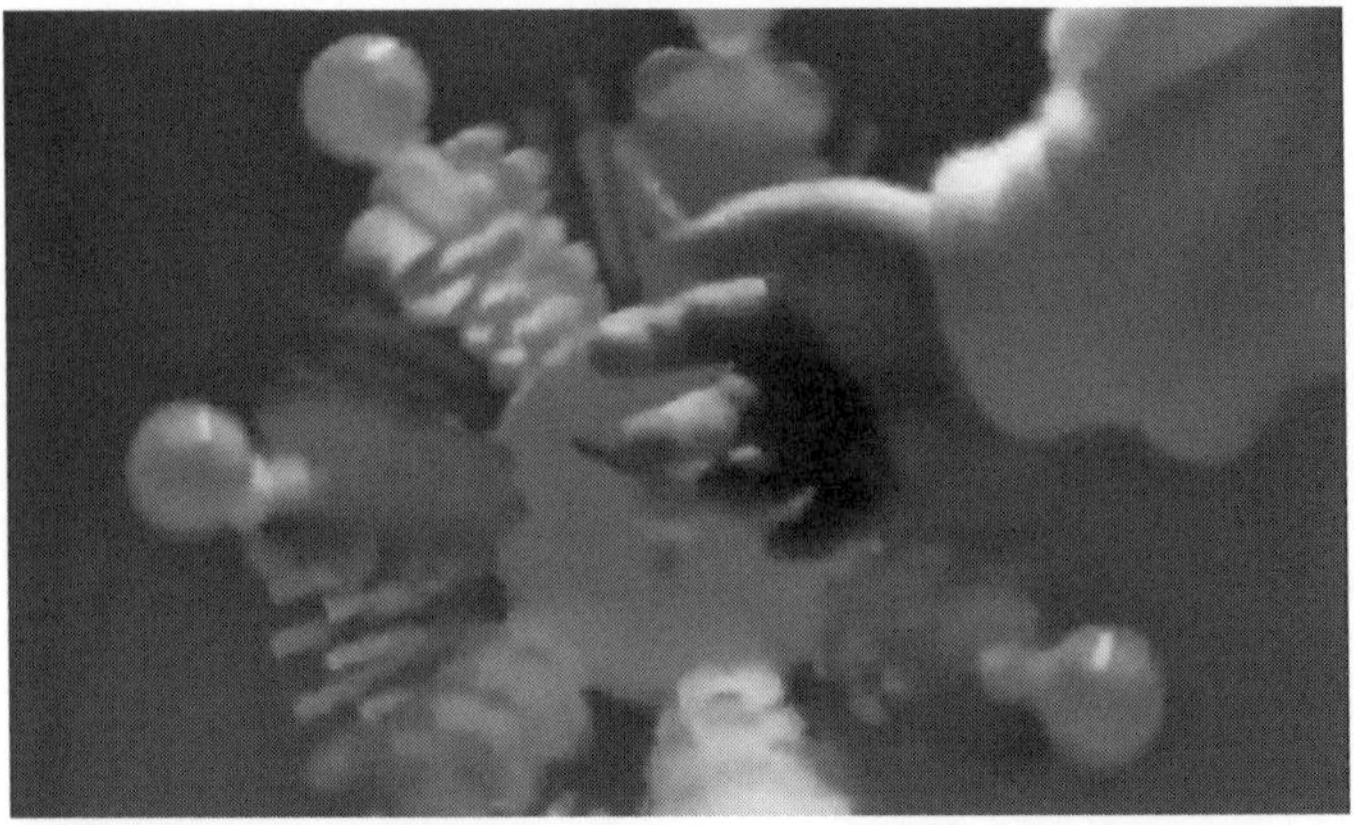

▲親を探して泣きわめく赤ちゃん

▲育児を放棄して、おしゃぶりをくわえた母親

2001年、公共広告機構が公開したCMが、大きな物議をかもした。育児を放棄された赤ちゃんが泣き叫び、その奥では、おしゃぶりをくわえた両親が無表情にたたずむという恐ろしい内容で、親による幼児虐待が問題となっている現状に警鐘を鳴らすのが目的だった。

が、この表現に対し、「子育てをしている親に対する批判に感じられ、見るのがつらい」の意見が殺到。放送禁止となった。

2001年の番組「NOVA CM」より

動物の耳をひきちぎる描写が大問題に

▲うさぎが道を歩いていると…

▲いきなり現れた男に耳をちぎられてしまう

2001年、英会話スクール「NOVA」のCMが炎上した。

同スクールのマスコットキャラである「NOVAうさぎ」が道を歩いていたところ、いきなり背後から謎の男が出現。うさぎの耳を片手でひきちぎり、そのまま逃げ去ってしまう。なんともシュールな内容だ。

しかし、この描写が「動物虐待」だとして視聴者からのクレームが殺到。まもなく放送禁止になってしまった。

近親相姦の設定が問題になってお蔵入り

1994年の番組

「禁断の果実」より

▲姉弟の過激シーンが問題に

1994年に日本テレビで放送された「禁断の果実」は、田中美佐子が主演のサスペンスドラマだ。

田中美佐子が演じる平凡な看護婦が、実の弟と近親相姦の関係になったあげく、子供まで作ってしまう過激な展開で、放送当時からテレビ局にはクレームが殺到。最後は主人公が入水自殺を図る展開も問題になった。

結果として、本作は現在までソフト化や再放送は一切されておらず、完全に封印ドラマになっている。

1995年の番組
「終らない夏」より

有名マンガからセリフを借りて封印

太陽が、夏を泳いでいく。
忘れられないから、忘れてあげない。泣きそうだけど、泣いて
約束じゃないけど、ワタシはここで両手を広げてる。
向日葵みたいな、向日葵みたいに。
終らない夏
The Endless Summer
毎週水曜夜10時
それって、日テレ。
日本テレビ

1995年に日本テレビで放送された「終らない夏」は、田舎町を舞台に、男女の爽やかな恋を描いた恋愛ドラマだ。

しかし、放送がスタートした直後から、紡木たくの名作漫画「ホットロード」からストーリーやセリフなどを盗用していた事実が発覚。テレビや雑誌で大きく報じられたため、放送が終わった後に制作者側が出版社などに謝罪する事態にいたった。

その結果、再放送やDVD化がされることもなく、本作は完全に封印作品になった。

トラブルだらけで放送禁止になったドラマ

▲出演者の大半が芸能界を去ってしまったせいでお蔵入りに

１９９７年に日本テレビで始まった「ぼくらの勇気 未満都市」は、KinKi Kidsがダブル主演を務めた青春ドラマだ。

が、放送直後から、永福一成のマンガ「チャイルド★プラネット」とのストーリーの類似を指摘する声が続出。放送局にクレームが殺到した。

さらに放送後には、出演者の穴沢真啓が不祥事で事務所をクビになったり、小原裕貴が事務所を辞めたりといったトラブルが続き、同作は完全にお蔵入りに。いまも再放送はされず、DVDにもなっていない。

巨大ゴキブリがリアルすぎて放送中止

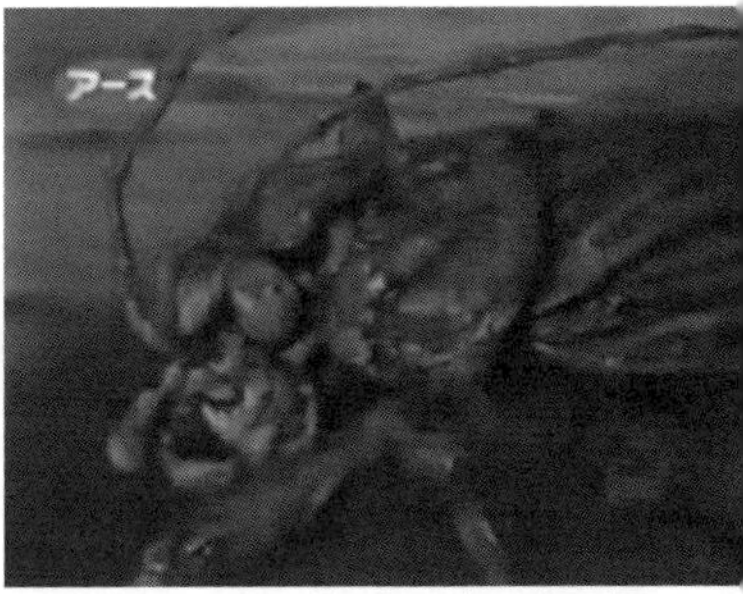

▲巨大でリアルなゴキブリが登場

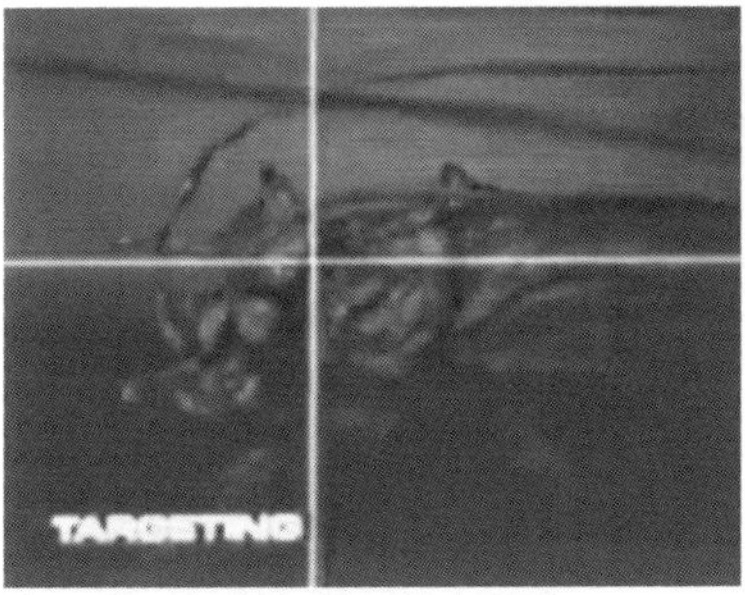

▲ロボコップがゴキブリを粉砕

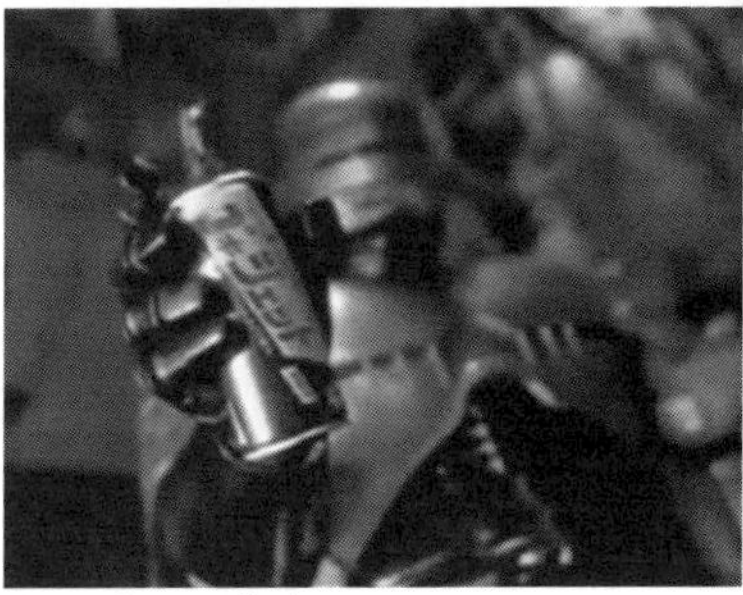
▲ロボコップが
ゴキジェットを手に取る

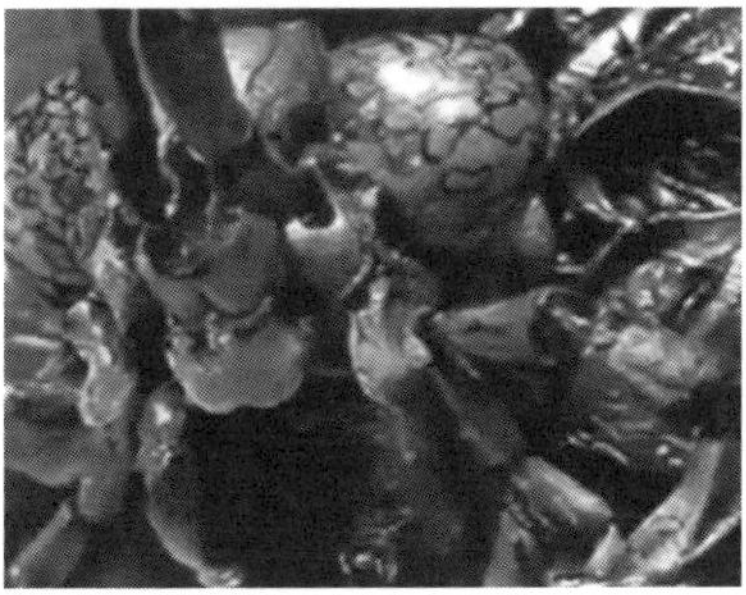
▲ゴキブリが絶叫。確かに怖い

2001年にアース製薬が制作した「ゴキジェット」のCMに、数多くのクレームがついた。

CMには、3DCGで描かれたリアルな巨大ゴキブリが登場。これに対し、ゴキジェットを手にしたロボコップが、次々とゴキブリを駆除していく。

しかし、その造形があまりに不気味だったため、視聴者から「食事時に放送されるとメシがまずくなる」「リアルで怖すぎる」との感想が続出。すぐに放送禁止になってしまった。

1999年の番組「救命病棟24時」より

超人気シリーズの第4話だけが封印

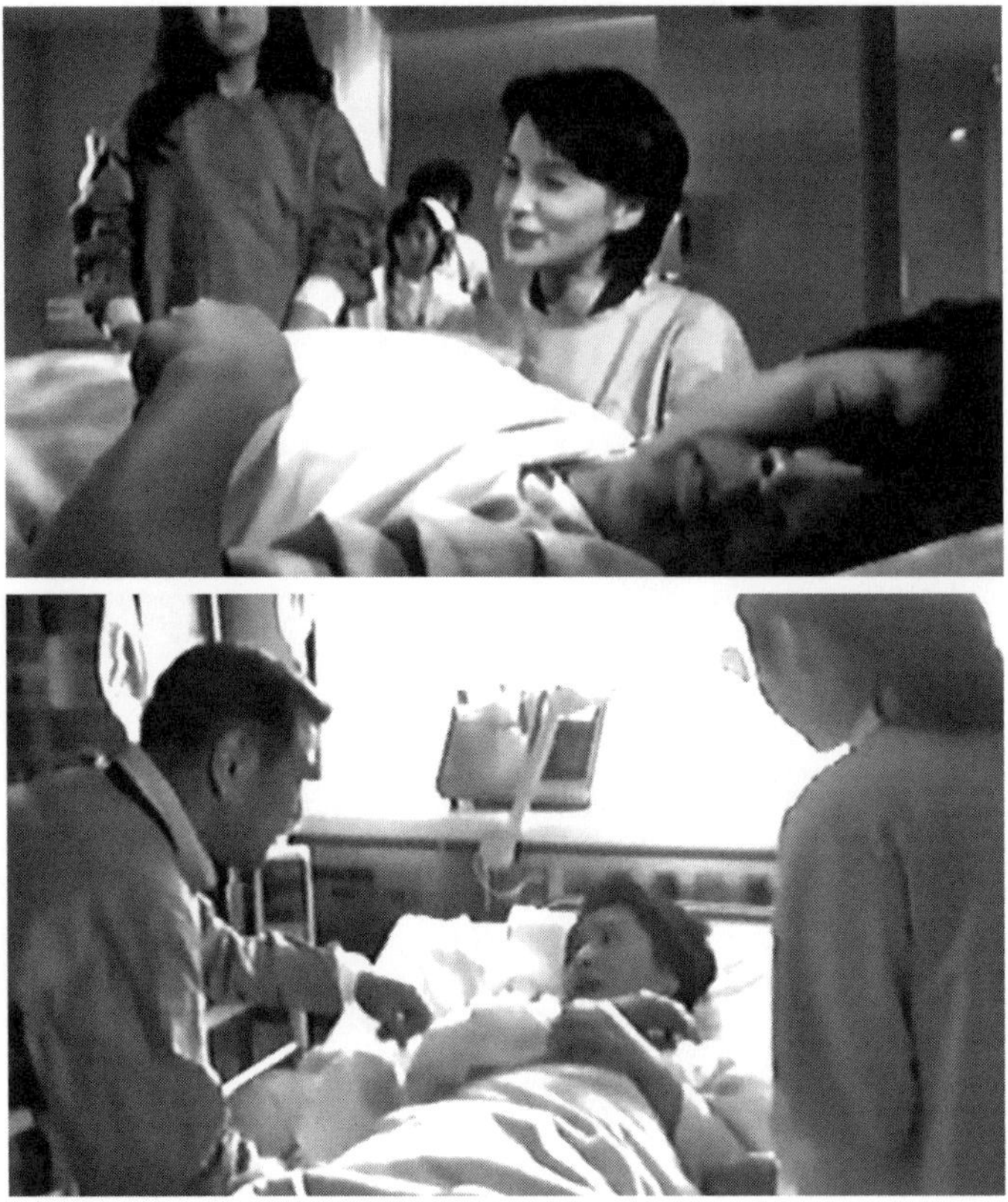

▲第4話が封印された理由には諸説ある

1999年からフジテレビで放送の「救命病棟24時」は、救命救急センターで起きる人間ドラマを描き、何度も新しいシリーズが制作される人気作だ。

が、実は第1シリーズの4話だけは、なぜかいまも再放送がされておらず、完全にお蔵入りになっている。その理由は定かでないが、一説には海外ドラマ「ER緊急救命室」と内容が似ていたため、NBCから苦情がきたのだとか。

真相は不明だが、この4話だけは今もDVD化すらされておらず、完全に黒歴史になっている。

出演者の暴力事件で封印された伝説のドラマ

１９９７年にフジテレビで放送された「それが答えだ！」は、天才的な指揮者が、田舎の中学校で子供たちに音楽を教える姿を描いたヒューマンドラマだ。

藤原竜也や深田恭子のデビュー作として、いまも評価が高い一作だが、放送中に問題が起きた。同作に出演していた男性アイドルのひとりが、学校の教師をなぐり、暴行容疑で逮捕されてしまったのだ。

アイドルはそのまま事務所をクビになったため、ドラマに肖像権の問題が発生。再放送やＤＶＤ化ができなくなってしまった。

2003年の番組
「SIREN CM」より

ホラーゲームのCMが怖すぎて放送禁止

▲疲れて眠る男女

▲そこへ、男女の娘が現れる

▲両親が目を覚ますと、どうも様子がおかしい

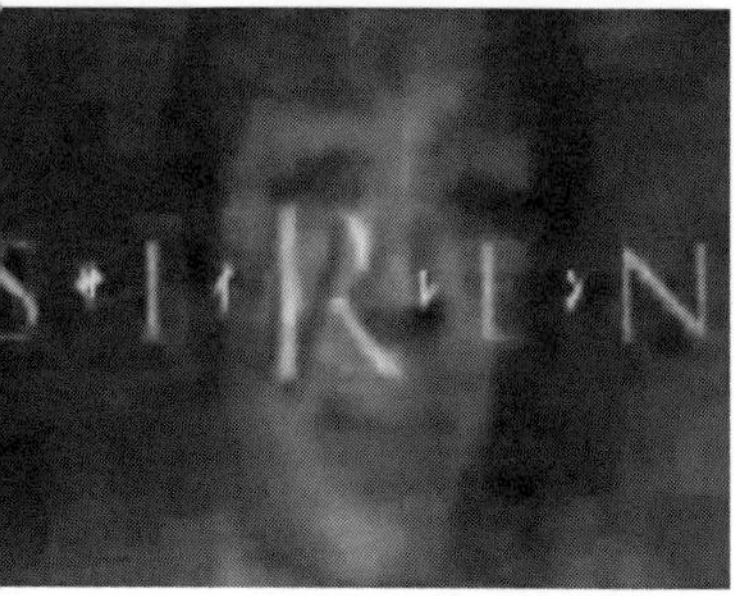

▲娘はゾンビ化していた

　2003年、プレイステーション2で発売されたゲームソフト「サイレン」のCMが放送禁止になってしまった。

　その内容は、ゾンビ化した娘が、両親に襲いかかろうとするというもの。ゲームのワンシーンを忠実に流しただけだったのだが、あまりにも描写が恐ろしかったせいで「子供が怖がる」などの苦情がテレビ局へ殺到。「サイレン」のCMは放送禁止となり、すぐに別のゲームのCMに差し替えて放送された。

病気を警告するCMが怖すぎて放送禁止

▲出勤中のサラリーマン

▲その目の前に立つ男の背中に、謎の貼り紙が…

▲目の前の男が急に苦しみだす

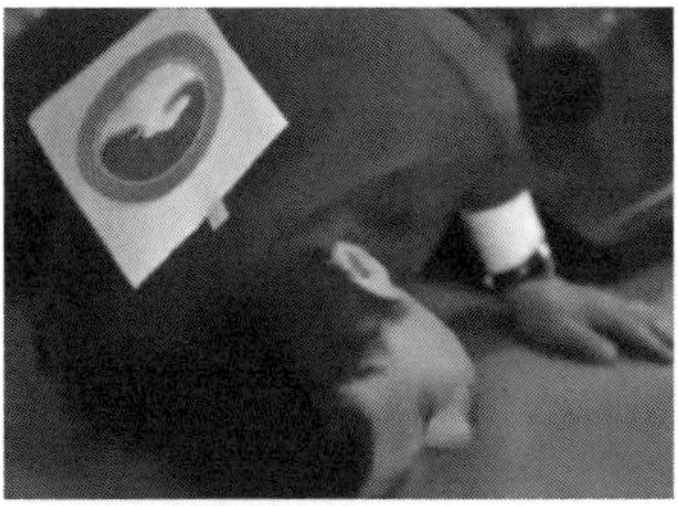
▲床に倒れて死んでしまった

▲驚いて立ち上がるサラリーマンの背中にも、同じ貼り紙が…

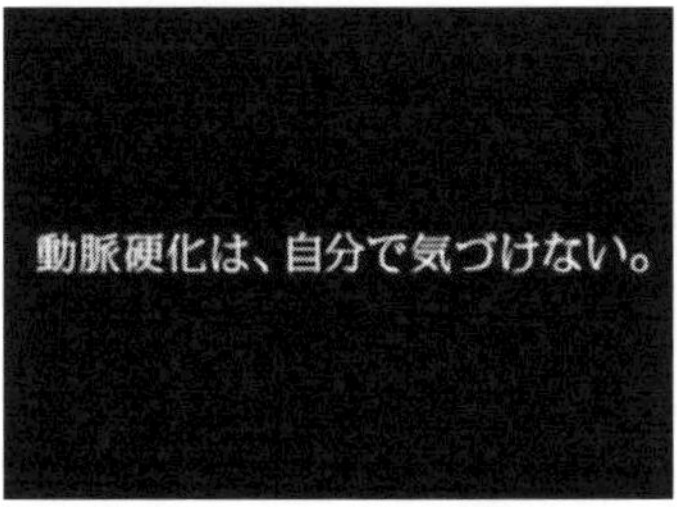
動脈硬化は、自分で気づけない。
▲動脈硬化の恐ろしさを訴えるCMでした

2010年、シオノギ製薬が制作したCMが放送禁止になった。その内容は、電車の中で吊革につかまっているスーツ姿の男性の背中に、血管のイラストが描かれた紙が貼られている。そのイラストが変化すると、男性が胸をおさえて倒れ込んで死亡。よく見ると、周りの男性たちの背中にも同じ紙が貼られていた…。動脈硬化の恐ろしさを描いたCMだが、その描写があまりにも真に迫っていたため、視聴者からは「怖い!」「テレビを消してしまった」などのクレームが続いたという。

未成年の飲酒喫煙シーンで再放送不可能に

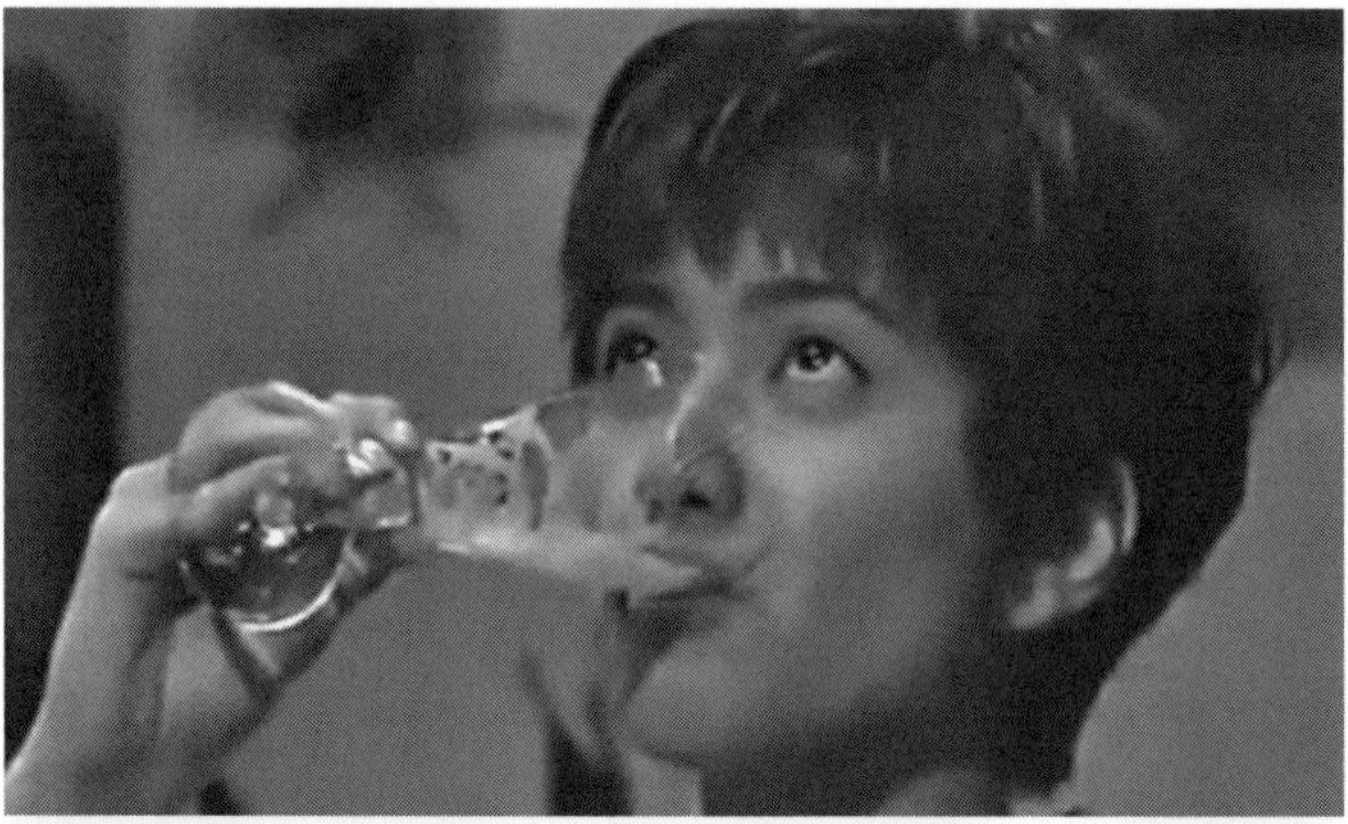

▲未成年が酒とタバコをやりまくるシーンが問題に

1994年にフジテレビで放送された「17才」は、高校生の日常を描いた群像劇だ。

内田有紀や一色紗英といった当時のトップアイドルが多数出演して人気を呼んだ作品だが、登場人物らが、未成年にもかかわらず飲酒・喫煙をしまくっていたため、放送直後からクレームが殺到。本放送が終わって以降、1回も再放送は実現しておらず、ビデオやDVDなどによる商品化もされていない。完全なる黒歴史ドラマである。

1988年の番組

「サンスター DO」より

歯ブラシが絶叫する描写にクレームが

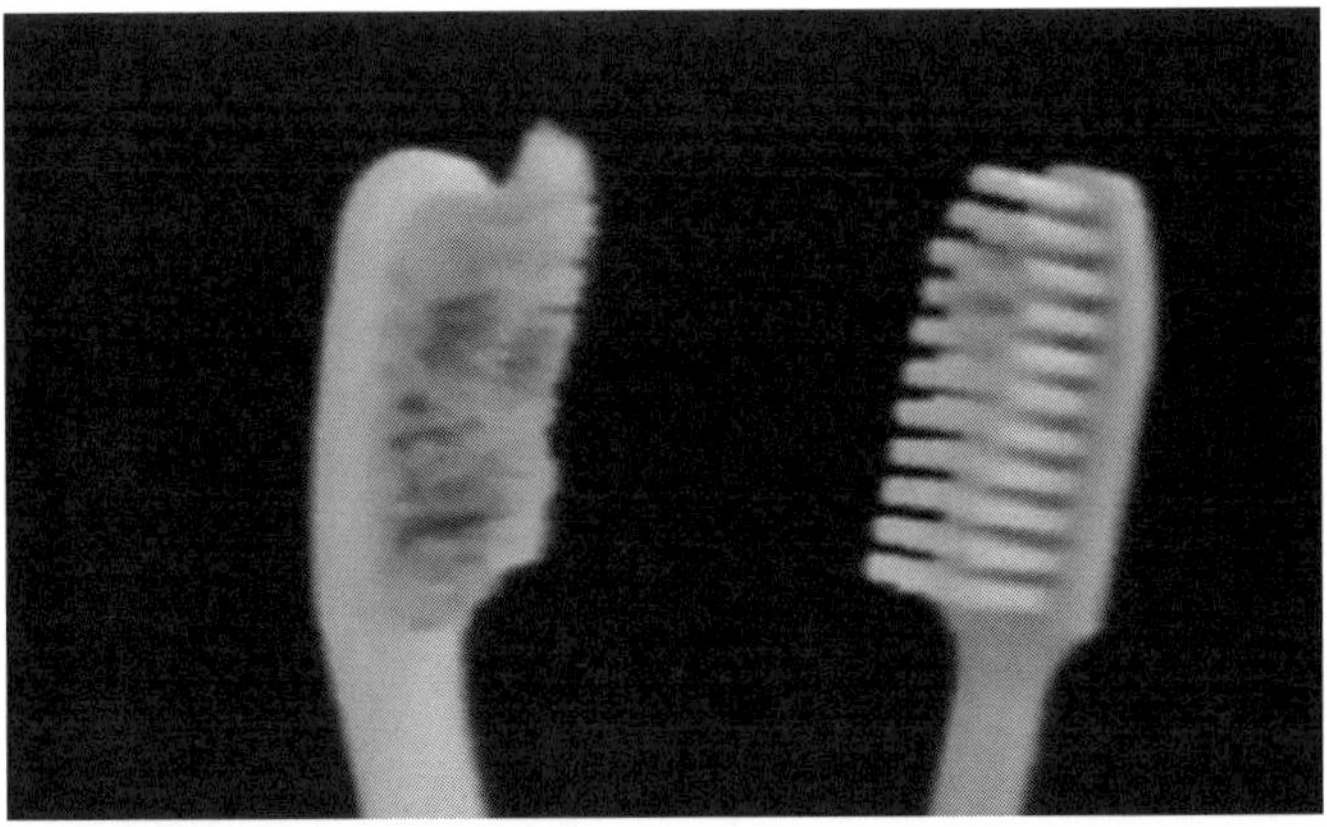

▲楽しげに歯ブラシが会話をしていると…

▲急に汚い歯ブラシが「バイキンだらけだ!」と絶叫

1988年、サンスターが制作したCMが放送禁止になった。その内容は、いかにも見た目が汚い歯ブラシが、視聴者に向かって「これまでの歯ブラシはバイキンだらけだ!」と絶叫するというもの。

その様子は妙に恐ろしく、おびえる子供たちが続出。さらには全日本歯ブラシ工業協同組合からのクレームも入ったため、すぐに打ち切られてしまった。

少年の殺人シーンが問題になって封印

　１９９７年に日本テレビで放送された「サイコメトラーＥＩＪＩ」は、超能力を持つ主人公が、怪事件を次々と解決していくミステリーだ。

　猟奇殺人などの過激シーンが多い作品だが、なかでも第5話「ボクを殺さないで」では、精神を病んだ少年が、同世代の子供をスキーストックで大量に刺し殺すシーンが登場。これが「過激すぎる」として問題になり、本エピソードは今に至るもＤＶＤ化されていない。

▲小学生がスキーストックで刺し殺される事件が起きた

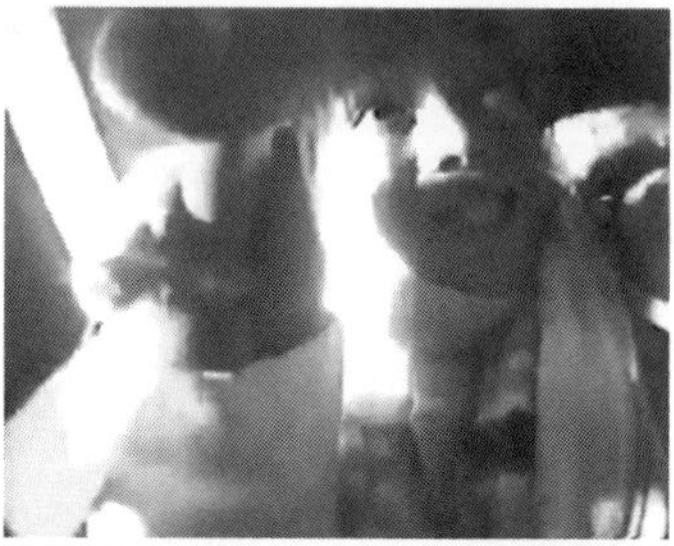

▲犯人は、同じ年齢の小学生だった

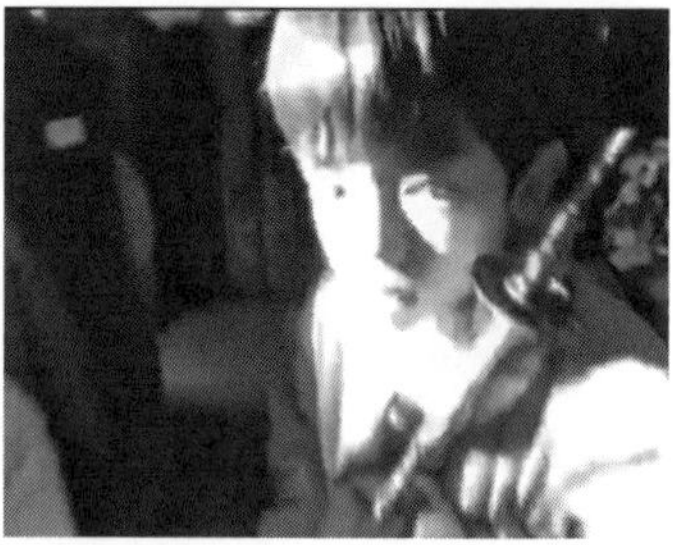

▲血まみれのストックを持って少年が笑う

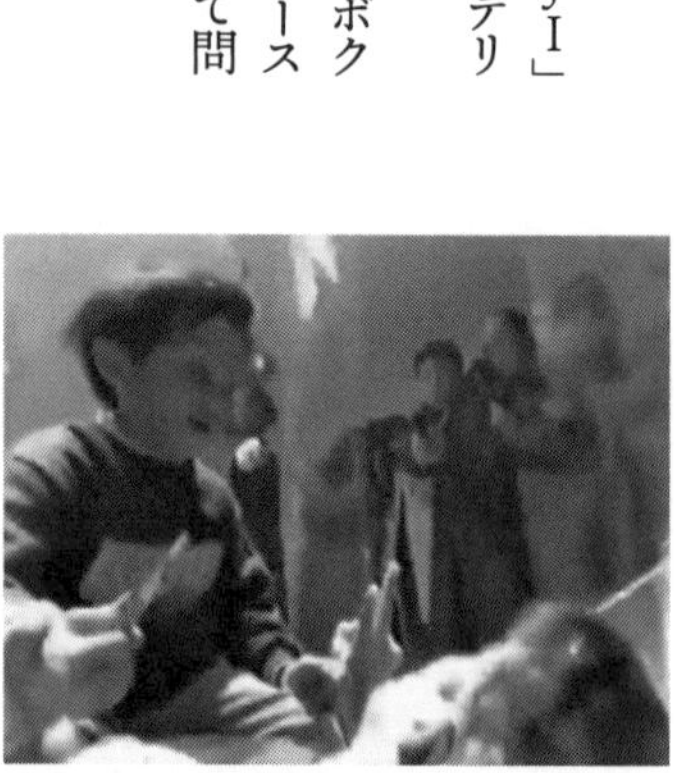

▲最後は主人公にも襲いかかった

未成年犯罪者の実名報道シーンが問題に

１９９５年にＴＢＳで放送された「未成年」は、若者のあいだで大ブームを巻き起こし、平均視聴率が２０％を記録した大ヒット作だ。

高校３年生の主人公たちが銀行強盗に手を染めたり廃校を占拠したりと、衝撃的なストーリー展開が話題を呼んだ作品だが、そのせいで一部の描写が問題視されることとなった。

問題になったのは、罪を犯した登場人物が未成年であるにもかかわらず、容疑者として実名と顔写真がニュースで公開されてしまう部分。実際には未成年を実名報道しても少年法には抵触しないが、放送局へのクレームが相次いだため、問題のシーンはＤＶＤからは削除されている。

人気テレビ番組のあり得ないミス200

2021年5月18日　第1刷発行

著　者　　鉄人社編集部
発行人　　稲村　貴
編集人　　木村訓子
発行所　　株式会社　鉄人社
〒162-0801 東京都新宿区
山吹町332 オフィス87ビル3階
TEL 03-3528-9801　FAX 03-3528-9802
http://tetsujinsya.co.jp

デザイン　　鈴木　恵（細工場）
印刷・製本　　新灯印刷株式会社

ISBN978-4-86537-212-0　C0076　